ВекДракона

DAVID GEMMELL

«The Last Guardian»

Дэвид Геммел

Последний Хранитель

ИЗДАТЕЛЬСТВО
Москва

ББК 84 (7 США)
Г33

Серия основана в 1996 году

David A. Gemmell

THE LAST GUARDIAN

1989

Перевод с английского И. Гуровой

Серийное оформление С. Герцевой, А. Кудрявцева

Художник А. Дубовик

Геммел Д.

Г33   Последний Хранитель: Роман / Пер. с англ. И. Гуровой. —
М.: ООО «Фирма «Издательство АСТ», 2000. — 416 с. —
(Век Дракона).

ISBN 5-237-05048-4

Могущественному Злу удалось открыть врата между прошлым и
будущим, и некому остановить всесильного врага, если погибнет Йон
Шэнноу, воин Света, охотник за Зверем Тьмы. Йон Шэнноу — одинокий
всадник. Волк скалистых пустынь, в которые мир обратился триста лет
назад. Хищник среди хищников, стрелок среди стрелков, человек, в
совершенстве постигший новый закон бытия — УБЕЙ ИЛИ УМРИ. Он —
герой, которому в час смертельной опасности предстоит совершить
невозможное — отыскать Меч Божий там, откуда не возвращался еще ни
один человек. Йон Шэнноу — тот, кто обязан вернуться...

Этот роман
посвящается с
любовью моим детям
Кэтрин и Люку, которые,
к счастью, еще слишком
молоды и не понимают,
какие они прекрасные
люди.

1

К югу от Чумных Земель.
2341 год от Р.Х.

Но он не умер. Когда температура упала ниже тридцати градусов, мышцы бедра вокруг пулевой раны замерзли, и дальние шпили Иерусалима расплылись, изменились, превратились в одетые снегом сосны. Его борода оледенела, толстая длинная черная куртка в лунном свете казалась совсем белой. Шэнноу покачивался в седле, стараясь вновь увидеть город, который так долго искал. Но город исчез. Конь споткнулся, правой рукой Шэнноу вцепился в луку седла, и рана в бедре отозвалась новой болью.

Он повернул вороного жеребца и начал спускаться в долину.

В его мозгу вихрем проносились лица, образы: Каритас, Руфь, Донна. Опасное путешествие через Чумные Земли и битвы с исчадиями, жуткий корабль-призрак высоко на горе. Ружья и гром выстрелов, войны и смерти.

Буран обрел новые силы, ветер хлестал Шэнноу по лицу колючими снежными хлопьями. Он не видел, куда едет, и его мысли начали блуждать. Он знал, что с каждой уходящей секундой жизнь по капле покидает его тело, но у него не осталось ни сил, ни воли продолжать борьбу.

Ему вспомнилась ферма... то, как он в первый раз увидел Донну: на пороге дома с древним арбалетом в руках. Она сочла его разбойником и боялась за свою жизнь и за жизнь своего сына, Эрика. Шэнноу не винил ее за эту ошибку. Он знал, что приходит в голову людям, когда они видят подъезжающего Иерусалимца — высокую худую фигуру в кожаной шляпе с плоскими полями, человека, Взыскующего Иерусалима, с холодными-холодными глазами, которые видели слишком много смертей и отчаяния. Люди вскакивали и долго смотрели — сначала на его ничего не выражающее лицо, а потом их взгляды притягивали пистолеты, грозное оружие Громобоя.

Но Донна Тейбард была другой. Она пригласила Шэнноу в свой дом к своему очагу, и впервые за двадцать изнурительных лет Взыскующий Иерусалима узнал счастье.

Но затем появились разбойники, зачинатели войн и, наконец, исчадия Ада. Шэнноу сражался с ними всеми ради женщины, которую любил, — и все для того, чтобы она стала женой другого.

Теперь он был вновь один, умирал на ледяной горе в не нанесенной на карту глуши. И — странно! — ему было все равно. Ветер завывал вокруг всадника и его коня, и Шэнноу припал к холке жеребца, зачарованный пением сирены-вьюги. Конь был из горного края, ему не нравились ни воющие ветры, ни жалящий снег. Теперь, лавируя между стволами, он выбрался к подветренной стороне отрога и по оленьей тропе спустился ко входу в высокий лавовый туннель, который тянулся под древним вулканическим хребтом. Там было теплее, и жеребец трусил вперед, ощущая мертвый груз на своей шее и спине. Он тревожился — его всадник всегда безупречно держал равновесие, а команды отдавал самым легким движением поводьев.

Широкие ноздри жеребца раздулись — в них ударил запах древесного дыма. Он остановился и попятился. Железные подковы застучали по каменному полу. Перед ним возникла черная тень — в панике он вздыбился, и Шэнноу скатился с седла. Огромная рука с длинными когтями ухватила поводья, и запах льва заполнил туннель. Жеребец вновь попытался встать на дыбы, ударить копытами, подкованными железом, но его держали крепко, а мягкий басистый голос нашептывал ему что-то успокаивающее, и мягкая ладонь ласково его поглаживала. Усмиренный этим голосом, конь послушно вошел в глубокую пещеру, где в кольце плоских камней пылал костер, и спокойно позволил привязать себя к узкому выступу в дальней стене. Затем его укротитель исчез.

В туннеле за входом в пещеру застонал Шэнноу. Он попытался перекатиться на живот, но его парализовали боль и лютый холод. Открыв глаза, он увидел над собой жуткое существо. Голову и лицо обрамляла темная грива. В него вперялась пара золотисто-карих глаз. Широкий и плоский нос, рот, словно рваная рана, с острыми клыками у краев. Шэнноу, не в силах пошевельнуться, мог только смотреть на чудовище яростным взглядом.

Когтистые руки скользнули ему под спину, легко его подняли и, словно ребенка, отнесли в пещеру, а там осторожно уложили у костра. Чудовище попыталось развязать завязки толстой куртки, но широкие руки больше походили на звериные лапы и не справлялись с замерзшими узлами. Со свистом выпущенные когти рассекли кожаные ремешки, и Шэнноу почувствовал, что куртку с него осторожно снимают. Медленно, но с большой бережностью чудовище сняло с него всю промерзшую одежду и укрыло теплым одеялом. Взыскующий Иерусалима погрузился в дремоту, и сны его были наполнены болью.

Снова он сражался с Саренто, главой Хранителей, а «Титаник» плыл по призрачному океану, и в Вавилон явился Дьявол. Но теперь Шэнноу уже не мог выйти победителем. Он боролся за жизнь в океанской воде, вливавшейся в обреченный корабль и захлестывавшей его. Он слышал крики тонущих мужчин, женщин, детей и не мог их спасти. И проснулся весь в поту — попытался сесть, но боль прон-

зила раненый бок, он застонал и вновь оказался во власти
бредовых снов.

*Он ехал к горам и вдруг услышал выстрел. Въехав на
вершину холма, он увидел, как трое мужчин вытаскива-
ют из дома во двор двух отбивающихся женщин. Шэнноу выхватил один из пистолетов, пустил жеребца рысью
и под гром копыт помчался туда. Увидев его, мужчины
отшвырнули женщин, двое вытащили из-за пояса кремневые пистолеты, а третий бросился на него с ножом.
Он натянул поводья и поднял жеребца на дыбы. Шэнноу прицелился точно, и один разбойник с пистолетом
упал. Разбойник с ножом прыгнул, но Шэнноу извернулся в седле и выстрелил в упор. Пуля впилась в лоб и в
брызгах мозга и крови вышла из затылка. Третий выстрелил, и пуля, срикошетив от луки седла, впилась в бед-
ро Шэнноу. Не обратив внимания на внезапную боль,
Иерусалимец выстрелил дважды. Первая пуля ударила
разбойника в плечо, закрутила его, вторая раздробила
ему череп.*

*Во внезапно наступившей тишине Шэнноу с седла
смотрел на женщин. Старшая направилась к нему, и он
увидел страх в ее глазах. Из его раны сочилась кровь и
капала на седло, но он выпрямился.*

— Чего тебе надо от нас? — спросила она.

— Ничего, госпожа. Я только хотел помочь вам.

— Ну, — сказала она, неумолимо глядя на него, — ты нам помог, и мы тебе благодарны.

Она попятилась, по-прежнему не спуская с него глаз. Он понимал, что она видит капающую кровь, но не мог... не хотел просить о помощи.

— Доброго вам дня, — сказал он, повернул коня и поехал прочь.

Девочка побежала за ним — белокурая, миловидная, хотя ее кожа была задублена жарким солнцем и тяготами работы на земле в глуши. Она подняла на него большие голубые глаза.

— Вы уж простите! — сказала она. — Моя мать боится всех мужчин. Вы уж простите нас.

— Отойди от него, кому говорю! — крикнула мать, и девочка отскочила.

Шэнноу кивнул.

— Возможно, у нее для этого есть веские причины, — сказал он. — Жалею только, что не могу остаться и помочь вам закопать эту падаль.

— Вы ранены. Дайте я вам помогу.

— Нет. Я уверен, что близко отсюда есть город. В нем белые шпили и ворота из чистого золота. Там обо мне позаботятся.

— Никаких городов тут нету, — сказала девочка.

— Я найду его, — сказал он, тронул бока жеребца каблуками и выехал со двора.

* * *

К его плечу прикоснулась рука, и он очнулся. Над ним наклонялось звериное лицо.

— Как ты себя чувствуешь? — Голос был басистый, слова произносились медленно и нечетко. Вопрос пришлось повторить еще два раза, прежде чем Шэнноу его понял.

— Я жив... благодаря тебе. Кто ты?

Огромная чудовищная голова наклонилась набок.

— Прекрасно! Обычно меня спрашивают, ЧТО я такое, а не кто. Меня зовут Шэр-ран. А ты очень силен, раз еще не умер от такой раны.

— Пуля прошла навылет, — сказал Шэнноу. — Ты не поможешь мне сесть?

— Нет. Лежи! Я зашил раны — и ту, где пуля вошла, и ту, где она вышла. Но мои пальцы уже не те, что были раньше. Лежи спокойно, отдохни до утра. А тогда мы поговорим.

— Мой конь?

— Цел и невредим. Он было испугался меня, но теперь мы понимаем друг друга. Я дал ему зерна из твоих седельных сумок. Спи, человек!

Шэнноу расслабился, убрал руку под одеяло и потрогал рану на правом бедре. Ощутил тугость швов и грубость узлов. Крови не было, но его тревожили волокна куртки, вогнанные в рану. Именно они убивали чаще пуль, вызывая гангрену и заражение крови.

— Рана чистая, — негромко сказал Шэр-ран, словно читая его мысли. — Кровь, вытекая, по-моему, промыла ее. И здесь, в горах, раны хорошо заживают. Воздух же очень чистый. Бактериям трудно выжить при температурах ниже тридцати.

— Бактериям? — прошептал Шэнноу, закрывая глаза.

— Микробам... той пакости, из-за которой раны гноятся.

— А-а! Спасибо, Шэр-ран.

И Шэнноу погрузился в сон без сновидений.

Проснулся Шэнноу очень голодный, осторожно приподнялся и сел. Ярко горел костер, и он увидел у дальней стены большую поленницу. Оглядев пещеру, он определил, что в самом широком месте она имеет в поперечнике около пятидесяти футов. Высокий сводчатый потолок был весь в трещинах, в которые лениво уползал дым костра. Возле одеял Шэнноу лежали его фляжка, его Библия в кожаном переплете и его пистолеты в кожаных промасленных кобурах. Он взял фляжку, вытащил пробку с латунной нашлепкой и сделал несколько больших глотков. Затем в ярком свете костра осмотрел рану на бедре. Кожа вокруг была багровой, припухшей и воспаленной, но сама рана выглядела чистой и совсем не кровоточила. Он встал очень медленно и осторожно, а потом посмотрел по сторонам в поисках своей одежды. Его вещи, сухие, небрежно сложенные, лежали на валуне по ту сторону костра. Белая шерстяная рубаха была вся в пятнах запекшейся крови, но он все равно надел ее, а потом и черные шерстяные брюки. А вот застегнуть пояс на обычную дырочку он не смог — кожаный край вдавился в рану, и он охнул. Потом натянул носки и высокие сапоги для верховой езды и прошел к своему коню, привязанному у дальней стены. Шэр-рана в пещере не было.

Возле поленницы он увидел грубо сколоченные полки. На некоторых стояли книги, на других лежали мешочки с солью, с сахаром, сушеными фруктами и вяленым мясом. Поев сушеных фруктов, Шэнноу вернулся к костру. В пещере было тепло. Он лег на одеяла, достал пистолеты и тщательно их вычистил. Это были адские пистолеты, самозарядные, с боковой подачей. Он открыл седельную сумку и проверил, сколько у него осталось патронов. Сорок семь. Но когда они кончатся, эти чудесно сбалансированные пистолеты окажутся бесполезными. Засунув руку почти на дно сумки, он вытащил два пистолета, верно послужившие ему двадцать лет. Капсюльные. Для них он мог сам приготовлять порох и отливать пули. Вычистив, он завернул их в промасленную тряпку и уложил на дно сумки. Только тогда он взял Библию.

Переплет гибкий, как шелк, тонкие страницы с золотым обрезом, явно часто перелистывавшиеся. Размешав огонь, он открыл ее на Книге Пророка Аввакума и глубоким звучным голосом прочел три стиха:

«Доколе, Господи, я буду взывать — и Ты не слышишь, буду вопиять к тебе о насилии — и Ты не спасаешь? Для чего даешь мне видеть злодейство и смотреть на бедствия? Грабительство и насилие предо мною, и восстает вражда и поднимается раздор. От этого закон потерял силу, и суда правильного нет: так как нечестивый одолевает праведного, то и суд происходит превратный».

— И как твой Бог отвечает, Йон Шэнноу? — спросил Шэр-ран.

— Как в его воле, — ответил Шэнноу. — Откуда тебе известно мое имя?

Хозяин пещеры подковылял к костру. Его могучие плечи горбились под тяжестью огромной головы. Он тяжело опустился на пол, и Шэнноу заметил, что он дышит судорожно и прерывисто. Из уха появилась струйка крови, впитываясь в темные пряди гривы.

— Ты ранен? — спросил Шэнноу.

— Нет. Просто Перемена, и все. Ты поел?

— Да. Сушеные плоды, засахаренные в меду. Удивительно вкусно.

— Съешь их все. Они мне больше не по нутру. Как твоя рана?

— Подживает, как ты и обещал. Мне кажется, тебя терзает боль, Шэр-ран? Могу я чем-нибудь помочь?

— Ничем. Разве что подаришь мне свое общество?

— С радостью. Давно я уже не сидел у огня в тепле и покое. Так скажи, откуда ты меня знаешь?

— Не тебя, а о тебе, Шэнноу. Черная Госпожа рассказывала о тебе — о твоих подвигах и схватках с исчадиями Ада. Ты сильный человек и, я думаю, надежный друг.

— Кто она — эта Черная Госпожа? — спросил Шэн-ноу, чтобы избежать дальнейших похвал.

— Она — та, кто она есть. Смуглая и красивая. Она помогает дееннам — моему народу, и волчецам. Медведи ее к себе не допускают, потому что в них ничего человеческого уже не осталось. Они звери — и ныне и вовеки. Я устал, Шэнноу. Я отдохну... посплю. — Он лег на живот, поддерживая голову когтистыми руками. Его золотисто-карие глаза закрылись... и снова открылись. — Если... когда... ты перестанешь меня понимать, оседлай своего коня и уезжай. Ты понял?

— Нет, — ответил Шэнноу.

— Еще поймешь, — сказал Шэр-ран.

Шэнноу съел несколько засахаренных плодов и вновь открыл Библию. Аввакум уже давно стал его любимейшим пророком. Короткими, горько-сладкими были его слова, но в них звучали сомнения и страхи, переполнявшие сердце Шэнноу, и, служа им отражением, они их успокаивали.

Три дня Шэнноу провел с Шэр-раном, но хотя они часто разговаривали, Взыскующий Иерусалима почти ничего не узнал о дееннах. Из немногих слов хозяина пещеры он получил лишь смутное представление о крае, где люди понемногу превращались в зверей. Были люди Льва, Волка и Медведя. Медведи перестали быть людьми, их культура сгинула. Волчецы вымирали. Оставались только люди Льва. Шэр-ран говорил о красоте жизни, о ее муках и радостях, и Шэнноу мало-помалу понял, что хозяин пещеры умирает.

Про это они не упоминали, но день за днем тело Шэр-рана изменялось, росло, искажалось, и он утратил способность стоять прямо. Кровь обильно текла из обоих ушей, а его речь стала совсем невнятной. Ночью он рычал во сне.

На четвертое утро Шэнноу разбудило ржание жеребца, полное ужаса. Он вскочил с постели, хватая пистолет. Перед конем к полу припал Шэр-ран, покачивая огромной головой.

— Что случилось? — крикнул Шэнноу. Шэр-ран обернулся... и Шэнноу встретил взгляд золотисто-карих глаз огромного льва. Лев прыгнул на него, но Шэнноу упал, сильно ударившись об пол. Боль пронзила его тело, но он увернулся от атакующего льва, чей рев заполнил пещеру.

— Шэр-ран! — во всю мочь закричал Шэнноу. Лев повернул голову, и на мгновение Шэнноу уловил свет разума в его глазах... но он тут же угас. Зверь снова прыгнул. Рявканье пистолета эхом отдалось под сводами пещеры.

Зверь, который был Шэр-раном, рухнул и перекатился на бок, пристально глядя в глаза Шэнноу. Иерусалимец шагнул к нему, опустился на колени и положил руку на черную гриву.

— Прости! — сказал он.

Золотисто-карие глаза закрылись, дыхание оборвалось. Шэнноу убрал пистолет и взял Библию.

— Ты спас мне жизнь, Шэр-ран, а я отнял твою. Это несправедливо, но у меня не оставалось выбора. Я не знаю, как молиться за тебя, потому что не знаю, был ли ты человек или зверь. Но ты был добр ко мне, и я молю Всевышнего принять твою душу.

Он открыл Библию и, положив левую руку на тело Шэррана, прочел:

«*Господня — земля и что наполняет ее, вселенная и все живущее в ней; ибо Он основал ее на морях и на реках утвердил ее. Кто взойдет на гору Господню, или кто станет на святом месте его? Тот, у кого руки неповинны и сердце чисто, кто не клялся душею своею напрасно и не божился ложно*».

Он подошел к дрожащему жеребцу и оседлал его. Потом уложил в сумку оставшиеся съестные припасы, сел в седло и выехал из пещеры.

Позади него огонь костра замерцал и погас.

2

Город Эд. 9364 год до Р.Х.

Храм все еще чаровал красотой стройных белых шпилей и золотых куполов, но дворы его, прежде исполненные безмятежного покоя, теперь заполняли толпы людей, завывающих в жажде кровавого жертвоприношения. Белый шатер у входа в Священный Круг был убран, а на его месте стояла статуя царя, исполненная величия и мощи, с простертыми ввысь руками.

Нои-Хазизатра стоял в толпе, и его била дрожь. Трижды его посещало видение, и трижды он старался забыть о нем.

— Я не могу, Господи! — шептал он. — У меня нет на это сил.

Когда вывели жертву, он отвернулся и начал пробираться между толпящимися зрителями. Услышал, как новый верховный жрец произнес нараспев первые строки обрядового моления, но не оглянулся. Слезы жгли ему глаза, он, спотыкаясь, брел по белым мраморным коридорам, пока наконец не вышел к Озеру Безмолвия. И сел у самой воды. Рев толпы еле-еле доносился сюда, но все же он расслышал свирепую радость в этом реве, знаменовавшую смерть еще одной невинной жертвы.

— Прости мне! — сказал он, глядя в глубину Озера. Там скользили рыбки, а над ними он видел собственное отражение. Сильное лицо с квадратным подбородком, глубоко посаженные глаза, пышную бороду. Нет, он никогда не думал, что это лицо человека, слабого духом. И опустил руку в воду, взбаламучивая ее. Серебристые и черные рыбки метнулись во все стороны, унося с собой его отражение.

— Что может сделать один человек, Господи? Ты же видишь их! Царь одарил их богатством и миром, благоденствием и долгой жизнью. Они разорвут меня в клочья!

Чувство беспомощного отчаяния овладело им. Последние три месяца он устраивал тайные собрания и обличал необузданность царя. Он помогал объявленным вне закона жрецам Хроноса спасаться от Кинжалов, тайно вывозил их из города. Но теперь он уклонялся от последнего возложенного на него долга. Его грыз стыд, потому что любовь к жизни в нем оказалась сильнее любви к Богу.

В глазах у него помутилось, небо потемнело, и Нои-Хазизатра почувствовал, что оторвался от своего тела. Он воспарил в небо и повис над сверкающим городом внизу. В отдалении сгущался совсем уж черный мрак, а потом за пеленой мрака воссиял слепящий свет. Задул ураганный ветер, и Нои содрогнулся: морские валы с ревом вздыбились к небу. Океан с громом обрушился на сушу, и великий город превратился в его игрушку. Гигантские деревья исчезли под волнами, словно трава в паводок. Горы были поглощены целиком. Звезды заметались по небу, и солнце величественно взошло на западе.

Взглянув вниз на город, где он родился, Нои-Хазизатра увидел только серо-голубую пелену бушующих волн. И его дух канул в воду, все глубже, глубже погружаясь во мрак. Озеро Безмолвия и правда стало безмолвным. Серебристо-черные рыбки уплыли. Мимо него проносились трупы — мужчин, женщин, детей. Вода не была помехой для Нои, и он вышел на главную площадь. Статуя царя все еще стояла со вскинутыми руками... и тут ее задела огромная черная акула. Статуя медленно опрокинулась и ударилась о колонну. Голова отломилась, торс ударился о мозаичные плиты.

— Нет! — закричал Нои. — Не-е-ет!

Его тело содрогнулось — он опять сидел у Озера Безмолвия. Яркие солнечные лучи струились на храм, над деревянными парапетами Башни Плача кружили голуби. Он встал, закутался в небесно-голубой плащ и решительным шагом пошел назад во Двор Священного Круга. Толпа начинала расходиться, жрецы подняли тело жертвы с плоского серого жертвенника. Кровь заливала его поверхность и по желобкам стекала в золотые воронки.

Нои-Хазизатра поднялся по ступеням и, замедлив шаг, направился к жертвеннику. Сперва никто не попытался ему помешать, но, когда он приблизился к камню, его остановил жрец в багряном одеянии.

— Только избранным дозволено подходить к Священному Месту! — сказал жрец.

— К какому священному месту? — крикнул Нои. — Вы осквернили его! — Он оттолкнул жреца и направился к камню. В толпе заметили их стычку и зашептались:

— Что он делает?

— Вы видели, как он ударил жреца?

— Сумасшедший!

Все глаза обратились на высокого мужчину у жертвенника. Он сбросил голубой плащ и оказался одет в белое облачение жреца Хроноса. У подножия лестницы собрались храмовые стражи, но приближаться к Священному Месту с оружием строжайше запрещалось, и они неуверенно переминались с ноги на ногу.

К человеку у жертвенника подошли три жреца.

— Что это за безумие? — спросил один. — Почему ты оскверняешь Храм?

— Как смеешь ты говорить об осквернении? — возразил Нои-Хазизатра. — Этот Храм был посвящен Хроносу, Владыке Света, Владыке Жизни. Тут никогда не приносились кровавые жертвы!

— Царь — живое воплощение Хроноса, — заявил жрец. — Завоеватель миров, Владыка Небес. Все, кто отрицает это, предатели и еретики.

— Ну так причислите меня к ним! — загремел Нои, его могучие руки обхватили жертвенник и оторвали от подставки. Подсунув пальцы под камень, он поднял его над головой и швырнул о ступеньки. Камень развалился на куски. Толпа испустила яростный рев.

Нои-Хазизатра прыгнул к подножию алтаря.

— Безверные! — закричал он. — Близок ваш конец! Вы надсмеялись над Творцом Всего Сущего, и кара ваша будет ужасна. Моря поднимутся против вас и не оставят камня на камне. Ваши тела поглотит водная бездна, ваши чаяния будут забыты, как будете забыты и вы. Вы все слышали, что царь — живой бог. Богохульство! Кто низвел Камни ролиндов со Свода Небес? Кто привел избранный народ в эту благодатную страну? Кто уничтожил надежды грешников в Год Драконов? Хронос через своих пророков! И где был тогда царь? Он еще не родился и не был зачат. Он человек, и творимое им зло необъятно. Он погубит мир. У вас есть жены и сыновья, у вас есть те, кого вы любите. Они все умрут. Никто из вас, слушающих эти слова, не останется в живых до конца года!

— Стащить его оттуда! — заорал кто-то в толпе.

— Убьем его! — завопил другой, и толпа подхватила этот крик.

Храмовые стражи обнажили мечи и кинулись вверх по ступеням. Между ними зазмеилась молния, перескакивая с меча на меч, и обуглившиеся стражники попадали на ступени. Жуткое безмолвие окутало толпу.

Над трупами курился дым, а Нои-Хазизатра воздел руки к небесам.

— Пути назад нет, — сказал он. — Все будет так, как я говорил. Солнце взойдет на западе, и океан с грохотом обрушит свои воды на сушу. Вы увидите в небе Меч Божий — и отчаетесь!

Он спустился с алтаря и медленно прошел между мертвыми стражниками. Толпа расступалась перед ним, и Храм остался позади.

— Я его знаю, — сказал какой-то мужчина. — Это Нои-Хазизатра, корабельный мастер. Живет в южном квартале.

Имя передавалось в толпе из уст в уста все дальше и дальше от Храма и наконец достигло слуха женщины по имени Шаразад.

И охота началась.

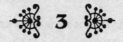

Три дня Шэнноу ехал на юг. Тропы вились, спускаясь все ниже в длинную долину с полузамерзшими речками и ручьями, с сосновыми лесами, широкими лугами и пологими холмами. Дичи почти не попадалось, но он видел следы оленей и лосей. Каждый день на исходе утра он выбирал место, укрытое от ветра, сгребал снег, чтобы жеребец мог пощипать травы, а сам садился у костерка, читал Библию или думал о пути впереди.

Его раны быстро заживали. Шэр-ран прекрасно их зашил. Он часто вспоминал загадочного человеко-зверя и пришел к выводу, что Шэр-ран попросил его остаться с ним именно ради того, что произошло. Человеко-зверь обработал его раны, а потом положил рядом с ним пистолеты. Но ведь в безопасности пещеры ему оружие было не нужно. Обреченный упомянул Перемену, и наблюдать ее было до предела жутко — переход от человечности к звериности. Шэнноу не понимал, что могло вызвать подобное преображение, но в странном мире после Армагеддона было много загадок.

За два года до этого, стараясь спасти Сэмюэля и Бетика, который прежде был исчадием Ада, Шэнноу своими глазами видел новую расу волчецов, наполовину людей, наполовину зверей. И Арчер упоминал про другие такие же расы, хотя Шэнноу они еще не встречались.

В долине погода была более теплой, и чем дальше на юг он ехал, тем тоньше становился снежный покров, а склоны во многих местах уже зеленели молодой травкой. Каждое утро Шэнноу оглядывал небо, ожидая увидеть чудо, но оно оставалось голубым и безмятежным.

На четвертый день, когда начинало смеркаться, Шэнноу повернул жеребца в лес в поисках места для ночлега. Впереди между стволами он заметил отблески огня.

— Эй! У костра! — закричал он. Сначала ему ответила тишина, но затем отозвался хриплый бас, приглашая его подъехать. Шэнноу выждал секунду, молниеносно извлек из сумки капсюльный пистолет и сунул его за пояс сразу у борта своей длинной куртки. И поехал вперед.

Вокруг костра сидели четверо мужчин, в стороне стояли привязанные пять лошадей. Шэнноу спешился и набросил поводья жеребца на торчащий корень. Над огнем с треножника свисал большой черный горшок, распространяя благоухание мясной похлебки. Иерусалимец небрежной походкой направился к костру и сел, обводя четверых мужчин внимательным взглядом. Крутые молодчики, почти все поджарые, и во всех таится что-то волчье. За свою жизнь он навидался таких. Его взгляд задержался на крупном сутулом человеке с коротко подстриженной, подернутой проседью бородой и глазами-щелками под набрякшими веками.

В воздухе ощущалось напряжение, но оно не смутило Иерусалимца, хотя он его заметил. Его взгляд скрестился со взглядом сутулого мужчины. Он выждал.

— Поешь, — наконец негромко сказал тот.

— После вас, — сказал Шэнноу. — Не хочу быть неучтивым.

Мужчина улыбнулся, показав желтые зубы.

— Лес не место для учтивостей.

Он протянул руку за половником и налил себе похлебки в металлическую миску. Остальные последовали его примеру. Напряжение все нарастало. Шэнноу взял миску левой рукой и поставил ее перед костром. Потом левой же рукой взял половник, наполнил миску и придвинул к себе. Медленно съев похлебку, он отодвинул миску.

— Благодарствую, — сказал он в тяжелое молчание. — Мне не мешало подкрепиться.

— Подлей еще, — предложил вожак.

— Нет, спасибо. А то не хватит вашему дозорному.

Вожак обернулся.

— Иди сюда, Зак! — позвал он. — Ужин стынет.

Из кустов по ту сторону костра выбрался парень с длинным ружьем в руках. Избегая взгляда Шэнноу, он подошел к костру и сел рядом с вожаком, а ружье положил рядом.

Шэнноу встал, направился к своему жеребцу, отвязал свернутые одеяла и расстелил их возле коня. Ослабил подпругу, снял седло и бросил на землю. Потом вытащил скребницу из седельной сумки, поднырнул под шею жеребца и равномерными спокойными движениями начал чистить его шерсть. Он ни на кого не смотрел, но молчание становилось все тяжелее. Иерусалимцу очень хотелось уехать сразу же, едва он кончил есть, и избежать непосредственной опасности, но он знал, что поступить так было бы непростительно глупо. Эти люди — разбойники, убийцы, и уехать значило бы проявить слабость, которая подействовала бы на них, как запах крови на волчью стаю. Он потрепал жеребца по холке и вернулся к своим одеялам. Не сказав ни слова, он снял шляпу, лег, завернулся в одеяло и закрыл глаза.

Парень у костра потянулся за ружьем, но вожак схватил его за локоть и покачал головой. Парень вырвал руку.

— Дьявол! Что это с тобой? — прошептал он. — Дай я его прикончу! Конь, каких в аду не сыщешь, и пистолеты... ты видел, какие пистолеты!

— Видел, — ответил вожак. — И видел, чьи они. А ты видел, как он подъехал к костру? С осторожностью. Тебя он сразу заметил и сел так, чтобы ты не мог в него прицелиться. А похлебку наливал и ел одной левой рукой. А где была правая? Я скажу тебе где. За бортом куртки. И он не брюхо почесывал. Так что уймись, малый. А я подумаю.

Ближе к полуночи, когда все мужчины заснули под своими одеялами, парень бесшумно встал, сжимая в руке обоюдо-

острый нож, и прокрался туда, где спал Шэнноу. Позади
него возникла темная фигура, и на его затылок опустилась
рукоятка пистолета. Он упал, даже не застонав. Вожак
убрал пистолет в кобуру и отнес парня на его одеяло.

В двадцати шагах от них Шэнноу улыбнулся и тоже
убрал пистолет в кобуру. Вожак подошел к нему.

— Я знаю, ты не спишь, — сказал он. — Кто ты, во
имя ада?

Шэнноу приподнялся и сел.

— Голова у мальчика сильно разболится. Надеюсь, у
него достанет ума сказать тебе «спасибо»?

— Звать меня Ли Паттерсон, — ответил вожак и протянул ему правую руку. Шэнноу улыбнулся, но руки не взял.

— Йон Шэнноу.

— Господи Боже всемогущий! Ты охотишься на нас?

— Нет. Я еду на юг.

Ли ухмыльнулся:

— Хочешь поглядеть на статуи в небе, а? На Меч
Божий, э, Шэнноу?

— Ты их видел?

— Нетушки. Они же в Диких Землях. Там нет селений, и человеку нечем поживиться. Но я видел одного, который клялся, что стоял прямо под ними, и сказал еще, что
сразу уверовал. А мне уверовать, ну, ни к чему. Но ты
точно на нас не охотишься?

— Даю слово. А почему ты спас мальчика?

— У человека, Шэнноу, лишних сыновей не бывает. У меня их трое было. Одного убили, когда я ферму потерял. Другого подстрелили после того, как мы... начали ездить. Ранен он был в ногу, рана загноилась, и пришлось мне ногу эту отрезать. Ты только подумай, Шэнноу, — отрезать ногу собственному сыну, понимаешь? А он все равно помер, потому как я слишком с этим тянул. Нелегкая это жизнь, что так, то так.

— А что с твоей женой?

— Померла. Этот край не для женщин, он их сжигает. А у тебя есть женщина, Шэнноу?

— Нет. У меня нет никого.

— Думается, потому ты и такой опасный.

— Может быть, — согласился Шэнноу.

Ли встал, потянулся, потом посмотрел на него сверху вниз.

— А ты Иерусалим отыскал, Шэнноу?

— Пока нет.

— Отыщешь, так задай Ему вопрос, а? Спроси ты Его, какой, к дьяволу, во всем этом смысл?

4

Нои-Хазизатра выбежал из Храма по широкой лестнице и скрылся среди толп, заполнявших городские улицы. Его смелость угасла, и он, весь дрожа, пробирался между людьми, в надежде затеряться среди их множеств.

— Ты жрец? — спросил мужчина, вцепляясь ему в рукав.

— Нет! — отрезал Нои. — Отвяжись от меня.

— Так на тебе же одеяние! — не отступал тот.

— Отвяжись! — рявкнул Нои, вырываясь. Вновь поглощенный толпой, он свернул в переулок и быстро зашагал к Купеческой улице. Там купил длинный плащ с капюшоном и натянул капюшон на свои длинные волосы.

На перекрестке он зашел в трактир, сел за столик у восточного окна и уставился на улицу снаружи, наконец-то в полной мере осознав всю чудовищность содеянного им. Теперь он изменник и еретик. И нигде в Империи ему не укрыться от гнева царя. И Кинжалы, конечно, уже разыскивают его.

«Почему ты? — спросила Пашад накануне вечером. — Почему твой Бог не может найти кого-нибудь другого? Почему ты должен погубить свою жизнь?»

«Не знаю, Пашад. Что я могу сказать?»

«Ты можешь отказаться от этой глупости. Мы переедем в Балакрис, забудем про всю эту чепуху».

«Это не чепуха. Без Бога я — ничто. И злу, чинимому царем, должно положить предел».

«Если твой Владыка Хронос так могуч, почему он не сразит царя перуном? Зачем ему понадобился корабельный мастер?»

Нои пожал плечами.

«Не мне задавать вопросы Ему. Все, что мое, — Его. Весь мир — Его. Я был учеником во Храме всю мою жизнь, и таким плохим, что не стал жрецом. И я нарушал многие Его законы. Но я не могу отказаться, если Он призывает меня. Что я буду за человек? Ну-ка, ответь мне!»

«Ты будешь живым человеком», — сказала она.

«Без Бога жизни нет!» — Он увидел отчаяние в ее темных глазах, увидел, как оно родилось в сверкающих слезах, которые заструились по ее щекам.

«А как же я и дети? Жена изменника разделяет его кару. Об этом ты подумал? Ты хочешь увидеть, как твои дети сгорают в пламени?»

«Нет!» — Это был вопль безмерной муки.

«Тебе нужно уехать отсюда, любимый. Нужно! Сегодня я говорила с Бали. Он сказал, что у него для тебя есть кое-что. И чтобы ты пришел к нему завтра вечером».

Они проговорили больше двух часов, строили планы, а потом Нои закрылся в своей тесной молельне и простоял там на коленях до утренней зари. Он взывал к Богу освободить его, но когда по небу разлилось розовое сияние, он твердо знал, что должен сделать...

Пойти в Храм и обличить царя.

И вот он все исполнил... и его ждет смерть.

— Ты изволишь поесть или выпить, высочайший? — спросил трактирщик.

— Что-что? А-а! Вина. Лучшее, какое у тебя есть.

— Слушаюсь, высочайший. — Трактирщик поклонился и отошел. Нои не заметил этого, как не заметил и его возвращения, как не заметил поставленные на стол перед ним кувшин и чашу. Трактирщик кашлянул. Нои подскочил, потом порылся в кошеле и бросил ему на ладонь большую серебряную монету. Трактирщик отсчитал сдачу и положил на стол. Нои даже не посмотрел на деньги и машинально налил себе вина. Оно было с юго-запада, густое и веселящее сердце. Он осушил чашу и вновь ее наполнил.

За окном прошли два Кинжала, прохожие расступались, толкали друг друга, лишь бы избежать прикосновения к рептилиям.

Нои отвел глаза и выпил еще вина.

Напротив него за стол сел новый посетитель.

— Узнаешь будущее наперед, наверняка разбогатеешь, — сказал он, раскладывая перед собой ряды камешков.

— У меня нет нужды гадать о будущем, — ответил Нои. Тем не менее гадальщик взял из сдачи две маленькие серебряные монетки и смешал камешки.

— Выбери три, — сказал он.

Нои хотел было прогнать его, но тут в трактир вошли два Кинжала, и он судорожно сглотнул.

— Что ты сказал? — спросил он, поворачиваясь к гадальщику.

— Выбери три камня, — повторил тот, и Нои нагнулся над камешками так, что капюшон совсем съехал ему на лицо. — Теперь дай мне руку! — приказал гадальщик.

Пальцы у него оказались длинными и тонкими. И холодными, как лезвие ножа. Несколько секунд он разглядывал ладонь Нои.

— Ты сильный человек, но это видно и без моего особого дара, — объявил он с усмешкой. Он был молод, с орлиным профилем и глубоко посаженными карими глазами. — И ты сильно встревожен.

— Нисколько, — прошептал Нои.

— Странно! — внезапно сказал гадальщик. — Я вижу дорогу, но ведет она не по воде и не по суше. Вижу человека с молнией в руке и смертью в темных пальцах. Я вижу воду... она прибывает...

Нои отдернул руку.

— Деньги оставь себе, — прошипел он, поглядел в глаза гадальщика и увидел в них страх. — Какая же это дорога, если ведет она не по воде и не по суше? — заметил он, выдавливая на губы улыбку. — Что ты за гадальщик?

— Хороший, — сказал тот вполголоса. — А ты можешь успокоиться: они ушли.

— Кто? — спросил Нои, не решаясь поднять глаза.

— Рептилии. Тебе угрожает страшная опасность, друг мой. Тебя преследует Смерть.

— Смерть преследует всех нас. И никому не дано ускользать от нее вечно.

— Справедливо. Не знаю, куда ты отправляешься, и не хочу знать. Но я вижу неизвестный край и серого всадника. Его руки держат великую силу. Он повелитель грома. Он гибель миров. Не знаю, друг он или враг, но ты связан с ним. Остерегайся.

— Остерегаться поздно, — сказал Нои. — Не выпьешь ли со мной?

— Твое общество, мне кажется, слишком для меня опасно. Оставайся с Богом!

5

Бет Мак-Адам спрыгнула с фургона, пнула сломавшееся колесо и отвела душу в длинном красочном ругательстве. Ее сын и дочка сидели, свесив ноги за опущенный задний бортик, и молча давились от смеха.

— Чего от тебя и ждать было? — буркнула Бет.

Деревянный обод проломился, и железный слетел с него. Она снова пнула колесо. Сэмюэль сунул кулак в рот, но звонкий смех вырвался-таки наружу. Бет свирепо обогнула фургон, но мальчик уже перебрался за наваленный там скарб, и она не сумела до него дотянуться.

— Паршивец желторотый! — закричала она, и тут начала смеяться Мэри. Бет накинулась на нее: — По-вашему, очень смешно застрять здесь, когда кругом волки и... и львы-великаны?

Лицо Мэри испуганно вытянулось, и Бет тотчас охватило раскаяние.

— Прости, деточка. Никаких львов тут нету. Я пошутила.

— Честное-пречестное слово? — спросила Мэри, оглядывая равнину.

— Ну да. Да и отыщись тут лев, он побоится сюда сунуться, а уж тем более, когда твоя мать зла на весь свет! А ты, Сэмюэль, вылазь оттуда, пока я вам головы не поотрывала и волкам не скормила!

Его белобрысая голова возникла над комодом.

— Мам, ты ж меня не выдерешь?

— Не выдеру, паршивец. Помоги Мэри выгрузить котелок и посуду. Мы устроим тут привал и подумаем, как сменить колесо.

Дети начали собирать хворост для костра, а Бет села на камень и уставилась на колесо. Придется полностью разгрузить фургон, а потом так или эдак приподнять его и так или эдак заменить сломанное колесо на запасное. С колесом она справится, но сумеют ли дети удержать рычаг? Сэмюэль очень сильный для своих семи лет, но ему не хватает умения сосредоточиться на порученном ему деле, а Мэри в свои восемь тоненькая как былинка, и ей просто не хватит силы... Но выход должен найтись... он же всегда находится!

Десять лет назад, когда ее пьяный отец избил до смерти ее мать, двенадцатилетняя Бет Ньюсон взяла кухонный нож и, когда он заснул, перерезала ему горло. Потом с семью серебряными обменными монетами прошла семьдесят миль до поселка Мика и сочинила жуткую историю о нападении разбойников на их ферму. Три года по распоряжению комитета она жила у Сета Рида и его жены, которые обращались с ней как с рабыней, а в пятнадцать лет наметила себе в женихи могучего лесоруба Шона Мак-Адама. Где было бедняге устоять против ее больших голубых глаз, длинных белокурых волос и соблазнительного покачивания бедрами! Бет Ньюсон с ее широкими густыми бровями и крупным носом назвать красавицей было никак нельзя, но, прах ее побери, она умела распорядиться тем, чем ее одарил Бог. Шон Мак-Адам рухнул перед ней, как бык под обухом, и через три месяца они поженились. Через семь месяцев родилась Мэри, а год спустя — Сэмюэль. Прошлой осенью Шон решил перебраться с семьей на юг, и они купили фургон у менхира Гримма и отправились в путь, полные самых радужных надежд. Но первый город на их пути встретил их вспышкой «красной смерти». Они тут же уехали, но через несколько дней могучее тело Шона покрылось красными гноящимися язвами, под мышками вздулись бугры, и каждое движение причиняло боль. Они разбили лагерь на травянистой вершине холма, и Бет ухаживала за ним дни и ночи. Однако при всей своей чудовищной силе Шон Мак-Адам проиграл бой за жизнь, и Бет похоронила его на склоне холма. И тут же заболел Сэмюэль. Измученная Бет ухаживала за мальчиком, не смыкая глаз. Не отходила от его постели и промывала язвы влажной тряпочкой. Мальчик поправился, и через две недели от язв не осталось и следа.

Однако и без могучей силы Шона Мак-Адама семья продолжала путь — через сугробы и по льду, в дни весеннего половодья, а как-то и по узкой горной тропе под нависающей лавиной. Дважды Бет отгоняла волков от их шести волов, а матерого великана уложила первым выстрелом из двуствольного кремневого ружья Шона. Сэмюэль чрезвычайно гордился этим подвигом своей матери.

И всего пять дней назад Сэмюэль нашел новый повод для гордости, когда им дорогу преградили два разбойника — угрюмые бородачи с ястребиными глазами. Бет положила вожжи и подняла кремневый пистолет.

— Эй! По-моему, вы, отребье, не очень-то умеете соображать. А потому я буду говорить медленно. С дороги! Не то, Бог свидетель, я отправлю ваши жалкие душонки прямехонько в ад!

И они посторонились. А один так снял шляпу и отвесил ей изысканный поклон, когда фургон проезжал мимо.

Бет улыбнулась этому воспоминанию, а потом вновь сосредоточилась на колесе. Ей предстояло решить две задачи: во-первых, найти крепкую жердь для рычага, а во-вторых, придумать, каким образом самой выполнить обе работы: приподнять фургон и сменить колесо.

Мэри принесла ей похлебки, жидковатой, но подкрепляющей. Сэмюэль заварил для нее чай из трав и заметно переложил сахара, но она только поблагодарила его с веселой улыбкой и взъерошила ему волосы.

— Хорошие вы ребятишки! — сказала она. — То есть для таких паршивцев!

— Ма! Всадники! — крикнула Мэри.

Бет вскочила и вытащила пистолет из-за пояса. Взвела оба курка и спрятала пистолет в складках своей длинной шерстяной юбки. Ее глаза сощурились — всадников было шестеро. Она сглотнула, решив не выдавать страха.

— В фургон! — приказала она детям. — Залезайте, живо! Они забрались внутрь и притаились за комодом.

Бет пошла навстречу всадникам, ища взглядом вожака. Он ехал в середине, высокий, с худым лицом, коротко остриженными волосами и красным рубцом от виска до подбородка. Бет улыбнулась ему.

— Вы не сойдете с лошади, сэр? — спросила она. Его спутники захохотали, но Бет словно не услышала и продолжала смотреть на Рубца.

— Сойдем, сойдем, — сказал он. — Да я в ад сойду для женщины с таким телом, как у тебя. — Перекинув ногу через луку седла, он спрыгнул на землю и шагнул к ней. Бет быстрым движением левой рукой обняла его за плечи и притянула к себе в страстном поцелуе. В ту же секунду ее правая рука скользнула между ними, и холодные стволы пистолета уперлись ему в пах. Бет чуть повернула голову, так, чтобы ее губы оказались поближе к его уху.

— Чувствуешь, смрад свинячий? Это пистолет, — прошептала она. — Теперь вели своим бездельникам поставить запасное колесо на фургон, и чтобы они ничего в нем не трогали!

— Гарри, а ты что, не поделишься ею? — крикнул один из всадников.

Рубец было прикинул, не вырвать ли пистолет, но увидел стальной блеск в голубых глазах Бет и передумал.

— Об этом, Квинт, мы потом поговорим, — сказал он. — А сперва, ребята, смените ей сломанное колесо.

— Сменить... Мы сюда не для того прискакали, чтобы менять проклятущие колеса! — взревел Квинт.

— Делай, что сказано! — прошипел Рубец. — Не то я тебе кишки выпущу!

Разбойники попрыгали на землю и взялись за работу: четверо приподняли фургон, а пятый выбил чеку и сдернул сломанное колесо с оси. Бет отвела вожака в сторону, велела ему сесть на круглый валун и села сама справа от него так, чтобы его спина заслоняла ее от людей у фургона. Пистолет был теперь прижат к его ребрам.

— А ты ловкая сучка, — сказал Рубец, — и, если не считать носа, очень даже ничего. Неужто у тебя вправду хватит духу пристрелить меня?

— Легче, чем сплюнуть, — заверила она его. — Они вроде бы кончили. Так отошли их в ваш лагерь. Понял, дубина безмозглая?

— Готово, Гарри. А теперь, как насчет этого дела?

— Возвращайтесь в лагерь. Я подъеду часа через два.

— Погоди-ка, дьявол тебя возьми! Ты эту стерву себе оставишь? Нет уж! — Квинт обернулся к своим товарищам, ища поддержки, но они тревожно переминались с ноги на ногу. Потом двое сели на лошадей, другие двое последовали их примеру. — Дьявол, Гарри! Это не по-честному, —

заявил Квинт, однако попятился к своей лошади и вскочил в седло.

Когда они скрылись из вида, Бет вытащила тяжелый пистолет из кобуры на бедре Гарри. Потом встала и отошла от него. Дети вылезли из фургона.

— Ма, а что ты с ним сделаешь? — спросил Сэмюэль. — Убьешь его?

Бет передала пистолет разбойника Мэри. Это был капсюльный револьвер.

— Возьми щипцы, девочка, и поснимай медные чашечки, — сказала она.

Мэри отошла с пистолетом к фургону, открыла ящик с инструментами, одну за другой сняла капсюли, а потом вернула пистолет матери. Бет бросила пистолет Гарри, который ловко поймал его на лету и убрал в кобуру.

— Что теперь? — спросил он.

— Теперь мы немного выждем, а потом ты отправишься к своей шайке.

— И думаешь, я не вернусь?

— Подумать ты об этом подумаешь, — признала она. — А потом сообразишь, как они будут хохотать, когда ты расскажешь, как я прижала пистолет к твоему орудию и заставила их сменить колесо. Нет, ты им скажешь, что я тебя по-всякому ублаготворила, вот ты меня и отпустил.

— Они так взбесятся, что в драку полезут, — сказал он и вдруг ухмыльнулся. — Дьявол, но ты такая женщина, что за тебя стоит подраться! Куда ты направляешься?

— В Долину Паломника, — ответила Бет. Лгать не имело смысла. Колеи, тянущиеся за фургоном, все равно ее выдали бы.

— Видишь вон те вершины? Езжай прямо на них. Там есть тропа — крутая, узкая, но ты сбережешь четыре дня пути. И ты не заблудишься. Давным-давно кто-то выложил из камней стрелки и сделал зарубки на деревьях. Поедешь по ней и доберешься до Долины Паломника дня через два.

— Может, я и последую твоему совету, Гарри, — сказала она. — Мэри, завари чай из трав для нашего гостя. Но только прямо перед ним не вставай. Мне бы хотелось стрелять без помех, если будет нужда.

Мэри размешала угли и вскипятила воду в чайнике. Спросила Гарри, пьет ли он с сахаром, положила в кружку три ложки и подошла к нему шагов на шесть.

— Поставь кружку на землю, Мэри, — распорядилась Бет, и Гарри осторожно приблизился к кружке.

Он неторопливо прихлебывал чай, а потом спросил:

— Если я загляну в Долину Паломника, можно мне будет вас навестить?

— Спроси, когда увидишь меня в Долине, — ответила она.

— О ком мне справляться?

— Бет Мак-Адам.

— Рад с вами познакомиться, сударыня. Зовут меня Гарри Купер. Прежде жил в Ольоне, теперь направляюсь на север.

Он подошел к своей лошади и сел в седло. Бет смотрела, как он повернул на восток, потом спустила курки со взвода.

Гарри все четыре мили до лагеря думал о Бет — не женщина, огонь! Увидев лагерный костер, он легкой рысцой подъехал к коновязи. История, как он доказал свою мужскую доблесть, была у него уже готова. Он привязал лошадь и направился к костру...

Что-то ударило его в спину, и он услышал грохот выстрела. Повернулся, выхватил револьвер и взвел затвор. Из куста выскочил Квинт и выстрелил ему в грудь. Гарри прицелился и услышал сухой щелчок. Еще две пули опрокинули его, и он упал в костер. Его волосы вспыхнули.

— Вот теперь, — сказал Квинт, — вот теперь свое мы все получим!

6

Нои-Хазизатра осторожно укрыл свою грузную фигуру в тени арки, натянул темный капюшон плаща ниже на лицо и затаил дыхание. Ему стало еще страшнее, и он чувствовал, как колотится сердце у него в груди. Туча наползла на луну, и дюжий корабельный мастер обрадовался мраку. По улицам ходили дозором Кинжалы, и если его схватят, то отведут в тюрьму в центре города и будут пытать. К рассвету он умрет, и его голову выставят на пике над воротами. Нои затрясся. Над городом Эд зарокотал гром, и зигзаги молнии на мгновение испещрили тенями булыжную мостовую.

Нои выждал несколько секунд, стараясь успокоиться. Его вера все еще служила ему опорой, но мужество начинало его покидать.

— Пребудь со мной, Владыка Хронос! — молил он. — Укрепи мои слабеющие члены!

Он вышел на улицу, напрягая слух: не послышится ли что-нибудь, предупреждающее о приближении Кинжалов. И судорожно сглотнул. Ночь была безмолвной, на улицах — никого и ничего. Он шел как мог бесшумнее, пока не добрался до дома Бали, увенчанного башней. Калитка была заперта, и он дожидался в тени стены, наблюдая, как восходит луна. В урочный час он услышал, как, открываясь, скрипнул засов. Войдя во двор, Нои рухнул на скамью, а его друг закрыл калитку и тщательно ее запер.

Прижав палец к губам, Бали повел кутающегося в темный плащ Нои в дом. Ставни были заперты, занавесы на окнах задернуты. Бали зажег фонарь и поставил его на овальный стол.

— Мир этому дому! — сказал Нои.

Низенький Бали кивнул лысой головой и улыбнулся.

— Да благословит Господь моего гостя и друга, — ответил он.

Они сели за стол и выпили вина, затем Бали откинулся на спинку кресла и посмотрел на человека, с которым дружил двадцать лет. Нои-Хазизатра совсем не изменился за этот срок. Его борода оставалась густой и черной, глаза под мохнатыми бровями сохранили яркую синеву. Им обоим удалось по меньшей мере два раза приобрести осколки Сипстрасси, чтобы вернуть себе молодость и здоровье. Однако для Бали настали тяжелые времена. В буре на море погибли три его лучших корабля, он был близок к разорению, и теперь возраст начал нагонять его. По виду ему можно было дать лет шестьдесят, хотя на самом деле он был на восемьдесят лет старше Нои, которому недавно исполнилось сто десять. Нои пытался купить еще Сипстрасси, но царь забрал себе почти все Камни, и самый маленький осколок обошелся бы теперь Нои во все его богатство.

— Тебе надо выбраться из города, — сказал Бали. — Царь подписал указ о твоем немедленном заключении в тюрьму.

— Знаю. Я допустил глупость, обличая его в храме, но я усердно молился и знал, что моими устами говорил Величайший.

— Закон Величайшего, друг мой, больше не существует. Царь преклоняет слух к сынам Велиала. Что с Пашад?

— Я приказал ей утром отречься от меня и попросить о расторжении брачных уз. Хотя бы она будет в безопасности, как и мои сыновья.

— Сейчас безопасности нет ни для кого, Нои, ни для кого. Царь лишился рассудка, и бойня началась... как ты и предсказывал. На улицах буйствует безумие... а уж Кинжалы внушают мне ужас.

— Худшее еще впереди, — скорбно сказал Нои. — В снах, посещающих меня после молитвы, я вижу ни с чем не сравнимые ужасы: три солнца в небе одновременно, лопнувшие небеса, морские волны выше облаков. Я знаю, Бали, это произойдет очень скоро, и ничем не могу помешать.

— Многие видят дурные сны, которые ничего не предвещают, — возразил Бали.

Нои покачал головой:

— Знаю. Но мои-то сны пока все сбывались. Видения эти ниспосылает Владыка Всего Сущего. Я знаю, Он повелел мне предостеречь людей, и еще я знаю, что они не станут меня слушать. Однако не мне судить о Его путях.

Бали еще раз наполнил чаши и ничего не сказал. Нои-Хазизатра всегда был человеком несгибаемой веры и стойких убеждений, благочестивым и честным. Бали любил и уважал его, хотя и не разделял его убеждений. Однако он мало-помалу познал Бога корабельного мастера, и за одно лишь это пожертвовал бы ради него жизнью.

Открыв потайной ящик снизу столешницы, он достал вышитую ладанку из оленьей кожи. На мгновение он задержал ее в руке, словно ему не хотелось с ней расставаться, потом улыбнулся и подтолкнул ее по столу к Нои.

— Тебе, мой друг, — сказал он, и Нои, взяв ее, почувствовал исходящее изнутри тепло. Открыл ее дрожащими пальцами и вынул Камень. Не осколок, а целый Камень, круглый, будто отшлифованный, золотой, с тончайшими черными прожилочками. Он сжал его в кулаке, ощущая волну силы. Потом осторожно положил Камень на стол и посмотрел на лысого стареющего человека перед собой.

— С ним ты можешь вновь обрести юность, Бали. Прожить тысячу лет. Почему? Почему ты отдаешь его мне?

— Потому что он тебе нужен, Нои. И потому, что у меня прежде никогда не было друга.

— Но ведь он, наверное, стоит в десять раз больше, чем все монеты, имеющиеся в городе! Я не могу принять такой подарок.

— Нет, должен! Это жизнь. Тебя разыскивают Кинжалы, а ты знаешь, что это означает. Пытки и смерть. Они замкнули город, и выбраться из него ты можешь только Тайным Путем. Врата находятся в кольце камней, которым пользовались князья. На севере седьмой площади. Ты его знаешь? У Кристального озера? Отлично. Иди туда. Произнеси вот эти слова и подними Камень над головой. — Он протянул Нои небольшой квадратный кусок пергамента. — Волшебство перенесет тебя в Балакрис. А дальше решай сам.

— У меня в Балакрисе хранятся деньги, — сказал Нои. — Только Владыка ведь хочет, чтобы я остался и продолжал предостерегать людей.

— Ты приобщил меня к тайне Величайшего, — ответил Бали, — и я верую, что Его воля важнее наших желаний. Однако ты ведь исполнил Его повеление. Ты предостерег, но их уши были от тебя затворены. Кроме того, Нои, мой друг, я молился, чтобы мне было открыто, как помочь тебе, и вот я обрел этот Камень. И, да, я хотел оставить его себе, но Величайший коснулся моего духа, и я понял, что Камень предназначен тебе.

— А как он попал к тебе?

— Его принес в мою лавку ахейский мореход. Думал, это золотой, самородок, и хотел продать мне его за цену нового паруса.

— Паруса? Но на него же можно купить тысячу парусов, если не больше!

— Я сказал ему, что стоит он полцены паруса, и он продал мне его за шестьдесят серебреников. — Бали пожал плечами. — На таких вот сделках я когда-то разбогател. А теперь уходи. Кинжалы, конечно, знают, что мы друзья.

— Пойдем со мной, Бали, — настойчиво сказал Нои. — С помощью этого Камня мы сможем добраться до моего нового корабля и уплыть туда, где Царь и его Кинжалы нас не найдут.

— Нет. Мое место здесь. Моя жизнь здесь. И моя смерть будет здесь. — Бали встал и повел Нои к калитке. — Еще одно, — сказал он своему другу, когда они остановились перед ней в лучах луны. — Вчера вечером, когда я держал Камень в руке, меня посетил странный сон. Будто ко мне пришел человек в золотой броне, сел рядом со мной и велел передать тебе, что ты должен искать Меч Божий. Тебе это о чем-нибудь говорит?

— Ничего. Ты узнал его?

— Нет. Его лицо сияло, будто солнце, и я не мог поднять на него глаза.

— Величайший откроет мне это, — сказал Нои, нагибаясь, чтобы обнять своего низенького друга. — Да будет Его покров над тобой, Бали.

— И над тобой, мой друг. — Бали бесшумно открыл калитку и всмотрелся в сумрачные тени улицы. — Никого! — прошептал он. — Быстрей уходи!

Нои еще раз его обнял, затем вышел из калитки и исчез среди теней. Бали заложил засов, вернулся в комнату, тяжело опустился в кресло и попытался совладать с сожалениями. С Камнем он мог бы вернуть себе прежнее богатство и наслаждаться непреходящей юностью. Без него? Нищета и смерть.

Он направился в лавку, перешагнув через труп ахейского моряка, принесшего ему Камень. У Бали не было даже шестидесяти серебреников, которые требовал моряк, но у него еще оставался нож с острым лезвием...

Громкий треск заставил его повернуться и побежать назад в сад. Он увидел косо повисшую на петлях калитку... и на него бросились три Кинжала в темной броне. Змеиные глаза мерцали в лунном свете, чешуйчатая кожа блестела.

— Что... что вам нужно? — спросил Бали, весь дрожа.

— Мы ищщщем его.

— Кого?

Два Кинжала прошлись по саду, втягивая воздух в узкие щели ноздрей.

— Он был зззздессс, — прошипел один, и Бали попятился. Кинжал вынул из ножен на боку странного вида дубинку и нацелил ее на низенького торговца.

— В поссследний рассс. Зззздесссь он?

— Он там, где вам его никогда не найти, — сказал Бали и, выхватив нож, прыгнул на ближайшего Кинжала. Из дубинки в руке рептилии вырвался гром, и в грудь Бали точно ударил молот. Он упал навзничь на дорожку, уставившись невидящими глазами на звезды в вышине.

Прогремел второй выстрел, и Кинжал рухнул на землю. В его треугольной голове чернела дыра. Остальные двое обернулись и увидели золотоволосую женщину — Шаразад.

— Бали мне был нужен живой, — сказала она мягко. — И мои приказы надо выполнять!

Следом за ней в сад вошли еще Кинжалы.

— Обыщите дом, — приказала она. — Не оставьте камня на камне. Если Нои-Хазизатра скроется, я распоряжусь, чтобы вас ободрали заживо.

7

Из всех времен года, даруемых Богом, весну Шэнноу любил особенно — за пьянящую музыку жизни и нового роста, за хоры птичьих голосов и яркие краски цветов, сменяющие снег. А воздух такой чистоты, что его можно пить, как вино, наполнял легкие эссенцией жизни.

Перед гребнем холма Шэнноу спрыгнул с седла, пешком поднялся на вершину и обвел взглядом колышущиеся травы. Потом присел на корточки и начал внимательно осматривать волнистые просторы равнины. У самого горизонта бродило стадо, а западнее на склоне холма паслись горные овцы. Он отошел, чтобы больше не вырисовываться на фоне неба, и оглядел свой путь через каньон, запоминая зубчатые утесы и узкие карнизы, которые оставил позади. Он не собирался возвращаться той же дорогой, но если придется, то к чему блуждать? Он расстегнул крепкий пояс с пистолетами, снял тяжелую длинную куртку, потом надел пояс, поправил кобуры на бедрах и только тогда скатал куртку и привязал ее к седлу сзади. Жеребец с удовольствием щипал молодую траву, и Шэнноу ослабил подпругу.

Достав Библию, он сел спиной к валуну и неторопливо перечел историю царя Саула. Он всегда невольно сочувствовал первому царю Израиля. Саул с таким упорством, с таким умением боролся за то, чтобы сделать свой народ сильным — и для того лишь, чтобы узурпатор посягнул на его венец. Даже в конце, когда Бог его покинул, Саул доблестно сражался с врагами и погиб вместе со своими сыновьями в великой битве.

Шэнноу закрыл Книгу и отпил прохладной воды из фляжки. Его раны уже совсем зажили — накануне вечером он удалил швы охотничьим ножом. Правда, он еще не мог двигать правой рукой с привычной быстротой, но силы быстро возвращались к нему.

Он затянул подпругу и выехал на равнину. Иногда он замечал следы лошадей, скота и оленей. Ехал он настороженно, оглядывая горизонт, то и дело посматривая через плечо и запоминая остающееся позади.

Равнина тянулась бесконечно, и голубеющие на юге горы казались маленькими и невесомыми. Внезапно слева от него вспорхнула птица. Он впился в нее глазами и вдруг обнаружил, что дуло его пистолета следует за ее полетом, а курок взведен. Он осторожно снял затвор и спрятал пистолет в кобуру.

Было время, когда его восхитила бы стремительность, с какой он приготовился встретить возможную опасность, но горький опыт давно усмирил его гордость. На него напали, когда он выехал из Ольона, и он убил всех нападавших; шорох сзади... он стремительно обернулся и выстрелил. И убил ребенка, который оказался в роковом месте в роковое мгновение.

Этот ребенок теперь был бы взрослым мужчиной с собственными детьми. Земледельцем, строителем, проповедником? Никто никогда не узнает... Шэнноу попытался прогнать эту мысль, но она впилась в его мозг огненными когтями.

«*Кто бы захотел быть тобой, Шэнноу?* — спросил он себя. — *Кто бы захотел стать Взыскующим Иерусалима?*»

В Ольоне дети бегали за ним по вечерам, когда он обходил селение дозором, и подражали его прямой осанке, пружинистой походке. За поясами у них были заткнуты деревянные пистолеты, и они обожали его. Как замечательно, наверное, думали они, когда тебя все так уважают и боятся, когда твое имя знают задолго до того, как увидят тебя.

«*Так ли уж это замечательно, Шэнноу?*»

Жители Ольона были очень рады, когда Йон Шэнноу вынудил разбойников бежать — тех, кто остался жив. Но едва селение освободилось от разбойников, Йону Шэнноу заплатили и попросили его уехать. А разбойники вернулись, как возвращались всегда. И быть может, дети принялись бегать за ними, подражая их походке, устраивая перестрелки из деревянных пистолетов.

«*Далеко ли до Иерусалима, Шэнноу?*»

— Только переехать через ближнюю гору, — ответил он вслух.

Жеребец передернул ушами и фыркнул. Шэнноу усмехнулся, потрепал его по холке и пустил рысью. Он знал, что это неразумно: кроличья нора, неустойчивый камень могли заставить коня споткнуться, сломать ногу или потерять подкову. Но ветер так приятно бил в лицо, а жизни без опасностей не бывает.

Он позволил коню пробежать вольно еще с полмили, а потом увидел следы колес фургона и натянул поводья. Совсем свежие, оставленные двое суток назад. Он спешился и осмотрел их. Колеса глубоко вдавливались в сухую землю — семья переселяется на юг со всем своим скарбом. Он мысленно пожелал им доброго пути и вскочил в седло.

Ближе к вечеру он увидел сломанное колесо. К этому времени он уже кое-что знал о семье переселенцев: двое детей и женщина. Дети собирали для костра валежник и сухие коровьи лепешки, скорее всего складывая их в сетку, подвешенную под задком фургона. Женщина шла рядом с первой парой волов в упряжке: ступни маленькие, но шаг широкий. Никаких следов мужчины, но ведь он, решил Шэнноу, может по лени не вылезать из фургона. Однако сломанное колесо предлагало трудную загадку.

Шэнноу изучил следы всадников. Они въехали на стоянку и сменили колесо, потом уехали обратно тем же путем. Женщина стояла рядом с одним из спешившихся всадников, и они отошли к плоскому валуну. Возле колеи фургона

Шэнноу нашел пять неиспользованных капсюль. В какую-то минуту во время этой встречи кто-то разрядил пистолет. Почему?

Он развел костер в кострище и сел у огня, размышляя над загадкой. Может, капсюли были старыми и женщина (теперь он уже твердо знал, что мужчины с ними не было) усомнилась в том, что они сработают? Но ведь в таком случае следовало бы сменить и пыжи, и заряды, но их оставили. Он заново осмотрел следы, но ничего дополнительного не обнаружил. Кроме одного: кто-то из всадников ехал далеко справа от остальных... либо он уехал раньше или позже них. Шэнноу пошел вдоль следа и в ста шагах от места привала увидел, что лошадь одинокого всадника наступила на отпечаток копыта, оставленный раньше. Следовательно, он уехал после остальных. Очевидно, он сидел на валуне и разговаривал с женщиной. Так почему другие не остались?

Он вскипятил чаю и доел последние плоды из запасов Шэр-рана. Когда его пальцы добрались до дна мешочка, они прикоснулись к чему-то холодному... металлическому. Он вынул монету — но не серебряную, а золотую с выпуклым изображением, рассмотреть которое Шэнноу в сгущающихся сумерках не сумел. Он положил ее в карман и расположился поудобнее. Однако загадка следов продолжала его мучить, и сон не приходил. Луна сияла ярко, он встал, оседлал жеребца и поехал по следам всадников.

Когда он добрался до их стоянки, их там не оказалось, но он увидел лежащего на земле человека с головой в золе кострища. Лицо у него было обожжено. В его теле зияло несколько огнестрельных ран. С него сняли сапоги и, видимо, забрали пистолет, хотя пояс с кобурой был на нем. Шэнноу собирался повернуть коня, как вдруг услышал стон. Он с трудом поверил, что жизнь еще теплится в изуродованном теле. Отцепив фляжку, он встал на колени рядом с кострищем и приподнял обожженную голову.

Глаза умирающего открылись.

— Они погнались за женщиной, — прошептал он.

Шэнноу прижал горлышко фляжки к его губам, но умирающий не сумел сделать глотка и поперхнулся. Больше он ничего не сказал, и Шэнноу просто ждал неминуемого конца. Человек умер через несколько минут.

Что-то блеснуло справа от Шэнноу. Под кустом валялся пистолет. Шэнноу поднял его. Видимо, он принадлежал убитому. Капсюлей на зарядах не было, и владелец не мог защищаться. Шэнноу задумался над тем, как это можно было бы истолковать. Люди эти — несомненно разбойники и застрелили одного из своих. Почему? Из-за женщины? Но ведь они все были возле фургона. Так почему они уехали оттуда?

Группа всадников натыкается на женщину с двумя детьми возле фургона со сломанным колесом. Меняют колесо и уезжают... кроме одного, который следует за ними позже. Его пистолет разряжен. Но он ведь должен был об этом знать? Когда он вернулся, его... друзья?.. застрелили его. И погнались за женщиной. Какая-то бессмыслица... Разве что он прежде помешал им надругаться над ней. Но в таком случае почему он разрядил пистолет, прежде чем вернуться?

Был только один способ узнать ответ.

Шэнноу сел в седло и поискал взглядом следы.

— Зачем Бог убил папу? — спросил Сэмюэль, обмакивая пресную лепешку в остатки похлебки. Бет отставила миску и посмотрела через костер на мальчика. Ее лицо в лунном свете было совсем белым, светлые волосы блестели, как серебряные нити.

— Бог его не убивал, Сэм. Его убила красная смерть.

— Но проповедник ведь говорил, что без воли Бога никто не умирает. А тогда они идут на Небеса или в Ад.

— Проповедник верит в то, что говорит, — сказала Бет медленно, — но это может быть и неправда. Проповедник рассказывал, что Пресвятой Иисус умер менее четырехсот лет назад и тогда мир опрокинулся. Но твой отец ведь в это не верил, так? Он говорил, что между его смертью и нашим временем прошли тысячи лет. Помнишь?

— Может, потому Бог его и убил, — сказал Сэмюэль, — что он не верил проповеднику.

— В жизни ничего так просто не бывает, — сказала ему мать. — Есть плохие люди, а Бог их не убивает, и есть хорошие люди, вот вроде твоего отца, которые умирают до своего срока. Так уж устроена жизнь, Сэмюэль. Ничего хорошего она никогда не обещает.

Мэри, которая все это время молчала, собрала миски, отошла от стоянки и принялась оттирать их пучком травы. Бет встала и потянулась.

— Тебе еще надо много узнать, Сэмюэль, — сказала она. — Если ты чего-то хочешь, то должен драться за это. Не уступать, не хныкать и не ныть. Принимать удары и продолжать жить дальше. А теперь помоги сестре и погаси костер.

— Так ведь же холодно, мам, — заспорил Сэмюэль. — Почему нам нельзя лечь спать у костра?

— Огонь виден за мили и мили. Ты хочешь, чтобы разбойники нас нашли?

— Так они же помогли нам сменить колесо!

— Погаси костер, паршивец! — крикнула она.

— Мальчик вскочил и принялся забрасывать пламя землей. Бет отошла к фургону и остановилась, глядя на равнину. Она не знала, существует ли Бог, но ее это не интересовало. Бог не спас ее мать от звериной жестокости человека, женой которого она была, — а уж ей самой Бог ни разу не помог. Вот жалость-то! Было бы очень приятно чувствовать, что о ее детях заботится добрый боженька, верить, что все их беды можно с упованием оставить воле Высшей Силы.

Она помнила, как страшно была избита ее мать в день своей смерти, и словно все еще слышала удары кулаков, с жутким чмоканьем вдавливающихся в мягкое тело. Она смотрела, как он выволок труп на пустырь за домом, и слушала, как лопата врезалась в землю, выкапывая безымянную могилу. Шатаясь, он вернулся в дом и уставился на нее. Глаза у него были налиты кровью, руки в земле. «Теперь ты да я, и больше никого», — пробормотал он, когда напился до полного одурения. И заснул в тяжелом кресле. Кухонный нож рассек ему горло, и он умер, не проснувшись.

Бет покачала головой и подняла на звезды глаза, затуманившиеся непривычными слезами. Оглянулась на детей, расстеливших свои одеяла на теплой земле у потушенного костра. Шон Мак-Адам был неплохим человеком, но она не тосковала по нему, как они. Он очень быстро понял, что жена его не любит, но детей обожал: играл с ними, учил их, всячески опекал. И так был поглощен ими, что не заметил, насколько изменились чувства его жены — до того самого времени, когда лежал в фургоне, не в силах пошевелиться.

«Прости, Бет!» — прошептал он.

«Что еще за «прости»? Отдыхай и выздоравливай!»

Он проспал больше часа, потом его глаза открылись, рука задрожала, приподнялась над одеялом. Она взяла ее, сжала.

«Я тебя люблю, — сказал он. — Бог мне свидетель».

Она внимательно на него посмотрела.

«Я знаю. Спи. Постарайся уснуть».

«Я... старался... ради тебя и ребятишек. Ведь правда?»

«Перестань так говорить! — приказала она. — Утром тебе полегчает».

Он качнул головой.

«Мне конец, Бет. Я вишу на волоске. Скажи мне... Прошу тебя...»

«Что сказать?»

«Просто скажи мне...» Его глаза закрылись, дыхание стало хриплым.

Она прижала его руку к груди и наклонилась поближе.

«Я люблю тебя, Шон. Люблю! Бог мне свидетель! А теперь поправляйся, прошу тебя!»

Он ушел в небытие ночью, когда дети спали. Бет некоторое время сидела возле него, но потом представила себе, как дети увидят мертвого отца... вытащила покойника из фургона и вырыла могилу на склоне... Они так и не проснулись...

Погруженная в воспоминания, она не услышала, как подошла Мэри. Девочка положила руку на материнское плечо, Бет обернулась и инстинктивно обняла ее.

— Не бойся, Мэри, деточка. Ничего не случится.

— Мне плохо без папы. Я бы хотела, чтобы мы никуда не уезжали!

— Знаю, — ответила Бет, поглаживая дочь по длинным каштановым волосам. — Только будь хотенья лошадьми, все нищие ездили бы верхом! Мы должны были уехать, понимаешь? — Она слегка оттолкнула девочку от себя. — А сейчас очень важно, чтобы ты помнила то, чему я сегодня тебя научила. Неизвестно, сколько еще мы лихих людей повстречаем, пока доберемся до Долины Паломника. И ты нужна мне, Мэри. Могу я положиться на тебя?

— Конечно, мам.

— Умница! А теперь ложись-ка спать.

Бет просидела у погасшего костра несколько часов, слушая, как ветер шуршит в травах равнины, глядя, как медленно поворачивается звездный небосвод. За два часа до рассвета она разбудила Мэри:

— Смотри не усни, девочка. Высматривай всадников, а как увидишь, зови меня.

Потом она легла и погрузилась в сон без сновидений. Ей казалось, что миновала лишь минута, когда Мэри потрясла ее за плечо, однако над восточным горизонтом поднималось солнце. Бет заморгала и провела рукой по светлым волосам.

— Всадники, ма! По-моему, те же самые.

— Залезай в фургон. И помни, что я тебе говорила.

Бет зарядила кремневый пистолет и взвела оба курка, а потом, как в прошлый раз, спрятала его в складках юбки и посмотрела на всадников, ища глазами Гарри. Его с ними не было. Она перевела дух и заставила себя сохранять спокойствие. Они подскакали к фургону, и тот, которого Гарри называл Квинтом, спрыгнул с седла.

— А теперь, курочка, — сказал он, — мы получим то же, чего попробовал старина Гарри.

Бет подняла пистолет. Квинт остановился как вкопанный. Она спустила один курок. Пуля ударила Квинта в лоб над переносицей и пронизала его череп. Он повалился на землю, из раны забила кровь, и Бет шагнула вперед.

Внезапный грохот напугал лошадей, всадники еле с ними совладали, а лошадь Квинта, оставшаяся без седока, унеслась галопом через равнину. В наступившей тишине разбойники уставились друг на друга.

Голос Бет хлестнул, как кнут:

— Шлюхины отродья, выбирайте! Либо уезжайте, либо умрите! И побыстрее! Я начну стрелять, когда замолчу!

Поднятый пистолет нацелился на ближайшего.

— Э-эй, хозяйка! — заорал он. — Я уезжаю!

— Со всеми нами ты, сука, не справишься! — зарычал другой и пришпорил лошадь. Но в фургоне раздался оглушительный грохот, и разбойник с размозженной головой вылетел из седла.

— Убедились? — спросила Бет. — Чтоб я вас больше не видела!

Оставшиеся трое, подобрав поводья, уже неслись прочь галопом. Бет подбежала к фургону, схватила рожок с порохом и зарядила пистолет. Мэри выбралась наружу с обрезом в руках.

— Молодец, Мэри, — сказала Бет, забивая пыж следом за пулей и зарядом.

Она взяла обрез и прислонила его к фургону, а потом крепко обняла дрожащую девочку.

— Легче, легче! Все хорошо, пойди сядь на козлы, не гляди на них.

Бет подвела девочку к передку фургона и помогла ей влезть на козлы, а затем вернулась к мертвецам. Расстегнула пояс с пистолетами на теле Квинта и затянула его на собственной талии, затем обшарила труп в поисках пороха и пуль. Нашла кожаный мешочек с капсюлями и отнесла его в фургон, потом сняла пистолет с другого трупа и спрятала его за козлами. У Шона Мак-Адама не было денег на пистолет с вертящимся барабаном, и вот теперь целых два таких!

Бет запрягла волов, потом подошла к лошади второго разбойника, гнедой кобыле, и неловко забралась в седло. Она неуверенно подъехала к Мэри.

— Бери вожжи, деточка. Пора в путь!

Сэмюэль влез на козлы рядом с Мэри и ухмыльнулся до ушей:

— Мам! Ты прямо настоящий разбойник!

Бет улыбнулась ему, потом перевела взгляд на Мэри. Девочка смотрела прямо перед собой неподвижным взглядом, лицо у нее было совсем белым.

— Бери же вожжи, Мэри, черт дери!

Девочка вздрогнула и отвязала их от тормозного рычага.

— Трогай! — Мэри дернула вожжами, а Бет подъехала к первой паре волов и хлопнула правого по крестцу.

Высоко в небе уже кружили стервятники.

Нои-Хазизатра добрался до кольца древних камней за час до зари. Укрывшись между деревьями, он озирался, не увидит ли стража, однако вокруг, насколько он мог судить, не было никого. В ярких лучах луны он несколько раз прочитал слова на пергаменте, заучивая их. Затем, крепко сжимая в кулаке Камень, выбежал из-за деревьев на открытое пространство перед кольцом.

Тут же раздался пронзительный свист. К нему метнулись тени, и женский голос закричал:

— Живым! Взять его живым!

Нои рванулся внутрь кольца — высокие серые монолиты словно сулили спасение. Перед ним выскочила рептилия в черной броне, и могучий кулак Нои нанес по треугольной морде сокрушительный удар. Кинжал повалился в траву. Перепрыгнув через распростертое тело, Нои оказался в тени камней. Оглянувшись, он увидел других бегущих к нему рептилий. Он поднял руку и крикнул:

— Баррак найзи тор леммес!

Перед его глазами блеснула молния, ослепив их, в мозгу закрутился многоцветный вихрь. Он не чувствовал ни своего веса, ни сил и уносился куда-то, будто подхваченная ураганом пушинка. Потом его подошвы больно стукнулись о землю, он пошатнулся и упал. Его глаза открылись, однако увидел он только вспыхивающие огни. Затем зрение вернулось к нему, и он увидел, что лежит посреди небольшой поляны совсем рядом с мертвецом, чье лицо страшно обуглилось. Нои поднялся на ноги и посмотрел на труп. Подобной одежды он нигде ни на ком не видел. Нои вышел на опушку и огляделся. Города Балакриса он не увидел. Не увидел океана вдали. Травянистая равнина простиралась до туманного горизонта, где горы возносили к небу зубчатые вершины.

Вернувшись на полянку, Нои сел и осмотрел свой Камень. Черные прожилки в золоте стали шире. У него не было возможности узнать, сколько энергии Сипстрасси израсходовалось на этот полет.

Опустившись на колени, Нои-Хазизатра начал молиться. Сначала он вознес благодарственную молитву за свое спасение от Шаразад и ее Кинжалов, потом попросил о защите своей семьи. И, наконец, он поискал безмолвия, в котором можно было услышать глас Бога.

Вокруг него шелестел шепот ветра, но он не улавливал в нем слов. Солнечные лучи согревали его лицо, но не несли с собой видений. В конце концов он поднялся с колен.

Конечно, безопаснее, если одежда на нем будет такой же, какую носят жители этого края. Камень в его руке замерцал, излучая тепло, его одеяние и плащ замерцали и преобразились. Теперь на нем были брюки и сапоги, рубаха и длинная куртка, совсем такие же, как на мертвеце.

— Будь бережливее, Нои, — предупредил он себя. — Не расходуй силу на пустяки.

И вспомнил слова Бали: «Ищи Меч Божий». Он понятия не имел, куда ему следует направиться, но, взглянув на землю, увидел лошадиные следы, ведущие к горам. Так как иного знака ему ниспослано не было, Нои-Хазизатра пошел вдоль них.

Шаразад сидела за богато инкрустированным столом, ее льдисто-голубые глаза были прикованы к лицу Пашад, жены предателя Нои-Хазизатры.

— Вчера ты обличила своего мужа. Почему?

— Я узнала, что он злоумышляет на царя, — ответила Пашад, отводя глаза и уставившись на странное серебряное изделие с белыми ручками на столе.

— С кем он злоумышлял?

— С торговцем Бали, высочайшая. Я знаю только его.

— Тебе известно, что семья предателя разделяет его кару? — прошептала золотоволосая инквизиторша, и Пашад кивнула:

— Когда я обличила его, высочайшая, он ведь еще не был объявлен предателем. И я уже не из его семьи, потому что, обличив его, развелась с ним.

— Да, так. Где он прячется?

— Не знаю, высочайшая. Сегодня утром был сделан список всей нашей недвижимости. Только пять домов и три склада у порта. Ничем другим я не могу помочь тебе.

Шаразад улыбнулась. Потом опустила руку в карман расшитой жемчугом туники, достала червонно-золотой камешек и положила его на стол. Она произнесла три слова силы и велела тоненькой черноволосой женщине, сидящей напротив:

— Положи на него ладонь! — А когда Пашад послушалась, добавила: — Сейчас я буду задавать тебе вопросы, но знай, если ты солжешь, Камень тотчас тебя убьет. Ты поняла?

Пашад кивнула. В ее глазах застыл страх.

— Ты знаешь, где находится преступник Нои-Хазизатра?

— Нет, не знаю.

— Ты знаешь имена его друзей, которые могли злоумышлять вместе с ним?

— На этот вопрос трудно ответить, — сказала Пашад, на лбу у нее выступили капельки пота. — Некоторых его... друзей я знаю, но мне неизвестно, участвовали ли они в его измене.

— А ты в ней участвовала?

— Нет. Я ничего в этом не понимаю. Мне ли судить, бог царь или нет? Я думала только о том, как угодить мужу и растить наших детей. Божественность царя не моего ума дело.

— Если ты узнаешь, где находится преступник Нои-Хазизатра, ты сообщишь мне?

— Да, — ответила Пашад, — в ту же минуту.

Удивление Шаразад было искренним. Она сняла руку Пашад с камешка и положила его назад в карман.

— Можешь идти, — сказала она. — Если получишь какие-нибудь известия о предателе, сообщишь их мне.

— Обязательно, высочайшая.

Шаразад проводила ее взглядом и откинулась на спинку кресла. Занавес на левой стене раздвинулся, и в комнату вошел молодой человек — высокий, широкоплечий, но узкий в бедрах. Он ухмыльнулся, сел в кресло и забросил ноги в сапогах на стол.

— Проигрыш за тобой, — сказал он. — Я ведь предупреждал тебя, что она, конечно, ничего не знает.

— Тебе не надоело зазнаваться, Родьюл? — огрызнулась она. — Но, признаюсь, я немного растерялась. Судя по тому, что я слышала об этом корабельном мастере, он обожал жену. И я полагала, что он ей доверился.

— Осмотрительный человек! А у тебя есть сведения, куда он отправился?

— Да, есть, — ответила она с улыбкой. — Видишь ли, Кольцо соединено с миром, который мы нашли два месяца тому назад. Нои-Хазизатра думал, что спасается, а на самом деле угодил в область нашего последнего завоевания. Это странное оружие оттуда. — Она вынула из ящика пистолет и перекинула его Родьюлу. Пистолет был накладного серебра с рукояткой из резной слоновой кости. — Царь желает, чтобы ты научился владеть этими... этими ружьями.

— Он снабдит ими войско?

— Нет. Царь считает их слишком плебейскими. Но мои Кинжалы докажут на войне их мощь.

Родьюл кивнул.

— А Нои-Хазизатра?

— Он чужой в незнакомом ему краю. Не говорит на тамошнем языке и не знает, как вернуться. Я его отыщу.

— Ты настолько в себе уверена, Шаразад? Берегись!

— Не шути так, Родьюл. Если я высокого о себе мнения, то с полным на то правом. Царю известны мои таланты.

— Нам всем известны твои таланты, дорогая Шаразад! Некоторые из нас даже изведали их сполна. Однако царь совершенно прав. Это оружие простонародно до отвраще-ния. Что за честь отправить врага к праотцам с помощью подобного несуразного приспособления?

— Дурак. По-твоему, в копье или стреле больше благо-родства? Они всего лишь орудия смерти.

— Ловкий человек может увернуться от стрелы, Шара-зад, или отпрянуть от копья. Но эти поражают человека смертью прежде, чем он что-нибудь поймет, и владение ими не требует искусства. — Он подошел к окну, выходившему во двор. Там были привязаны к столбам двое пленных, по колена обложенные хворостом. — Где тут искусство? — спросил Родьюл, взводя курок на пистолете. Прогремели два выстрела, и приговоренные к сожжению безжизненно повисли на веревках. — Человеку требуется только зоркий глаз и твердая рука. То ли дело меч! Существует более сорока классических приемов нанесения и отражения ударов. А для сабли, так и все шестьдесят. Но если таково желание царя, я научусь владеть этой штукой.

— Таково желание царя, Родьюл. Быть может, ты сумеешь отполировать свое искусство в новом мире. Там есть люди, ставшие легендами, благодаря своему владению этим оружием. Я отыщу их для тебя и прикажу доставить сюда для твоего... образования.

— Как мило, Шаразад! Буду с нетерпением ждать. А ты не можешь назвать имя, чтобы оно тревожило мой сон?

— Вот несколько. Например, Джонсон или Краду. Затем имеется Даниил Кейд. Но выше их всех человек по имени Йон Шэнноу. Говорят, он ищет какой-то мифический город и его прозвали Иерусалимцем.

— Доставь их всех, Шаразад! После завершения наших завоеваний на юге у нас так мало развлечений!

Отправляясь в погоню, Шэнноу знал, что не успеет помочь женщине и ее детям, и горел гневом. Тем не менее он ехал осторожно, так как в обманчивом лунном свете трудно было различать дорогу впереди. Когда он подъехал к мертвым телам, уже рассвело. Тут успели потрудиться падальщики: руки и лица были обглоданы. Шэнноу осмотрел мертвецов, не сходя с седла.

Его уважение к неизвестной женщине выросло до небес. Спешившись, он обследовал все вокруг и определил место, с которого стреляла Бет Мак-Адам. Судя по положению второго трупа, выстрел в него был сделан из фургона. Шэнноу вскочил в седло и направился к горам.

Начался крутой подъем в густой сосновый бор. Жеребец устал и уже дважды споткнулся. Шэнноу спрыгнул на землю и повел жеребца на поводу через лес. Они вышли на гребень холма, и Шэнноу увидел внизу лагерь с шестью кострами между двенадцатью шатрами, поставленными без особого порядка. При свете факелов мужчины работали в огромной яме, из которой торчала металлическая башня, треугольная, причем одна из сторон была слегка вогнута. К югу от лагеря струилась речка, а рядом с ней стоял фургон. Иерусалимец повел жеребца вниз, привязал к коновязи и расседлал. К нему подбежал какой-то человек.

— Ты с известием от Скейса? — спросил он, и Шэнноу обернулся.

— Нет. Я еду с севера.

Человек выругался и отошел.

Шэнноу направился к самому большому шатру и вошел внутрь. Там при свете фонарей десятка полтора мужчин ели и пили, а дородная широкоплечая женщина в кожаном фартуке черпаком наливала похлебку в круглые деревянные миски. Он встал в очередь, получил миску с густым варевом и кусок черного хлеба и направился к столу у входа. Два человека потеснились на скамье, освобождая для него место. Он молча принялся за еду.

— Ищете работу? — спросил кто-то из сидящих напротив, и Шэнноу поднял на него глаза. Лет около тридцати, худощав и белокур.

— Нет... благодарю вас. Я еду на юг, — ответил Шэнноу. — Могу я купить здесь припасы?

— Поговорите с Дейкером, может, у него найдется что-нибудь. Он сейчас в раскопе, но скоро должен прийти сюда.

— А что у вас за работа?

— Это старинное металлическое сооружение, воздвигнутое до Падения. Мы нашли несколько интересных артефактов. Пока — ничего ценного, но у нас есть основания надеяться на что-нибудь получше. И это уже помогло нам очень много узнать про Темные Времена. Люди тогда, несомненно, жили в большом страхе, раз построили такую огромную железную крепость.

— Почему в страхе? — спросил Шэнноу.

— Отсюда вам видна лишь часть сооружения. Оно имеет огромную протяженность. От основания до высоты в сотню футов нет ни окон, ни дверей, а выше они так малы, что сквозь них невозможно пролезть. Видимо, в те дни велись ужасные войны. Да, кстати, меня зовут Клаус Моне. — Молодой человек протянул руку, и Шэнноу ее пожал.

— Йон Шэнноу, — сказал он, проверяя, какое впечатление произведет его имя. Но ничего не заметил.

— И еще одно, — продолжал Моне. — Оно все железное, однако в этих горах нет ни железных руд, ни каких-либо следов рудников, если не считать серебряных в Долине Паломника. Следовательно, его обитатели доставляли руду через всю Великую Пустошь. Невероятно, не правда ли?

— Невероятно, — согласился Шэнноу, отодвинул пустую миску и встал.

Выйдя из шатра, он направился к краю ямы и поглядел на людей внизу. Они кончили работать и убирали инструменты. Он подождал, пока они не вылезли из ямы, а тогда окликнул:

— Менхир Дейкер!

— Кто его зовет? — спросил коренастый мужчина с черной бородой, в которой серебрилась седина.

— Я. Мне нужно бы купить кое-каких припасов — зерно, сушеные плоды, вяленое мясо. И овса, если он у вас есть.

— На сколько человек?

— Только для меня.

Бородач кивнул.

— Думается, я могу вам услужить. Но до Долины Паломника всего два дня пути. А цены там ниже.

— Всегда покупайте провизию, если представился случай, — сказал Шэнноу.

— Мудро, мудро! — согласился Дейкер, отвел Шэнноу в шатер-склад и наполнил несколько мешочков. — А соль и сахар вам не требуются?

— Если уделите мне немножко. И давно вы тут ведете раскопки?

— Около месяца. Очень многообещающее место. И сулит самые разные ответы, помяните мое слово.

— И вы считаете, что это здание?

— А чем же еще оно может быть? — ответил Дейкер с широкой усмешкой.

— Это корабль, — сообщил ему Шэнноу.

— Люблю шутников, менхир! По моим расчетам, в нем футов триста длины. Откопано ведь меньше половины. И оно железное. Вы когда-нибудь видели, чтобы кто-нибудь пустил кусок железа плавать?

— Нет, но вот железный корабль мне увидеть довелось. И он был заметно больше этого.

Дейкер покачал головой.

— Я арканист, менхир. И в своем деле разбираюсь. А также знаю, что посреди суши кораблей не строят. С вас три полновесных серебреника.

Шэнноу молча заплатил за припасы обменными монетами, отнес припасы к своему седлу и уложил в глубокие сумки. Потом направился через лагерь к фургону у ручья. Он увидел, что возле жарко пылающего костра сидит женщина, а рядом, завернувшись в одеяла, спят ее дети.

При его приближении она подняла голову, и он увидел, как ее рука скользнула к кобуре у нее на поясе.

Бет Мак-Адам долго смотрела на высокого незнакомца. Темные волосы падали ему на плечи, серебрясь на висках, а в коротко подстриженной бороде поблескивал седой клинышек. Сильное худое лицо, холодные голубые глаза. С его пояса свисали два пистолета в кобурах из промасленной кожи.

Он сел напротив нее.

— Вы с честью справились с опасностями в пути. Поздравляю вас. Мало кто решается пересечь Великую Пустошь в одиночку, а не с караваном фургонов.

— Вы сразу берете быка за рога, — сказала она.

— Не понял.

— Ну так мне не нужен ни проводник, ни помощник, ни мужчина рядом. Благодарю вас за ваше предложение. Спокойной ночи!

— Я вас обидел? — негромко спросил Шэнноу, пристально глядя своими голубыми глазами в ее глаза.

— Меня нелегко обидеть. И вас тоже, как погляжу.

Он почесал в бороде, улыбнулся, и от этой улыбки его лицо стало менее суровым.

— Совершенно верно. Если вы хотите, чтобы я ушел, я уйду.

— Налейте себе чаю, — сказала она. — А потом я хотела бы, чтобы мне не мешали.

— Вы очень добры.

Он наклонился, чтобы снять котелок с огня, и вдруг замер. Потом выпрямился и повернулся лицом к темноте. К костру подошли двое. Бет незаметно сняла ладонь с рукоятки пистолета.

— Менхир Шэнноу, у вас не найдется минутки? — спросил Клаус Моне. — Я бы хотел познакомить вас... — и он указал на своего спутника, щуплого лысеющего человека с реденькой седой бородой. — Это Борис Хеймут. Он именитый арканист.

Тот наклонил голову в коротком поклоне и протянул руку. Шэнноу пожал ее.

— Менхир Дейкер рассказал мне о вашем разговоре, — сказал Хеймут. — Я был поражен. Мне иногда казалось, что мы изучаем что-то вроде морского судна, но это представлялось настолько невероятным... Мы ведь пока раскопали лишь пятую часть этого... этого корабля. И вы можете объяснить, как оно очутилось здесь?

— Да, — сказал Шэнноу. — Но, боюсь, мы мешаем госпоже.

— Да, разумеется, — согласился Хеймут. — Примите мои извинения, фрей...

— Мак-Адам. И менхир Шэнноу прав: мне не хотелось бы, чтобы моих детей разбудили.

Трое мужчин поклонились и молча вышли за пределы лагеря. Бет увидела, как они исчезли среди теней, а потом появились снова на освещенном факелами склоне над ямой.

Она налила себе чая и сидела, прихлебывая его, а перед ее умственным взором маячило лицо Шэнноу. Разбойник или мирный человек? Она не хотела думать о нем. Какая разница? Больше она его не увидит. Выплеснув на землю остатки чая, Бет завернулась в одеяло.

Но сон к ней все не шел.

— Вам следует знать, менхир Шэнноу, — сказал Борис Хеймут с виноватой улыбкой, — что менхир Дейкер — староглядец. Он библеец и верит, что настали Последние Дни. Для него Армагеддон — реальность, которая возникла — насколько мы можем судить — триста семнадцать лет назад. Я же — длительнец. Как ученый я верю, что после смерти этого человека, Иисуса, существовала по меньшей мере тысячелетняя цивилизация и что чудеса этой цивилизации для нас потеряны. Здешняя находка уже бросила сомнения на истинность старовидения. А если это корабль... сомнения превратятся в доказанность.

Шэнноу молчал, чувствуя себя очень неуютно в маленьком шатре и ни на секунду не забывая, что фонарь отбрасывает на парусину их тени. Он понимал, что тут опасность ему не угрожает, но долгие годы, на протяжении которых он

был и охотником, и предметом охоты, приучили его к насто-
роженности, особенно если ему приходилось сидеть на от-
крытом месте.

— Я мало что могу сообщить вам, менхир, — сказал он. —
Более чем в тысяче миль отсюда есть высокая гора. Вблизи ее
вершины на широком уступе ржавеет железное судно длиной
около тысячи футов. Это был морской корабль, как я узнал от
людей, которые живут поблизости и знают его историю. Как
будто бы вся эта суша когда-то была океанским дном и бури
топили много кораблей.

— Но как же древние города, которые мы нашли? —
спросил с недоумением Хеймут. — Развалины одного
находятся менее чем в двух милях отсюда. Как могли они
воздвигаться на дне океана?

— Меня это тоже ставило в тупик. А потом я повстречал человека, которого звали Сэмюэль Арчер, — ученого,
как и вы. Он доказал мне, что мир опрокидывался не один
раз, а два. И города эти поистине древние — остатки
империи, которая называлась Атлантида, и погрузились в
океан задолго до времени Христа.

— Революционное утверждение, менхир! Кое-где вас за
него побили бы камнями.

— Я это знаю, — сказал Шэнноу. — Однако когда
вы откопаете корабль, то найдете огромные машины, дви-
гавшие его, и помещение, из которого им управляли. А теперь прошу меня извинить, я очень устал.

— Одну минуту, менхир, — вмешался Клаус Моне, который все это время хранил молчание. — Вы бы не остались у нас? Как наш сотрудник?

— Да нет, — сказал Шэнноу, вставая.

— Дело в том... — Моне взглянул на старшего годами Хеймута в поисках поддержки, но тот покачал головой, и Моне смущенно умолк.

Шэнноу вышел из шатра и вернулся к своему коню, насыпал ему зерна и расстелил одеяло на земле рядом с ним. Он мог бы рассказать этим двоим гораздо больше: про яркие лампы, горящие без огня, про инструменты, позволявшие находить путь в океанах, — про все то, что он узнал от Хранителей в дни войны против исчадий Ада. Но зачем? Он оказался втянутым в спор двух арканистов, ищущих познать тайны былого.

Всем своим существом он хотел, чтобы верным оказалось старовидение, но события вынудили его стать на другую точку зрения. Старый мир исчез, и Шэнноу не хотелось бы увидеть, как он восстает из пепла.

Только он начал засыпать, как услышал легкие приближающиеся шаги. Он достал пистолет и подобрался.

Перед ним скорчилась худощавая фигура Клауса Моне.

— Простите, что я докучаю вам, менхир Шэнноу. Но... вы производите впечатление человека действия, а мы очень нуждаемся в ком-нибудь вроде вас.

Шэнноу приподнялся и сел.

— Объясните яснее!

Моне наклонился к нему.

— Нашу экспедицию возглавлял Борис, а финансировала нас группа долговидцев на востоке. Мы уже работали тут, когда некий Спейс принял участие в проекте. Он прислал своих людей — во главе с Дейкером, — и теперь некоторые находки отсылаются ему в Долину Паломника.

— Какие находки?

— Золотые слитки, драгоценные камни из стальных ящиков в одном из глубоких помещений. Это кража, менхир Шэнноу.

— Так положите ей конец, — посоветовал Шэнноу.

— Я ученый, менхир.

— В таком случае занимайтесь наукой... и не вмешивайтесь в дела, которые вам не по силам.

— Вы смотрите сквозь пальцы на такое воровство?

Шэнноу усмехнулся:

— Воровство? Кому принадлежит этот корабль? Никому. Следовательно, никто ни у кого не ворует. Две группы алчут того, что там есть. Более сильный заберет то, что пожелает. Такова жизнь, менхир Моне. Решает сила.

— Но с вами мы оказались бы сильнее их.

— Может быть... Но этого вы так и не узнаете. Утром я уеду.

— Вы боитесь, менхир Шэнноу? Или просто хотите побольше монет? Мы можем заплатить.

— Я вам не по карману, менхир. А теперь разрешите мне уснуть.

* * *

Утреннее небо хмурилось тучами, и вскоре после рассвета струйки дождя, стекавшие по его лицу, разбудили Шэнноу. Он встал, туго скатал одеяла и стянул их промасленными полосками сыромятной кожи. Потом надел тяжелую длинную куртку и оседлал жеребца. Из дымки измороси появились две дюжие фигуры, и Шэнноу остановился, выжидая.

— Похоже, ты нас опередил, — сказал широкоплечий мужчина с темной дырой на месте передних зубов. Его товарищ был пониже и поподжаристее. С поясов обоих свисали пистолеты. — Из-за нас не задерживайся. Езжай отсюда!

Шэнноу промолчал.

— Ты что — на ухо тугой? — спросил второй. — Ты тут лишний.

В стороне собралась небольшая толпа. Шэнноу заметил Хеймута и Клауса Моне. Дейкера нигде не было видно.

— Во-во! Ну-ка поможем ему! — сказал высокий, подходя ближе, но Шэнноу выбросил вперед руку, вытянув два пальца, и ударил его в горло. Детина, хрипя, попятился и упал на колени. Шэнноу пристально посмотрел на второго.

— Будьте так добры, привяжите мои одеяла к седлу, — сказал он ласково.

Тот сглотнул, облизнул губы и опустил руку на рукоятку пистолета.

— Сегодня, — сказал Шэнноу, — неподходящий день для смерти. Человеку следует взглянуть в последний раз на солнце.

Несколько секунд его второй противник оставался в нерешительности. Потом бросил испуганный взгляд на своего товарища, который, стоя на коленях, держался за горло и со всхлипами втягивал воздух в легкие. Он знал, что ему следует выхватить пистолет, но рука не слушалась. Его глаза забегали, встретились со взглядом Шэнноу.

— Будь ты проклят! — прошептал он, и его ладонь соскользнула с пистолета, он подошел к скатанным одеялам, перекинул их через круп коня и привязал к седлу.

— Благодарю вас, — сказал Шэнноу. — А теперь помогите вашему другу.

Он сел в седло и повернул жеребца на север. Толпа расступилась, и он с трудом подавил желание обернуться. Это было самое опасное мгновение. Но выстрел не прозвучал. Он направил жеребца туда, где вечером стоял фургон фрей Мак-Адам. Фургона там не оказалось.

Шэнноу злился на себя. Не было никакой нужды унижать людей, которых явно послал Дейкер, чтобы поторопить его с отъездом. Ему следовало бы просто уехать, как они предлагали. И только гордость помешала ему поступить так, а гордость — грех в глазах Всемогущего.

«Вот почему ты не можешь найти Иерусалим, Шэнноу, — сказал он себе. — Твои грехи сковали тебя».

Иерусалима не существует.

Эта непрошеная мысль внезапно пронзила его мозг, и он вздрогнул. За последние годы он увидел очень много, и его сомнения умножились. «Но какой у меня выбор? Если

Иерусалима не существует, тогда все было напрасно. И, значит, поиски должны продолжаться». *Ради чего?* «Ради меня самого! Пока я продолжаю поиски, Иерусалим существует — пусть только в моем воображении. Этого достаточно. Ничего больше мне не требуется». *Ты лжешь, Шэнноу!* «Да-да, я лгу. Но что это доказывает? Я должен искать. Я должен узнать». *И где теперь ты будешь искать?* «За Великой Стеной». *А если его и там нет?* «До самого края земли и до границ ада».

Выехав на гребень, он повернул на запад, ища прохода в горах. Более двух часов он следовал оленьими тропами, пока не выехал на дорогу, всю в глубоких колеях, оставленных колесами фургонов, и в отпечатках лошадиных копыт. Дождь кончился, из-за тучи выплыло солнце. Теперь он ехал осторожно, часто останавливался и внимательно осматривал окружающую местность. Когда солнце достигло зенита, он устроил привал в тени высокого каменного столпа, изваянного ветрами и водой. Там было прохладно, и около часа он читал Библию, наслаждаясь Песней Песен Соломона. Ближе к вечеру Иерусалимец миновал горы и по узкой тропе начал спускаться в долину за ними.

К западу на ведущей к городу более широкой дороге был виден фургон фрей Мак-Адам. На севере за последними домами долина тянулась еще мили и мили, а затем упиралась в грандиозную стену, теряющуюся вдали. Шэнноу достал зрительную трубку и осмотрел стену. Она выглядела массивной, и даже на таком расстоянии он различил цветы, растущие в щелях между ее огромными плитами, и узоры лишайников на них. Он посмотрел выше, стараясь разглядеть чудеса за стеной, но увидел лишь плывущие по небосводу белые облака. Повернувшись в седле, он навел трубку на фургон. Фрей Мак-Адам сидела на козлах, — он увидел ее волосы цвета золотого меда и правую ногу, прижатую к тормозу. Дети шли сзади, ведя на поводу лошадь. До города они должны были добраться намного раньше него. Он посмотрел на дома внизу — по большей части деревянные (бревенчатые или обшитые тесом), но в восточных кварталах виднелись каменные здания в несколько этажей. Единственная широкая улица тянулась шагов на пятьсот, а затем упиралась в дома, тянувшиеся с севера на юг. Городок, казалось, процветал — всюду были видны стройки. За городком простирался луг, усеянный большими и малыми шатрами, и Шэнноу насчитал не один десяток костров для приготовления ужина. Сюда съезжались семьи из других краев, и вскоре в Долине Паломника должен был вырасти настоящий большой город.

Шэнноу взвесил, не объехать ли город стороной, чтобы сразу же направиться к стене и дальше. Но его конь нуждался в отдыхе, а сам Иерусалимец словно уже сотню лет не спал на кровати. Он потер подбородок, представил себе лохань с горячей водой, чтобы неторопливо смывать дорожную грязь, и ощущение бритвы, скользящей по щеке. Да и его одежду уже давно не мешало бы почистить, а подметки сапог протерлись почти до дыр. Он еще раз бросил взгляд на фургон, но уже не увидел ни золота волос его хозяйки, ни ее ноги, прижатой к тормозу.

10

Ошир с трудом опустил свое раздавшееся бесформенное тело в широкое кресло. Сидеть было мукой — мышцы спины теперь растягивали по-иному, чем прежде. Он встал и устроился на полу, глядя на Черную Госпожу, точно статуя застывшую за большим письменным столом. Глаза ее были закрыты, дух покинул тело. Ошир знал, куда она улетела: она была в глубине мазка его крови на кристалле в середине стола. Ошир не пошевельнулся, пока Шрина не потянулась и не открыла глаза. Она негромко выругалась.

— Не будь нетерпеливой, — сказал Ошир.

Темнокожая женщина с улыбкой оглянулась на него.

— Время убегает от меня, — ответила она. — Как ты себя чувствуешь?

— Не очень хорошо, Шрина. Теперь я знаю, что испытывал Шэр-ран... и почему он ушел. Может быть, и мне следует уйти.

— Нет! Я не желаю этого слышать. Я уже почти у цели, Ошир. Я знаю, знаю! Мне осталось только установить, почему дочерние молекулы отклоняются от нормы. Этого не должно быть. Это противно природе!

Ошир усмехнулся:

— Дорогая моя, разве мы все не противны природе? Было ли соизволение Бога на то, чтобы лев ходил, как человек?

— Я недостойна обсуждать Божьи цели, Ошир, но ваша генетическая структура была изменена сотни лет назад, и вот теперь происходит регресс. Несомненно, должен существовать способ остановить его!

— Но я ведь это и имел в виду, Шрина! Может, Богу угодно, чтобы мы стали такими, какими Он сотворил нас?

— Мне не следовало открывать тебе правды, — прошептала Шрина.

Его золотисто-карие глаза впились в ее темное лицо.

— Мы оставили всех прочих наслаждаться их мифами, но лучше, чтобы я знал правду. Боже Великий, Шрина! Я лев! Мне следовало бы бродить на мягких лапах по лесам и горам. И так будет!

— Ты родился человеком, — настойчиво сказала она, — и ты вырос человеком, Ошир. Чудесным человеком. Ты не предназначался для того, чтобы рыскать по дебрям. Я знаю, это так.

— А Шэр-ран предназначался? Нет, Шрина. Ты замечательный ученый, и тебе дороги деенки. Но, по-моему, твои эмоции подчиняют себе твой интеллект. Мы всегда считали себя Избранными. Мы видели статуи в городах и верили, что некогда Человек стоял ниже нас. Возможно, правда менее приятна, но я могу жить с ней. Закон Единого не нарушится, если Ошир станет львом.

— И если не станет, он тоже не будет нарушен, — возразила Шрина. — Кто-то давным-давно начал экспериментировать с хромосомной инженерией. О причине я могу только догадываться, но у некоторых видов цепи жизни были изменены с полным успехом — до настоящего времени. Что могло быть сделано тогда, может быть сделано и теперь. И я найду способ обратить процесс вспять.

— Медведи все регрессировали полностью, — напомнил он. — Волчецы вымирают. И разве ты не давала Шэр-рану такого же обещания?

— Будь ты проклят! Да, давала. И дам его следующему, и следующему, пока это не станет правдой.

Ошир отвел глаза.

— Прости меня Шрина. Не сердись.

— Господи, я не сержусь на тебя, дорогой. Я сержусь на себя. У меня в голове есть все нужные книги, все знания. Но ответ мне никак не дается.

— Отвлекись на время. Погуляй со мной.

— Не могу. У меня лишней минуты нет.

Ошир с трудом поднялся на ноги, его огромная голова наклонилась набок.

— Мы же знаем, что утомленный ум ответов не находит. Пойдем! Погуляй со мной по склону.

Он подал ей руку, втянув когти, которые непроизвольно вылезли из чехольчиков, недавно образовавшихся в кончиках его распухших пальцев. Она погладила его черную гриву и нежно поцеловала.

— Хорошо, только недолго.

Они прошли через шпалеры статуй в вестибюле и вышли на яркий солнечный свет, заливавший расположенные террасами сады. Ошир остановился у длинной мраморной скамьи и вытянулся на ней во всю длину. Шрина села рядом и положила его голову себе на колени.

— Расскажи мне еще раз о Падении.

— Каком?

— Про катастрофу, которая уничтожила Атлантиду, про ту, с Ковчегом.

— С которым Ковчегом? В Межвременье существовало более пятисот легенд о Всемирных Потопах. Индейцы хопи, арабы, ассирийцы, турки, скандинавы, ирландцы — все сохраняли расовую память о том дне, когда мир опрокинулся. И у всех были свои Ковчеги. У одних из дерева гофер, у других из тростника. Некоторые были гигантскими судами, другие — огромными плотами.

— Но в Межвременье люди этим легендам не верили, ведь так?

— Да, — признала она. — Отчасти из высокомерия. Они знали, что Земля изменилась, что наклон оси прежде был иным, но верили, будто это был результат очень постепенного процесса. А ведь все свидетельства были налицо! Следы прибоя на высочайших вершинах, раковины морских моллюсков в песках пустынь, огромные скопления костей животных в горных пещерах, где-они, видимо, пытались укрыться от потопа.

— Но почему мир опрокинулся, Шрина? В тот первый раз?

Она улыбнулась ему.

— Твоя любознательность ненасытна. И ты знаешь, секреты второго падения я тебе не открою. Ты слишком бесхитростен, чтобы прибегать к уловкам, Ошир.

— Расскажи мне про Первое Падение. Расскажи!

— Я не знаю всего. Колоссальная сейсмическая активность. На сушу накатывались огромные цунами — тысячефунтовые стены бешеной воды. В легендах, которые я читала, есть некоторые указания на то, что движение солнца и луны по небосводу стало обратным и солнце вставало на западе. Это явление могло объясняться только тем, что Земля внезапно перевернулась. Один из моих учителей полагал, что причиной было столкновение с гигантским метеоритом, другой утверждал, что роковую роль сыграло увеличение веса льда на полюсах. Возможно, это был результат и того и другого. Во многих легендах утверждается, что атланты нашли источник мощнейшей энергии, чем нарушили равновесие мира. Кто знает правду? Как бы то ни было, ревущие океанские валы уничтожили добрую часть мира, а континент, который занимала Атлантида, погрузился в пучину почти весь.

— И никто из атлантов не спасся?

— Некоторые, жившие на дальнем севере, уцелели. Еще одна группа обитала на большом острове в цепи, которая когда-то была горной. Острова эти назывались Канарскими. И они жили там спокойно до четырнадцатого века той эры, а потом их нашли мореходы, которые назывались испанцами. Испанцы истребили их всех, уничтожив их язык и культуру навсегда.

— Люди Межвременья были на редкость безжалостными, — заметил Ошир. — Почти все твои рассказы о них связаны со смертью и разрушениями.

— Ты не способен даже вообразить, насколько безжалостными они были! — подтвердила Шрина.

— А второе Падение было хуже первого?

— Тысячекратно хуже. К тому моменту население Земли неизмеримо увеличилось, и восемьдесят его процентов жили на высоте, даже в лучшем случае не достигавшей ста футов над уровнем моря. А некоторые так жили даже ниже его уровня, полагаясь на дамбы и плотины. Когда Земля опрокинулась, они погибли все до единого.

— И все-таки Человек выжил, как и деенки.

— Мы закалены, Ошир, и невероятно находчивы. И Бог не желал, чтобы мы погибли все без исключения.

— Но Человек все еще зол и безжалостен? Он все еще убивает себе подобных по ту сторону Стены.

— Да. Но не все люди злы. Все еще есть такие, кто противостоит магической силе земли.

— Когда они проломят стену, они придут с миром?

— Не знаю, Ошир. А теперь мне пора вернуться к работе.

Ошир смотрел, как она идет к своей лаборатории. Кожа у нее была эбонитовой черноты и блестела, будто смазанная маслом, а смотреть на грациозное покачивание ее бедер было наслаждением. Он вдруг осознал, что теперь воспринимает ее красоту в чисто эстетическом плане — еще один признак надвигающейся Перемены. Он встал со скамьи и вразвалку побрел через сады, пока не вышел на главную улицу. Там сновали люди, занятые своими делами. Увидев его, они низко кланялись, как приличествует кланяться человеку, который скоро станет богом. Богом?

На мгновение ему стало смешно. Скоро он утратит интеллект, его голос превратится в рев, и до конца дней им будет владеть не жажда знаний, а желание поплотнее набить брюхо, покачивающееся на ходу.

Он вспомнил первый день, когда в городе появилась женщина, назвавшаяся Шриной. Толпы собирались поглазеть на черноту ее кожи. Жрецы низко склонялись пред ней, а старший брат Ошира, принц Шэр-ран, был покорен ее неземной красотой. С ней был ребенок, слабенький мальчик с грустными глазами, но он умер через два месяца. Врачи были бессильны: они говорили, что у него слабая дурная кровь. Шрина долго его оплакивала. Шэр-ран, высокий красавец, лучший атлет среди деенков, целые дни гулял с ней, рассказывал ей деенские легенды, показывал статуи и святилища. И наконец, когда они стали любовниками, он отправился с ней в долгую прогулку, чтобы показать ей Меч. Она вернулась совершенно ошеломленная.

И вот тогда в Шэр-ране началась Перемена. Жрецы вознесли благодарственные молитвы и благословили его. Для жителей города был устроен праздник. Однако Ошир заметил, что Шрина не разделяет общего веселья.

Как-то поздно вечером он застал ее над свитками Ушедших в древнем покое размышлений. И он до сих пор помнил ее крик:

«Будьте вы прокляты, подлецы! Неужели вашему высокомерию не было предела?»

Ошир подошел к ней. В те дни он тоже был высоким, красивым, с широко расставленными золотисто-карими глазами, темными блестящими волосами, перехваченными золотым обручем.

«Что тебя расстроило, Шрина?»

«Вся ваша нелепая культура! — крикнула она. — Знаешь, когда-то жил народ — инки, и они верили, что, вырезая у живых людей сердца, они делают их богами!»

«Глупость», — сказал Ошир.

«Вы ничем не лучше. Шэр-ран мутирует в зверя, а вы все ликуете. Я никогда не смеялась над вашими легендами, не пыталась смущать вас моими тайными знаниями. Но это?»

«О чем ты говоришь, Шрина?»

«Как мне объяснить? Ты видел, что пыль и вода, соединяясь, создают глину? Все живые организмы такие же. Мы все — сочетания частей».

«Я знаю, Шрина. Сердце, легкие, печень. Это любому ребенку известно!»

«Погоди, — перебила она. — Я говорила не просто об органах, или костях, или крови. А, это невозможно!»

Ошир сел напротив ее стола.

«Я не тупица. Объясни мне».

Она медленно заговорила о генетическом материале, присущем всем живым организмам. Она не употребила межвременной термин «дезоксирибонуклеиновая кислота», как и чаще употреблявшееся сокращение «ДНК». Однако попыталась объяснить ее важность в контролировании наследственных особенностей. Она говорила около часа, рисуя для ясности схемы.

«Значит, по твоим словам, — сказал наконец Ошир, — эти магические цепи делятся на два точных своих подобия? Но для чего?»

С невероятным терпением Шрина принялась объяснять про гены и хромосомы. И Ошир начал понимать.

«Значит, вот что! Как удивительно! Но почему это делает нас глупыми? Пока нам не рассказали об этом открытии —

или мы не сделали его сами — нас нельзя обвинять в глупости. Ведь так?»

«Пожалуй, — ответила Шрина, — но я имела в виду другое. Я говорила о том, что генетическая структура Шэр-рана изменяется. Дочерние цепи больше не повторяют родительскую. И теперь я знаю почему».

«Скажи мне».

«Потому что вы не люди. Вы...» — Она вдруг осеклась, отвернула голову, и золотисто-карие глаза Ошира сузились.

«Договаривай!»

«Кто-то... какая-то группа... в Межвременье ввела вашим предкам посторонний ген, изменила ваш генетический код, если хочешь. Теперь — возможно, раз через пять поколений — структура ломается, возвращается к исходной. Шэр-ран не становится богом, он становится тем, чем были его предки. Львом».

Ошир вскочил.

«В древних городах есть статуи богов с львиными головами. Им поклонялись. Меня воспитывали в вере моих предков, и я не отрекусь от нее. Но я снова буду говорить с тобой. Я узнаю, что истинно».

Шрина встала и взяла его за руку.

«Прости, Ошир. Мне не следовало ничего тебе объяснять. Никому не говори об этом, и особенно Шэр-рану».

«Поздно! — сказал Шэр-ран, вперевалку входя в покой. Большая львиная голова наклонялась к плечу. —

Прости, Шрина. Подслушивать невежливо, но я не мог удержаться. Не знаю, как ты, Ошир, но я никогда не чувствовал себя менее богом».

Ошир уже увидел слезы в больших золотистых глазах и, пятясь, оставил недавних любовников наедине друг с другом.

Шэр-ран бежал из города три месяца спустя, исчез незаметно. Ошир с тех пор много часов проводил с Шриной, постигая тайны темной мудрости Межвременья — все, кроме связанных с гибелью того мира. Затем — месяц назад — Ошир проснулся на рассвете от мучительной боли во всех мышцах. Лицо у него растянулось вширь.

Все это время Шрина без устали работала, стремясь ему помочь. Но тщетно. Теперь у него оставалось одно желание: узнать как можно больше о земле, звездах и Владыке Всего Сущего. И он лелеял одну мечту, храня ее в сердце, как драгоценную жемчужину.

Он хотел увидеть океан. Один раз.

Ее сны были тревожными. Она сидит на пиру. Единственная женщина там. Ее окружают высокие красивые мужчины, их улыбки полны тепла и дружелюбия. Она протягивает руку, чтобы прикоснуться к плечу соседа, и ощущает под пальцами шерсть. Она, отпрянув, поднимает взгляд, смотрит в золотистые глаза и холодеет: видит длинные клыки, способные разорвать ее в клочья. Она сидит, окаменев, а мужчины вокруг, один за другим, превращаются во львов. Их глаза теперь не теплы и не дружелюбны.

Она проснулась в холодном поту и сбросила длинные ноги с кровати. Ночь была прохладной, и когда она направилась к балкону, ветерок ласкал ее нагое тело. Она устремила взгляд на город, залитый лучами луны.

Деенки спали в блаженном неведении того, что их ожидало. Она вздрогнула и вернулась в спальню. Заснуть ей не удалось, но она была слишком утомлена, чтобы работать. Завернувшись в теплое шерстяное одеяло, она вытащила кресло на балкон под звездное небо и села.

— Как мне тебя не хватает, Сэмюэль! — сказала она, воскрешая в мыслях доброе лицо мужа, которого потеряла, отца ее сына, которого она потеряла. — Если бы все люди были похожи на тебя, мир остался бы Земным Раем.

Но все люди не были такими, каким был Сэмюэль Арчер. Ими управляли алчность или желания плоти, ненависть или страх. Она покачала головой. Деенки никогда не вели войн. Они были кроткими и миролюбивыми, добрыми и чуткими. А теперь начинали регрессировать назад в звериность. Такая дурная вселенская шутка!

Былые люди-медведи утратили все человеческое давным-давно. Шрина побывала с Шэр-раном в одном из их селений вблизи Озера Меча, и то, что она увидела там, ввергло ее в ужас. Среди них остался только один человек, но и он уже регрессировал.

«Уйдите от нас, — сказал он. — Мы прокляты!»

Теперь их селение опустело, они удалились в горные леса подальше от любопытных глаз, от жалости или омерзения.

Охотничий рев донесся с равнины перед городом, где бродил львиный прайд, и Шрина вздрогнула. Тридцать с небольшим львов обитали там, питаясь мясом оленей и антилоп. А ведь не так давно они были мужчинами и женщинами, разговаривали, смеялись, пели.

Ее глаза всматривались в древние здания. Деенков осталось всего четыреста. Слишком мало, чтобы выжить и продолжить свой род.

«Почему вы принимаете львов за богов? — как-то спросила она у Мен-шора, старого жреца. — Они ведь теряют дар речи и разум».

«Сказание о днях древности, — ответил он и, закрыв глаза, начал декламировать начало Священной Книги: — «В начале была богиня Марик-сен, и она ходила под солнцем и не знала ни слов, ни древних сказаний, ни даже имени своего отца. Закон Единого коснулся ее, и родилось ее имя. И она стала знать. Но, зная, она поняла, что потеряла великий дар, дивный из дивных, и это удручало ее. У нее родился сын, но богом он не был. Он был человек. Он говорил, как человек, и ходил, как человек. Он знал свое имя и имя своей матери и еще много имен. Но и он чувствовал утрату — пустоту в глубинах своей души. И он был отцом деенков, и народ становился все многочисленнее. И они жили в Великом Саду за хрустальными стенами. Но однажды Закон Единого подвергся нападению многих врагов. Земля вздыбилась, стены раскололись, и огромные волны уничтожили сад. Сами деенки тоже почти погибли. Потом воды отступили, и люди увидели совсем другой мир. Закон Единого явился Пен-рану, и он стал Пророком. Он поведал нам, что было утрачено и что было обретено. Мы утратили Дорогу к Небесам, мы обрели Тропу к Познанию. Он был первым, кто привел нас сюда, и первый оставил Тропу и нашел Дорогу».

Старик открыл глаза.

«Есть еще много, Шрина, но понятно оно только деенкам».

«Вы верите, что знание мешает вам узреть Небеса?»

«Это большое препятствие. Душа может пребывать только в чистоте. Знание разрушительно. Оно наполняет нас мечтами и желаниями. Такие устремления отвращают наши глаза от Закона Единого».

«Однако дикий лев знает лишь голод и похоть».

«Быть может. Но он не убивает для потехи, и если брюхо его сыто, олененок может подойти к заводи, встать рядом с ним и напиться в полной безопасности».

«Ты простишь меня за то, что я не разделяю вашей... веры?»

«Как и ты меня — что я не разделяю твоей. Быть может, и ты и я правы, — сказал Мен-шор. — Ибо разве мы не одного происхождения? Разве вы не были сотворены в Саду и тоже из него изгнаны? И разве тоже из-за греха Адама и преступления Каина не утратили Дорогу на Небеса?»

Тут Шрина засмеялась и вежливо признала его довод. Старик ей нравился, но у нее оставался еще один вопрос.

«Что случится, когда, подобно медведям, все деенки станут львами?»

«Мы все приблизимся к Богу», — ответил он просто.

«Но ведь больше не будет песен!»

«Кто знает, какие песни звучат в сердце льва? И могут ли они резать слух сильнее, чем песни смерти, которые мы слышим из-за Стены?»

11

Ш энноу оставил жеребца в загоне, заплатил конюху, чтобы он дал коню зерна и почистил его, потом перекинул седельные сумки через левое плечо и вошел в «Отдых путника» — трехэтажное здание на западе городка. Одна комната была свободна, но владелец — тощий с землистой кожей субъект по имени Мейсон — попросил Шэнноу подождать часок, пока там «наведут порядок».

Шэнноу согласился и заплатил за три дня вперед. Сумки он оставил за конторкой и прошел в соседнее помещение, где длинная стойка протянулась футов на пятьдесят. Буфетчик улыбнулся ему.

— Что будем пить, сынок? — спросил он.

— Пиво, — заказал Шэнноу, заплатил, отошел с пенящимся кувшином к угловому столику и сел спиной к стене. Он устал и почему-то испытывал напряжение. Его мысли постоянно возвращались к женщине в фургоне. А зала медленно наполнялась рабочим людом. Некоторые пришли прямо из рудника — черная от земли одежда, чумазые лица с потеками пота. Шэнноу молниеносно оглядывал каждого вошедшего. Пистолетов не было почти ни у кого, но многие имели при себе ножи или топорики. Он уже собирался уйти к себе в комнату, но тут в залу вошел молодой человек в белой полотняной рубахе, темных брюках и куртке в талию из дубленой кожи. И у него был пистолет с полированной белой рукояткой. Шэнноу смотрел на него, и в нем поднимался гнев. Он с трудом отвел глаза от вошедшего и допил пиво. Они всегда выглядели одинаково:ясноглазые и ловкие, как кошки, — верный признак охотника, хладнокровного убийцы, воина.

Шэнноу вышел из буфета, забрал свои сумки и поднялся по двум маршам лестницы в свою комнату. Она оказалась больше, чем он ожидал, с двуспальной отделанной латунью кроватью, двумя глубокими креслами и столом, на котором стояла масляная лампа. Он бросил сумки за дверью и проверил окно. До мостовой внизу было около сорока футов. Он разделся, лег на кровать и проспал двенадцать часов. Проснулся с волчьим аппетитом, быстро оделся, пристегнул пистолеты к поясу и спустился на первый этаж. Хозяин, Мейсон, кивнул ему.

— Как насчет горячей ванны? — спросил Шэнноу.

— За дверью налево. Сразу увидите. Шагов через тридцать.

Он увидел замызганный сарай с пятью металлически-
ми лоханями, разделенными занавесками на латунных коль-
цах. Шэнноу направился к дальней, подождал, пока двое
служителей наполнили ее горячей водой, а тогда разделся и
забрался в лохань. На полочке лежал обмылок и жесткая
щетка. Хорошенько намылившись, он вымылся до скрипа,
потом вылез. Полотенце было похоже на дерюгу, но свое
назначение выполнило. Он оделся, заплатил служителям и
неторопливо пошел по главной улице на манящий запах
жарящейся грудинки.

Харчевня помещалась в длинном дощатом строении с
вывеской «Веселый паломник». Шэнноу вошел и выбрал
столик так, чтобы сесть у стены лицом к двери.

— Что возьмете? — спросила Бет Мак-Адам.

Шэнноу поднял глаза на ее голос и покраснел. Потом
встал и сдернул шляпу с головы.

— С добрым утром, фрей Мак-Адам.

— Бет. И я спросила, что вы возьмете.

— Яичницу... грудинку... что-нибудь.

— Имеется горячий напиток из орехов и древесной коры.
С сахаром очень приятный.

— Отлично. Я попробую. Вам, как вижу, недолго пришлось искать работу.

— При нужде не выбирают, — сказала она и ушла.

Шэнноу расхотелось есть, но он заставил себя жевать и
проглатывать. Напиток был черным, как преисподняя, и
даже с сахаром отдавал горечью, но вкус во рту остался

приятный. Он заплатил из своего скудеющего запаса обменных монет и вышел на солнечную улицу. Там собралась толпа, и он увидел, что на середине мостовой стоит вчерашний молодой человек.

— Дьявол, это же, приятель, совсем просто! — сказал он. — Стой там, а когда будешь готов, урони кувшин.

— Да не хочу я, Клем, — ответил дородный рудокоп, к которому он обращался. — Ты же меня убить можешь, дьявол тя возьми!

— Пока я никого еще не подстрелил, — сказал пистолетчик. — Хотя, конечно, всегда бывает первый раз!

Толпа разразилась хохотом. Шэнноу стоял, прислонившись к стене харчевни, и смотрел, как люди расступаются, образуя две шеренги вдоль домов. Толстяк стоял шагах в десяти от пистолетчика, держа в вытянутой руке кувшин.

— Давай, Гейри! — крикнул кто-то. — Брось его!

Рудокоп уронил кувшин в тот момент, когда Шэнноу перевел взгляд на пистолетчика. Рука молодого человека опустилась, взметнулась, и по улице раскатился треск выстрела. Кувшин разлетелся мелкими черепками, и толпа восторженно завопила. Шэнноу отлепился от стены и направился к гостинице мимо них.

— Тебя как будто это и не впечатлило вовсе, — заметил молодой человек, когда он поравнялся с ним.

— Нет, очень! — заверил его Шэнноу, не замедляя шага. Но молодой человек пошел рядом с ним.

— Клем Стейнер, — сказал он, подстраиваясь к шагу Шэнноу.

— На редкость метко, — добавил Шэнноу. — У вас быстрая рука и точный глаз.

— А ты бы мог так?

— И за миллион лет не сумел бы, — ответил Шэнноу, поднимаясь по ступенькам к дверям гостиницы. Вернувшись в свою комнату, он достал из сумки Библию и пролистывал страницы, пока не дошел до слов, эхом отдававшихся в его сердце:

«*И вознес меня в духе на великую и высокую гору и показал мне великий город, святый Иерусалим, который нисходил с Неба от Бога. Он имеет славу Божию; светило его подобно драгоценнейшему камню, как бы камню яспису кристалловидному. Он имеет большую и высокую стену, имеет двенадцать ворот и на них двенадцать Ангелов... И город не имеет нужды ни в солнце, ни в луне для освещения своего; ибо слава Божия осветила его, и светильник его — Агнец... И не войдет в него ничто нечистое, и никто, преданный мерзости и лжи...*»

Шэнноу закрыл Библию. *Большая и высокая стена. Совсем, как та, в конце долины.*

Он надеялся, что так и окажется. Бог свидетель, он надеялся на это.

Шэнноу разбудили звуки выстрелов. Он слетел с кровати и, подойдя к окну сбоку, посмотрел вниз на освещенную луной улицу. На мостовой валялись два человека. Клем Стейнер стоял с пистолетом в руке. Из игорных заведений выскакивали люди, бежали по тротуарам. Шэнноу покачал головой и снова лег.

Утром он позавтракал в длинной зале — миской простой овсянки и большим кувшином черного напитка. Назывался он баркеровкой в честь Баркера — человека, который за несколько лет до этого первым начал варить его в этих местах.

К его столику подошел Борис Хеймут.

— Вы позволите сесть с вами, менхир? — спросил он робко.

Шэнноу пожал плечами, и маленький лысеющий арканист придвинул себе стул. Буфетчик принес ему баркеровки, и он несколько минут молча ее прихлебывал.

— Интересная смесь, менхир Шэнноу. А вам известно, что этот напиток облегчает головные и ревматические боли? И к нему можно пристраститься. — Шэнноу отставил кружку. — Нет-нет! — улыбнулся Хеймут. — Я имел в виду: просто полюбить его. Никакого вредного воздействия он не оказывает. Вы долго пробудете в Долине Паломника?

— Еще два дня. Может быть, три.

— Такое прекрасное место! Но, боюсь, вскоре оно станет совсем уж опасным.

— Вы закончили работу с кораблем? — спросил Шэнноу.

— Мы... Клаус и я... получили распоряжение оставить раскопки. Там теперь всем командует менхир Скейс.

— Сожалею.

Хеймут развел руками.

— Собственно, ничего нового ждать больше не приходится. Мы продолжили раскопки и обнаружили, что это лишь часть корабля. Видимо, он переломился, когда тонул. Тем не менее все теории, будто это было здание, полностью опровергнуты.

— Что вы будете делать теперь?

— Дождусь, когда тут соберется караван, а тогда отправлюсь назад на восток. Раскопки где-нибудь да ведутся. Без них я жизни не мыслю. Вы слышали ночью стрельбу?

— Да, — ответил Шэнноу.

— За последний месяц здесь насильственной смертью погибли четырнадцать человек. Тут хуже, чем на Великой Пустоши.

— Тут есть богатства, — сказал Шэнноу. — Они притягивают людей, склонных к насилию, слабых духом людей, дурных людей. Я видел это в других краях. Как только богатство истощится, нарыв лопнет.

— Но ведь есть люди, менхир Шэнноу, которым дано вскрывать такие нарывы, не правда ли?

Шэнноу поглядел в его молочно-голубые глаза.

— Без сомнения, менхир Хеймут. Но как будто не в Долине Паломника.

— О, мне кажется, менхир, один из них тут. Но он хранит равнодушие. Вы все еще взыскуете Иерусалима, Йон Шэнноу?

— Да. И я больше не вскрываю нарывы.

Хеймут отвел глаза... и переменил тему.

— Два года назад я встретил путешественника, который говорил, что побывал к югу от Великой Стены. Он говорил о невиданных чудесах в небе — гигантском мече, который висит под облаками в венце из крестов на рукояти. Менее чем в ста милях от него находятся развалины города невероятных размеров. Я бы душу продал, лишь бы увидеть подобный город!

Глаза Шэнноу сузились.

— Не говорите так — даже несерьезно. Вас могут поймать на слове.

— Мои извинения, менхир! — Хеймут улыбнулся. — Я на мгновение забыл, что вы верующий. Вы намерены проникнуть за стену?

— Да.

— Это край неведомых зверей и великих опасностей.

— Опасность повсюду, менхир. Вчера на улице погибли два человека. Нигде в мире нет безопасного места.

— Это все больше становится истиной, менхир Шэнноу. С последнего полнолуния произошло — только в Долине Паломника — шесть изнасилований, восемь убийств, шесть перестрелок с летальными исходами, не говоря уж о ранах и синяках, полученных в поножовщине и иных драках.

— Зачем вы запоминаете такие цифры? — осведомился Шэнноу, допив баркеровку.

— Привычка, менхир. — Он достал из топорщащегося кармана своей куртки пачку мятых листков и карандаш. — Не будете ли вы столь любезны, менхир, и не объясните ли мне, где находится колоссальный корабль, который вы видели в ваших странствиях?

Почти два часа Хеймут расспрашивал Иерусалимца о призрачном корабле и развалинах атлантидских городов. Потом Шэнноу встал, заплатил за завтрак и неторопливо вышел на улицу. До конца утра он бродил по городку. В западной части стояла тишина — большинство домов там свидетельствовало о достатке своих хозяев, но в восточных кварталах, где дома выглядели победнее и пообшарпаннее, он стал свидетелем нескольких потасовок у харчевен и питейных заведений. К городку примыкал большой луг, весь усеянный шатрами самых разных размеров. Но даже там было где выпить, и он видел сидящих или валяющихся на траве пьяниц в разных степенях хмельного забытья.

Городок вырос вокруг серебряных рудников, которые привлекали бродяг, точно муравьев — крошки от пикника. А с бродягами явились разбойники и воры, и игроки в кости, и игроки в карнат.

Шэнноу покинул шатровый поселок и пошел назад по главной улице. Из длинного бревенчатого строения донеслось пение. Пели дети. Он постоял, прислушиваясь, стараясь понять, почему мелодия кажется знакомой. Пение было очень приятным, полным юности, надежды, невинной радости, и поначалу он ощутил прилив бодрости, но затем она сменилась грустью, тоской утраты, и он пошел дальше.

Перед «Отдыхом путника» собралась большая толпа, из глубины которой доносился глубокий бас, звучный, будоражащий душу. Шэнноу вмешался в толпу и посмотрел поверх голов на проповедника, который стоял на перевернутой бочке. Высокий, широкоплечий, с густой шапкой рыжих курчавых волос. Черное одеяние, перепоясанное серой веревкой, деревянный крест, свисающий со шнурка на шее.

— И я говорю вам, братья, что Господь ждет вас. Ему нужен от вас лишь знак. Увидеть, как вы отрываете глаза от грязи у вас под ногами и поднимаете их к Славе Небес. Услышать, как ваши голоса произносят: «Верую, Господи!» И тогда, друзья мои, радости Духа вольются в ваши души.

От толпы отделился мужчина.

— И тогда он заставит носить нас вот такие миленькие черные платьица? Ответь-ка мне, Пастырь, тебе надо присаживаться, чтобы поссать?

— Таков голос невежества, братья мои, — начал было Пастырь, но его противник заорал во всю мочь:

— Невежества? Блюющий ты сукин сын! Да забирай своего блюющего Иисуса, пусть провалится в...

Обутая в сапог нога Пастыря описала дугу в воздухе и ударила богохульника в подбородок так, что он хлопнулся навзничь.

— Как я говорил вам, возлюбленные друзья мои, Господь ждет с любовью в сердце Своем каждого грешника, если он покается. Но те, кто продолжает ходить путями зла, падут под Мечом Божьим и будут гореть в геенне огненной. Отвергните зло, соблазны плоти и алчность. Возлюбите ближних своих, как самих себя. Только тогда Господь улыбнется вам. И тем большей будет ваша награда.

— А ты, Пастырь, ты-то вот этого любишь? — крикнул какой-то мужчина, показывая на поверженного буяна.

— Как собственного сына, — ответил Пастырь с ухмылкой. — Но детей прежде всего следует научить, как вести себя. Я снесу ругательства, ибо иначе грешники говорить не умеют. Но я не потерплю кощунства или оскорблений Господа. Такому нечестивцу перебью я голени и бедра, как древле Самсон филистимлянам.

— А как ты насчет того, чтобы выпить, Пастырь? — крикнул кто-то из задних рядов.

— Спасибо, что хочешь угостить меня, сын мой. Мне пива покрепче. — Раздался хохот, но Пастырь поднял руку, призывая к молчанию. — Завтра День Господень, и я буду служить за Шатровым поселком. Будет пение и хвалы, а затем угощение. Приходите с женами, с невестами, со своими детьми. Будем весь день праздновать на лугу. Ну а теперь, где же мое пиво?

Он спрыгнул с бочки и подошел к валяющемуся на земле бесчувственному человеку. Пастырь поднял его, взвалил себе на плечо и поднялся с ним по ступенькам к дверям «Отдыха путника».

Шэнноу остался на солнечной улице.

— А он впечатляет, верно? — спросил Клем Стейнер. Шэнноу обернулся. Глаза молодого человека вызывающе поблескивали.

— Да, — согласился Шэнноу.

— Надеюсь, перестрелочка ночью тебя не обеспокоила?

— Нет. Прошу прощения, — ответил Шэнноу и пошел дальше.

До него донесся голос Стейнера.

— Что-то я не пойму тебя, друг. Надеюсь, мы не поссоримся.

Шэнноу не оглянулся. Он поднялся в свою комнату и пересчитал оставшиеся у него обменные монеты. Семь полных серебреников, три полсеребреника и пять четвертей. Он порылся в карманах и извлек золотой, который нашел в припасах Шэр-рана. Чуть больше дюйма в поперечнике с вычеканенным изображением меча, окруженного звездами. Обратная сторона была гладкой, без изображения. Шэнноу отошел к окну, чтобы рассмотреть монету получше. Меч был непривычной формы — длинный, сужающийся к острию, а звезды больше походили на кресты в небе.

С улицы донесся гром копыт, и появилась кучка скачущих всадников. Шэнноу открыл окно и увидел, что в пыли позади двух всадников волочится тело какого-то зверя, а по сторонам улицы собирается толпа. Всадники остановили лошадей, и Шэнноу с изумлением увидел, как окровавленный зверь поднялся, секунду постоял на четвереньках, а потом встал на задние лапы.

И побежал... но веревка остановила его. Грянули два выстрела, и в спине зверя появились две зияющие раны. Несколько зрителей подняли собственные пистолеты: под градом пуль зверь упал. Шэнноу вышел за дверь и быстро сбежал с лестницы. На улице рядом с «Отдыхом путника» была лавка с выставленными наружу бочками, длинными деревянными топорищами и ручками для кирок. Схватив топорище, Шэнноу прошел через кружащих всадников и остановился перед бородачом на вороном жеребце. Топорище свистнуло в воздухе, опустилось на лицо бородача, и он вылетел из седла, подняв облако пыли от удара о мостовую. Шэнноу бросил на него свою дубинку, ухватился за луку и взлетел на спину жеребца.

В полной тишине Шэнноу проехал между ошеломленными всадниками. Дернув поводья, он повернул жеребца.

— Когда он очнется, объясните ему, как опасно красть лошадей, — сказал Шэнноу, обращаясь к ним всем. — Втолкуйте ему это хорошенько. Его седло я оставлю у конюха.

— Он тебя убьет за это, друг, — сказал молодой всадник, ближайший к нему.

— Я не друг тебе, молокосос, и никогда им не буду.

Шэнноу поехал дальше, придержав коня, только чтобы посмотреть на мертвого зверя. Он выглядел почти так же, как Шэр-ран в самые последние дни, — пышная львиная грива, пугающие своей массивностью плечи. Шэнноу тронул жеребца каблуками, повернув его к конюшне, откуда навстречу ему выбежал конюх.

— Вы уж простите, менхир, я же помешать им не мог. Их было восемь... нет, десять. Они забрали еще трех чужих лошадей.

— Кто они? Воры?

— Ездят со Скейсом, — ответил конюх, словно это объясняло все.

Шэнноу спешился и отвел жеребца в конюшню. Снял с него седло и бросил в угол, а потом вытер пену с его боков и вычистил шерсть до блеска.

— Отличный конь, — сказал конюх, который последовал за ним в конюшню, заметно прихрамывая. — Ветер небось обгонит!

— Да. А что с твоей ногой?

— Да много лет назад в руднике стойка обломилась. Ну и разбила мне колено. И все равно куда лучше жить на земле, чем под ней. Монет, правда, меньше, зато дышится легче. А что это была за стрельба?

— Они убили льва, которого поймали, — объяснил Шэнноу.

— Дьявол! Как же это я упустил? Один из этих, из человеко-демонов?

— Не знаю. Бежал он на задних ногах.

— Господи, вот бы посмотреть! Их ведь, знаете ли, теперь куда меньше стало, чем прежде. После того, как ворота в Стене исчезли. А прежде весной мы их часто видели. Они целую семью убили у Серебряного ручья. И всех съели, хотите верьте, хотите нет. А он самец был или самка?

— Самец, — сказал Шэнноу.

— Угу! Самок никто вроде бы не видел. Остаются, надо быть, за Стеной.

— Туда кто-нибудь ездит?

— За Стену-то? — переспросил конюх. — Нетушки! Да не в жизнь! Уж поверьте, там такие твари водятся, что человеку никак не выдержать.

— Но если туда никогда не ездили и не ездят, откуда это известно?

Конюх ухмыльнулся:

— Это теперь туда никто не ездит. А вот пять лет назад туда отправилась экспедиция. И только один — из сорока двух — вернулся живым. Это он рассказал про меч в небе. А сам и месяца не протянул. Весь был изранен и изрезан. А потом — два года назад — исчезли ворота. Их трое было — двадцать футов в высоту и в ширину столько же. И как-то утром — нет их, исчезли!

— Ты хочешь сказать, их заложили?

— Исчезли! Будто и не было их никогда. В Стене ни следа пролома. Лишайники на старых камнях, да вьюнки всякие, будто никаких ворот и не было.

Она понимала суть и видела результаты, но была бессильна остановить процесс... как была бессильна спасти своего сына. Женщина, называвшая себя Шриной, расхаживала по покою размышлений, темные глаза были исполнены гнева, кулаки сжаты.

Один крохотный камешек Сипстрасси мог бы все изменить. Один осколок, не утративший своего золота, мог бы спасти Ошира и других ему подобных. Маленький Люк был бы жив, и Шэр-ран стоял бы сейчас рядом с ней, прежний, гордый, красавец.

Она обыскивала горы и долины, расспрашивала деенков. Но никто никогда не видел такого Камня, черного, точно уголь, и все же пронизанного золотом, теплого на ощупь и умиротворяющего душу.

Она винила себя: ведь она принесла свой Камень в этот дальний край и использовала его, чтобы запечатать Стену. Один великий всплеск энергии Сипстрасси, чтобы уничтожить ворота, которые позволили бы Человеку погубить земли деенков. И вот тогда она и сделала роковое открытие... Человек уже их погубил... еще до второго Падения.

Народ деенков. Народ ДНК. Кошачьи люди. На протяжении веков в мире рождались мутанты и уроды. Шрину учили, что это результат воздействия радиоактивных и всяких других вредоносных отходов, которые загрязнили землю. Но теперь она начала понимать истинное зло, наследие Межвременья. В неблагоприятной среде обитания генная инженерия вышла из-под контроля. Возникали новые расы, другие — например, деенки, — медленно вымирали.

Здешние жрецы верили, что Изменяющиеся взысканы Небесами. Но теперь они появлялись все чаще. Регрессировали целые семьи.

Шрина задыхалась от гнева. В их Приюте она видела книги, слушала записи. Многие болезни в Межвременье лечились с помощью создания бактериальной ДНК и коммерческого ее изготовления. Например, инсулин для диабетиков. Производство мяса увеличивалось благодаря введению генов роста свиньям и рогатому скоту — активаторные гены, называли их. Однако межвременцы пошли куда дальше.

Чтоб вам истлеть в Аду! Внезапно она улыбнулась этой мысли. Ведь они же и истлевают в Аду. Их омерзительный мир был сметен силами природы, как кровь вымывает гной из болячки.

Тем не менее источник инфекции сохранился — сам Человек. Величайший хищник, совершеннейший убийца. Даже теперь они воюют между собой, устраивают резни, грабят...

Магия земли делала свое дело. Колоссальные уровни радиации, токсины в воздухе, которым они дышат, — все это в совокупности содействовало противоестественному росту агрессивности и насилия.

Спираль истории закручивалась — Человек уже вновь изобрел огнестрельное оружие и поднялся на уровень середины XIX века. Вскоре люди научатся летать, создадут нации, и войны будут все страшнее и кровопролитнее.

Она медленно поднялась по лестнице на обзорную площадку. Отсюда она могла смотреть на улицы города, на снующих по ним людей. Дальше виднелись стада, крестьянские усадьбы. А вдали, точно мерцающая лента — Стена между Мирами. Она почти слышала, как Человек бьет по ней кулаками, вымещая свою ярость на древних камнях.

Шрина перевела взгляд на юг, где над молодыми горами плыли тяжелые тучи, пряча Меч Божий. Она задрожала.

Внезапно на востоке разразилась гроза, и Шрина обернулась, глядя на зигзаги молний, бьющие из громоздящихся туч. Над равниной с воем пронесся холодный ветер. Она снова задрожала и вошла в дверь.

Город выдержит эту грозу, как он выдержал Первое Падение и сокрушающую ярость вздыбившегося океана.

Она повернулась к двери и не увидела проблеск голубизны между тучами. Словно ветер отбросил занавеску, и среди клубящейся черноты открылось ясное небо. В центре голубизны сиял золотой диск второго солнца, так что в течение краткого мгновения все предметы на улицах города отбрасывали две тени.

12

Всадники спешились и столпились вокруг лежащего на земле товарища. Нос у него был сломан, оба глаза быстро заплывали. Из разбитой верхней губы текла кровь. Двое подхватили его на руки и перенесли на тротуар перед входом в «Веселого паломника».

Владелец, Джозия Брум, взяв тазик с водой и полотенце, вышел к ним. Встав на колени рядом с раненым, он намочил полотенце, аккуратно сложил и бережно опустил на распухшие веки.

— Возмутительно! — сказал он. — Я все видел. Ничем не вызванное нападение. Какая гнусность!

— Это уж так, — согласился кто-то.

— Такие негодяи погубят Долину прежде, чем мы успеем создать здесь достойную общину.

— Так он же лошадь украл, черт дери! — воскликнула Бет Мак-Адам, не сдержавшись.

Брум оглянулся на нее:

— Они охотились на зверя, который мог бы сожрать твоих детей, и вскочили на тех лошадей, которые оказались под рукой. Надо было просто попросить, и ему тут же вернули бы его лошадь. Но нет! Такие, как он, все на одну колодку. Насилие. Смерть. Разрушение. Вот что они несут с собой точно чуму.

Бет промолчала и вернулась в харчевню. Ей нужна была эта работа, чтобы пополнить спрятанный в фургоне запас монет и платить за детей в Школьную Хижину. Но люди вроде Брума злили ее. Сладкоречивые ханжи, отводящие глаза, они видели только то, что хотели видеть. Бет пробыла в Долине Паломника всего два дня, но уже успела разобраться в том, как управляется городок. Эти всадники работали на Скейса, и он был одним из троих наиболее влиятельных людей в Долине Паломника. Ему принадлежал самый большой рудник, две лавки и (пополам с Мейсоном) «Отдых паломника», а еще несколько игорных домов в западных кварталах. Его люди несли дозор в шатровом поселке, вымогая плату за свою бдительность. Те, кто не хотел платить, могли не сомневаться, что лишатся своего фургона или всего ценного имущества — либо случится пожар, либо произойдет дерзкое ограбление. Люди Скейса были скорыми на кулачные или иные расправы дюжими верзилами, в прошлом по большей части разбойниками.

Бет видела, как приволокли и убили зверя, и видела, как Шэнноу вернул себе коня. Конечно, он мог бы прежде попросить, но Бет понимала, что вор почти наверное отказался бы вернуть коня, и дело кончилось бы перестрелкой. У Брума, конечно, мозги навозные, но она у него работает, да и по-своему, не такой он уж и плохой человек. Верит в исконное благородство Человека, в то, что все споры следует разрешать доводами рассудка, беспристрастным обсуждением. Она стояла в дверях и смотрела, как он старается помочь пострадавшему. Высокий, тощий, с длинными прямыми морковного цвета волосами и худым лицом с выпуклыми голубыми глазами. Некрасивым его нельзя было назвать, и с ней он был неизменно учтив. Бездетный вдовец — и Бет внимательно к нему присматривалась. Она знала, что разумнее всего было бы подыскать хорошего, солидного, состоятельного человека, чтобы обеспечить спокойную жизнь своим детям, но Брум ей никак не подходил.

Пострадавший пришел в себя, и его усадили за столик. Бет принесла ему кружку баркеровки, и он отпил два-три глотка.

— Я этого шлюхина сына убью! — прошепелявил он. — Богом клянусь, убью!

— И в мыслях такого не держите, менхир Томас, — настойчиво посоветовал Брум. — То, что он сделал, в высшей степени ужасно, но дальнейшее насилие ведь ничего не исправит.

Томас рывком поднялся на ноги.

— Кто со мной? — спросил он. К нему подошли двое, но остальные предпочли остаться там, где были. Томас вытащил пистолет и проверил заряды. — Куда он пошел?

— Отвел жеребца в конюшню, — сказал невысокий замухрышка.

— Спасибо, Джек. Ну, пошли его искать.

— Прошу вас, менхир... — начал Брум, но Томас оттолкнул его.

Бет пробралась через кухню во двор, потом подхватила длинную юбку, обежала дом и через проулок выскочила на главную улицу раньше Томаса и его двух приятелей. В конце улицы она увидела Шэнноу. Он стоял в дверях конюшни, разговаривая с конюхом. Она быстро подбежала к нему.

— Они идут поквитаться с тобой, Шэнноу, — сказала она. — Их трое.

Он обернулся к ней и мягко улыбнулся:

— Я очень благодарен вам за вашу доброту.

— Бог с ней, с добротой! Седлайте коня и уезжайте.

— Мои вещи у меня в комнате. Вы лучше обождите тут.

— Я же сказала: их трое.

— И тот, кого я ударил, один из них?

— Да, — сказала она.

Шэнноу кивнул, снял куртку и перебросил ее через балку стойла. Потом вышел на солнечный свет. Бет подошла к двери и следила, как он шагнул на середину улицы и остановился в ожидании, опустив руки. Солнце, поднявшееся уже довольно высоко, светило пистолетчикам в глаза. Они подходили все ближе, и двое по бокам начали отодвигаться от Томаса в середине. Бет чувствовала, как нарастает напряжение.

— Ну так как же, шлюхин сын? — заорал Томас. Шэнноу промолчал. — Что, язык проглотил?

Они подходили все ближе и ближе. Их разделяло шагов десять, когда прозвучал голос Шэнноу, негромко и четко.

— Вы пришли сюда умереть? — спросил он.

Бет увидела, как человек справа утер вспотевшее лицо и покосился на приятеля. Томас ухватил пистолет, но его опрокинула пуля. Ноги задергались в пыли, по брюкам расползлось мокрое пятно.

Остальные двое окаменели.

— Мне кажется, — сказал Шэнноу все так же негромко, — вам лучше унести его с улицы.

Они поспешно подняли Томаса, а Шэнноу вернулся к Бет и конюху.

— Я еще раз благодарю вас, фрей Мак-Адам. Мне жаль, что вам пришлось присутствовать при подобном.

— Я успела навидаться мертвецов, менхир Шэнноу. Но у него было много друзей, и не думаю, что вам стоит задерживаться здесь. Скажите, а откуда вы знали, что те двое не нападут на вас?

— Этого я не знал, — ответил он. — Однако злоба кипела только в нем. Вы пойдете завтра на собрание, которое устраивает Пастырь?

— Возможно.

— Для меня было бы большой честью, если бы вы и ваши дети позволили мне вас сопровождать.

— Простите меня, менхир, — сказала Бет. — Но по-моему, вас поджидает беда, и я не могу позволить моим детям находиться в вашем опасном обществе.

— Я понимаю. Разумеется, вы правы.

— Будь я без детей... ответ, возможно, был бы другим.

Он поклонился и вышел на солнечный свет.

— Дьявол, — сказал конюх, — его ничем не прошибить! Ну, по Томасу никто плакать не станет. Это уж точно.

Бет ничего не ответила.

Иерусалимец остановился в том месте на улице, где темное пятно крови свидетельствовало, что тут была оборвана жизнь. Он не испытывал сожалений. Убитый сделал свой выбор сам, и Шэнноу вспомнил слова Соломона:

«Таковы пути всякого, кто алчет чужого добра: оно отнимает жизнь у завладевшего им».

Идти до гостиницы было не близко, и пока Шэнноу шагал по пыльной улице, он ощущал на себе взгляды многих глаз. Перед харчевней стояли охотники, но они замолкли, когда он проходил мимо. В «Отдыхе путника» ему навстречу поднялся Клем Стейнер.

— Так я и знал! — сказал он. — Как увидел тебя в Длинной зале, мне сразу что-то сказало, каков ты. А как тебя зовут, приятель?

— Шэнноу.

— И как я сам не догадался! Иерусалимец! Далековато заехал, Шэнноу. Кто за тобой послал? Брисли? Феннер?

— За мной никто не посылал, Стейнер. Я езжу там, где хочу.

— Ты понимаешь, нам, возможно, придется сойтись лицом к лицу?

Шэнноу несколько секунд молча смотрел на молодого человека.

— Это было бы неразумно, — негромко сказал он затем.

— Во-во! Лучше не забывай про это. Менхир Скейс хочет поговорить с тобой, Шэнноу. Он в Длинной зале.

Шэнноу повернулся и пошел к лестнице.

— Ты слышал, что я сказал? — крикнул Стейнер ему вслед, но Шэнноу, даже не обернувшись, поднялся в свою комнату. Налил воды из каменного кувшина и сел в кресло у окна ждать.

Эдрик Скейс вышел из Длинной залы.

— Он ушел, мистер Скейс, — сказал Стейнер. — Привести его?

— Нет. Подожди меня здесь.

Высокий широкоплечий человек, иссиня-черные волосы коротко подстрижены и зачесаны кверху без пробора. Бритое сильное, словно вычеканенное лицо, глубоко посаженные глаза. Уверенные спокойные движения. Подойдя к двери Шэнноу, он стукнул в филенку костяшкой пальца.

— Войдите. Не заперто, — донесся голос изнутри.

Скейс вошел. Он поглядел на человека в кресле у окна и пересмотрел свой план. Он намеревался предложить Шэнноу пойти к нему на службу, но теперь пришел к выводу, что таким способом только окончательно превратит этого человека во врага.

— Могу я сесть, мистер Шэнноу?

— А я думал, что в этих краях говорят «менхир».

— Я не из этих краев. — Скейс направился к креслу напротив Иерусалимца и опустился в него.

— Что вам нужно, мистер Скейс?

— Просто извиниться перед вами, сэр. Человек, укравший вашу лошадь, работал у меня. Он был безрассудным юнцом. Мне хотелось заверить вас, что попыток отомстить не будет. Я ясно втолковал это всем моим всадникам.

Шэнноу пожал плечами, но выражение его лица не изменилось.

— И?

Скейса ожег гнев, но он подавил его и улыбнулся:

— Никакого «и» нет. Просто визит вежливости, сэр. Вы думаете долго пробыть в Долине Паломника?

— Нет, я собираюсь отправиться дальше на юг.

— Наверное, чтобы увидеть чудеса в небе. Завидую вам. Меньше чем за три месяца мне не собрать отряд, чтобы перебраться через Стену.

— Отряд? Но зачем? — спросил Шэнноу.

— «Из уст же Его исходит острый меч, чтобы им поражать народы, — процитировал Скейс. — Он пасет их жезлом железным».

Он заметил, что открытая враждебность на лице Шэнноу сменилась настороженностью.

— Так вы читаете Писание, сэр! Но что оно говорит вам?

Скейс наклонился к нему, чтобы сполна использовать благоприятную минуту.

— Я собирал сведения о краях за Стеной и тамошних чудесах. Там видны великие знамения. Это вне сомнений. Сияющий меч, окруженный крестами и звездами, а на мече имя, которое никому не дано прочесть. Все точно так, как повествует Писание. Более того, там обитают звери, которые ходят, как люди, и поклоняются Черной Богине — колдунье, творящей среди них гнусные обряды. Или, как сказано в Писании, мистер Шэнноу: «И я увидел жену, сидящую на звере багряном, преисполненном именами богохульными». Или вот: «Зверь, которого я видел, был подобен барсу; ноги у него, как у медведя, а пасть у него, как пасть у льва». Все это есть за Стеной, мистер Шэнноу. Я намерен отправиться туда и найти Меч Божий.

— И для этого вы собираете разбойников и пистолетчиков?

— А вы предпочли бы, чтобы я для этого обратился к фермерам и учителям?

Шэнноу встал и шагнул к окну.

— Я не умею вести диспуты, сэр. И я не судья. — У него за спиной Скейс скрыл торжествующую улыбку и ничего не сказал. Шэнноу обернулся, его льдистые глаза вперились в Скейса. — Но я и не дурак, мистер Скейс. Вы — человек, который ищет власти, господства над ближними. Вы — не искатель истины. Здесь ваших людей боятся. Но меня это не касается.

— Вы правы, мистер Шэнноу, говоря о стремлении к власти. Но ведь само по себе это еще не зло, не так ли? Разве не был Давид сыном земледельца и разве не стал он царем над Израилем? Разве не был Моисей сыном рабыни? Бог одаривает человека талантами, и он поступает правильно, применяя их. Я не убийца и не разбойник. Мои люди бывают... буйными и неотесанными, но они платят за то, что берут, и уважительны со здешними жителями. Ни один из них не совершил убийства или изнасилования, а с теми, кто попадался на краже, я разделывался сам. Правители были всегда, мистер Шэнноу. И в том, чтобы стать правителем, греха нет.

Шэнноу вернулся к своему креслу, налил воды в кружку и предложил ее Скейсу, который с улыбкой отказался.

— Я уже сказал, что я не судья. И пробуду в этом селении недолго. Но я видел немало ему подобных. Насилие будет расти, и следует ожидать еще много смертей, если не будет установлен порядок. Почему, сэр, ища власти, вы не установили порядка?

— Потому что я не тиран, мистер Шэнноу. Игорные заведения в восточных кварталах никак от меня не зависят. Я владею большой фермой и стадами молочного и мясного скота. И мне принадлежит самый большой серебряный рудник. Мои владения охраняются моими людьми, но сам город — хотя у меня есть в нем собственность — меня не касается.

Шэнноу кивнул.

— Вы нашли что-нибудь интересное в разбитом корабле?

Скейс засмеялся.

— Я слышал о ваших... пререканиях. Да, кое-что я нашел, мистер Шэнноу. Несколько золотых слитков и любопытные образчики серебряной посуды. Но ничего, что могло бы сравниться с тем, что вы видели на «Титанике».

Шэнноу, казалось, не удивился и только кивнул, а Скейс продолжал:

— Да, я видел «Титаник». Я знаю про Сипстрасси, Камень-Демон, который восстановил его, и о вашем бое с Саренто. Я тоже не дурак, сэр. Я знаю, что былой мир изобиловал чудесами, превосходящими наше воображение, и что для нас они потеряны, возможно, безвозвратно. Но у этого мира есть своя сила, и я найду ее за Стеной.

— Камень-Демон был уничтожен, — сказал Шэнноу. — Если вы знаете про Саренто, то знаете и про творимое им зло, и про войну с исчадиями Ада, которая была делом его рук. Подобная сила опасна для людей.

5*

Скейс встал.

— Я был с вами откровенен, мистер Шэнноу, потому что уважаю вас. Я не ищу столкновения с вами. Поймите меня правильно: я говорю это не из страха. Но я не хочу обзаводиться врагами без надобности. Сипстрасси всего лишь источник силы, примерно такой же, как ваши пистолеты. В руках зла он будет творить зло. Но я не дурной человек. Всего вам хорошего.

Скейс вышел в коридор и спустился по лестнице. Внизу его ждал Стейнер.

— Вы хотите, чтобы я с ним разделался, мистер Скейс?

— Держись от него подальше, Клем. Этот человек тебя убьет.

— Вы что, шутите, мистер Скейс? Когда дело доходит до пистолетов, со мной никому не потягаться!

— Я ведь не сказал, что он может превзойти тебя, Клем. Я сказал, что он тебя убьет.

13

Два долгих жарких дня Нои-Хазизатра шел через Великую Пустошь. Горы словно бы не приближались, а вот его силы убывали. Корабельный мастер, не имевший себе равных, он всегда гордился своей гигантской силой, позволявшей ему играючи поднимать бревна и тяжелые камни. Но этот словно бы бесконечный путь требовал не силы, а выносливости, и вот ее-то, убедился Нои, ему и не хватало. Он сел в тени на дне оврага и достал Камень Сипстрасси со дна кармана куртки. Ему очень не хотелось воспользоваться им, не зная ни сколько энергии в нем останется, ни сколько ее потребуется, чтобы он мог вернуться домой к Пашад и детям. Нои-Хазизатра в отличие от большинства мужчин города Эд взял только одну жену, дочь Аксиса, парусного мастера. Он полюбил ее с того мгновения, когда их руки соприкоснулись, и любовь его не ослабела со временем. В Пашад не было силы, она казалась хрупкой, как весенний цветок, но она обладала даром отдавать себя всю, и вдали от нее Нои ощущал себя потерянным.

В предыдущий раз, когда Нои держал в руках Сипстрасси, это был осколочек, не больше оторванного ногтя. И энергия израсходовалась за сутки — обновила его силы, заставила отступить грозную мощь времени, вернула черноту его седеющим волосам, а усам придала пышность молодости. Но Камень в его руке был в двадцать раз больше, с очень тонкими черными прожилками и пульсировал энергией.

Нои спасся от Кинжалов, но попал не в Балакрис, а в неведомый край вдали от моря, где люди носят странную одежду. «Думай, дурень! — приказал он себе. — Как ты сможешь вернуться домой, если сначала не узнаешь, откуда ты возвращаешься?» Согласно легенде верховные жрецы с помощью Сипстрасси высвобождали свой дух и облетали вселенную. Если они могли, то сможет и Нои-Хазизатра. Он опустился на колени и воззвал к Великому, назвав его десятью именами из тысячи, известной людям, потом стиснул камешек и вообразил, как возносится к небу сквозь собирающиеся вверху тучи. Мысли его закружились, и внезапно он почувствовал себя свободным, точно сорвавшийся с якоря корабль. Открыв глаза, он увидел внизу белый лабиринт гор и долин без малейших признаков жизни. Над ним голубело ясное небо, но земля внизу была безмолвной и призрачной. Его оледенил страх. Куда он залетел? Он понесся вниз к занесенному снегом миру... и погрузился в тучи.

На какое-то время он ослеп, а потом пронизал серо-белую пелену тумана и увидел далеко внизу сочно зеленеющую землю, разделенную горами в снежных шапках и лентами рек, увидел огромные долины и ущелья, леса и равнины. Он вглядывался, ища следы человеческой деятельности, города и деревни, но ничто не нарушало дикости открывавшихся его взгляду просторов. Дух Нои устремился ниже. Теперь он различил собственное крохотное тело на дне овражка, а в нескольких милях к западу — стоянку фургонов, крытых белой парусиной, и пасущихся волов на склоне холма.

Нои осмелился полететь дальше за горный хребет и увидел безобразное селение с приземистыми деревянными домами и большое скопище людей на лугу. Он оставил их позади, направляясь на юг, и увидел массивную стену, кладкой напоминавшую волнолом Эда. Камни были обтесаны точно так же, но выглядели куда более древними, чем камни в Стене Пендаррика. Он полетел дальше, дивясь тому, как мог народ, воздвигший подобную стену, пасть столь низко, что довольствовался уродливыми постройками, которые он видел в селении. Потом внизу появился город, и у него упало сердце.

Купола дворца, мраморные террасы, длинная Дорога Царей со статуями по сторонам, а на юге — подкова порта. Но там не сверкал океан, а простирались поля и луга.

Нои замер над городом, разглядывая прохожих на улицах. Все было таким, как он помнил, и все же ничто не было прежним. Он помчался к храму и замер над статуей Дерарха, Пророка. Лицо Пророка почти стерлось, а священные свитки в его руках утончились в белые палочки.

Изнемогая от потрясения, Нои взмыл в небо.

Перед ним словно предстало видение, порожденное Кострами Велиала.

И он понял. Это был не неведомый дальний край, это был его дом, город Эд. Он вспомнил с ревом взметнувшийся океан в его видении, три солнца в небе. Перед ним внизу простирался мир будущего.

Он вернулся в свое тело и заплакал о всех утратах — Пашад и их сыновья, Бали и его друзья, все люди в мире, которому грозила скорая погибель... в мире, который уже погиб.

Нои-Хазизатра оплакивал Атлантиду.

Наконец его слезы высохли, и он прислонился к валуну. Все тело у него болело, сердце налилось свинцом. Для чего он должен был предостерегать людей? Для чего Бог Хронос избрал его своим орудием, если надежды не было никакой?

Никакой надежды? Уж тебе бы следовало знать, сколь глупа и безумна эта мысль.

Его первый корабль попал в страшную бурю. А в то плавание были вложены все его деньги, и не только его.

Он занял, сколько удалось, вверг себя и свою семью в огромные долги. Они уже возвращались, трюм был полон хорошо закрепленным грузом, он уже видел себя богатым, и тут ветры словно взбесились. Океан взревел, огромные волны обрушивались на суденышко, гнали к черным утесам, и они зависали над ними, словно занесенные молоты.

Почти все его матросы, поддавшись панике, попрыгали за борт навстречу почти верной гибели в кипящих валах. Но не Нои-Хазизатра! Налегая на кормило во всю мощь своего могучего тела, он не спускал взгляда с нависающего над ним черного чудовища. Сперва ничто не изменилось, но затем подвижное судно начало поворачиваться. Мышцы Нои почти лопались от натуги, но его корабль отвернул от утеса и понесся к коварным подводным рифам.

С ним остались только трое из тридцати матросов. Они цеплялись за мачты, не решаясь прийти на помощь кормчему из страха, что их смоет за борт.

«Якорь!» — завопил Нои, перекрикивая рев бури. Соленые брызги хлестали его лицо, загоняли крик назад в глотку. Оторвав одну руку от кормила, он указал на веревочную петлю, удерживавшую якорь на палубе, и один из троих, цепляясь за планширь, побрел к корме. В него ударила волна, он упал, и его тело заскользило по палубе. Нои бросил кормило, нырнул за матросом и ухватил за тунику в тот миг, когда он уже повис за бортом. Ухватившись правой рукой за растяжку, Нои оттащил его в безопасное место. А корабль несся на рифы, скрытые, точно клыки, под клокочущей пеной. Нои, пошатываясь, выпрямился и кое-как добрался до кормила. Матрос возился с петлей... внезапно она соскользнула, и железный якорь с шипением исчез под водой.

Корабль содрогнулся, и Нои испустил вопль отчаяния, решив, что они наткнулись на риф. Но это просто якорь надежно зацепился за коралловое дно. Корабль заплясал на волнах, и утес, недавно знаменовавший гибель, теперь укрывал их от ярости ветра.

Вскоре в бухте наступило затишье.

«Мы набираем воду!» — закричал матрос, спасенный Нои.

«Поставь насос и погляди, где течь!» — приказал Нои, и матрос исчез в трюме. Остальные два последовали за ним, а Нои в изнеможении опустился на мокрую палубу. Он взглянул на правый борт и увидел луну, выплывающую из клубящихся туч. Над бурунами торчали зазубренные камни, черные и блестящие. Любой из них распорол бы днище корабля от носа до кормы. Нои с трудом поднялся на ноги и перешел к левому борту. И с этой стороны виднелись рифы. Каким-то образом... каким-то чудом!.. он провел свое суденышко через узкий проход между рифами.

Вернулся матрос.

«Вода убывает. Ни одной щелки, хозяин».

«Ты заслужил награду, Акрилла. Я позабочусь, чтобы ты ее получил!»

Матрос улыбнулся, показав щербатые зубы.

«Я уж думал, нам конец. Надежды-то никакой не оставалось!»

Богатству Нои заложило основу это первое плавание, и теперь его ответ Акрилле был вырезан на кормилах всех его кораблей:

«Надежда есть всегда — если не изменит мужество».

На него нахлынули воспоминания о той ночи, и он заставил себя встать. Он понял, что отчаяние — не меньший враг, чем Шаразад или царские Кинжалы. Его мир был обречен, но это вовсе не значило, что Пашад погибнет. У него ведь есть Камень Сипстрасси, и он жив.

— Я приду за тобой, любовь моя, — сказал он. — Через подземелья Времени, через Юдоль Проклятых! — Он поглядел на небо. — Благодарю тебя, Владыка, что ты дал мне вспомнить!

Бет сидела на склоне под распростертыми ветвями сосны и смотрела на детей, которые качались на подвешенных досках или взлетали вверх-вниз у ручья, где доски были положены на камни. Посреди высокого луга то́лпы горожан, рудокопов и земледельцев наслаждались угощением, расставленным на козлах под теплыми солнечными лучами. В конце луга молодежь состязалась в метании ножей и топориков, стрельбе, борьбе, кулачных поединках, щеголяя силой и сноровкой. Рудокопы устроили рыцарский турнир — один сидел на плечах другого, сжимая деревянное копье — палку с насаженными на оба конца шарами. Они вступали в бой попарно, и под громогласные подбадривания и одобрительные крики всадники старались сбить друг друга на землю. Весело пылали костры, на которых, аппетитно благоухая, жарилось мясо — дар Эдрика Скейса. Бет прислонилась к древесному стволу и впервые за многие дни позволила себе расслабиться. Ее маленький запас монет пополнялся, и скоро уже она перекочует с детьми на плодородный участок к северу от Стены, арендованный у Скейса, и обзаведется собственной фермой. Нелегкая будет жизнь, но она своего добьется!

На нее упала тень, и, подняв глаза, она увидела, что перед ней стоит Йон Шэнноу со шляпой в руке.

— Доброе утро... Бет. Ваши дети далеко от нас, и им не угрожает опасность. Можно мне посидеть с вами?

— Прошу вас, — сказала она, и он опустился на землю, прислонившись к стволу рядом с ней. — Я знаю, кто вы, — добавила она. — Тут это каждый знает.

— Да, — ответил он с усталой досадой. — Наверное. Как тут все хорошо устроено! Люди веселятся от души. На них приятно смотреть.

— Зачем вы сюда приехали? — не отступала она.

— Это просто остановка в пути, Бет. Я тут долго не задержусь. Меня сюда не звали, и приехал я не для того, чтобы сеять смерть направо и налево.

— Я так вовсе не думала. А правда, что вы ищете Иерусалим?

— Пожалуй, уже не с тем пылом, как раньше. Но да, я ищу Святой Город.

— Почему?

— А почему нет? Не самое худшее, чему человек может посвятить жизнь. Ребенком я жил с родителями и братом. Разбойники убили моих родителей. Мы с братом спаслись, и нас приютила соседская семья, но разбойники убили и их. К тому времени я подрос, и я убил разбойников. Долгое время я кипел гневом, пылал ненавистью ко всем, кто живет насилием и грабежом. Затем я обрел Бога, и мне захотелось увидеть Его, задать Ему много вопросов. Я прямой человек. И потому я ищу Его. Это то, о чем вы спрашивали?

— Я бы ответила «да», будь вы моложе. Сколько вам лет? Сорок? Пятьдесят?

— Сорок четыре года. И, да, я ищу с того времени, когда вы еще не родились. Разве это что-нибудь меняет?

— Конечно меняет! — воскликнула она. — Юнцы вроде Клема Стейнера считают себя искателями приключений. Но ведь с приходом зрелости нельзя не понять, что это значит тратить жизнь по-пустому.

— По-пустому? Пожалуй. У меня нет ни жены, ни детей, ни дома. Но для всех людей, Бет Мак-Адам, жизнь — это река. Один входит в нее, и она встречает его ласковой приятной прохладой. А другой входит, и она оказывается мелкой, холодной, негостеприимной. Третий же попадает во власть бешеного потока, который увлекает его навстречу гибельным опасностям. И этому третьему трудно что-либо изменить.

— Пустые слова, мистер Шэнноу. И вы прекрасно это знаете. Сильный человек может делать все, что пожелает, жить любой жизнью, которую выберет.

— В таком случае я не силен, — возразил он. — У меня была жена. Я отбросил свои мечты о Святом Городе и поехал с ней искать новой жизни. У нее был сын, Эрик. Робкий мальчуган, который боялся меня. И сами того не зная, мы оказались там, где шла война с исчадиями Ада... И я потерял ее.

— Но вы ее искали? Или она умерла?

— Ее захватили исчадия. Я сражался, чтобы спасти ее. И — с помощью чудесного друга — я ее спас. Она вышла замуж за другого, за хорошего человека. Я такой, Бет, какой я есть. И не могу измениться. Мир, в котором мы живем, не позволяет мне измениться.

— Вы могли бы жениться. Завести ферму. Растить детей.

— И сколько пройдет времени, прежде чем кто-либо меня узнает? Прежде чем нагрянут разбойники? Сколько, прежде чем какой-нибудь старый враг начнет охотиться на меня или на моих детей? Сколько? Нет, я отыщу Иерусалим.

— По-моему, вам всегда грустно, Йон Шэнноу. — Она открыла стоящую рядом корзинку, достала два яблока и одно протянула Иерусалимцу. Он взял его и улыбнулся:

— Рядом с вами мне не так грустно. И я благодарю вас за это.

На языке у нее уже вертелись колкие слова, но она посмотрела на его лицо и проглотила их. Это не было неуклюжей попыткой заманить ее в постель, и не началом ухаживания. Просто мгновение глубокой искренности одинокого путника при случайной встрече.

— Но почему? — прошептала она. — Мне кажется, вы не позволяете себе заводить друзей.

Он пожал плечами.

— Я близко вас узнал, пока ехал по вашему следу. Вы сильная женщина, и вам не все равно. Вы не поддаетесь панике. Кое в чем мы очень похожи. Когда я нашел того умирающего разбойника, я понял, что опоздаю помочь вам. Я думал, что найду вас и ваших детей мертвыми, и был страшно рад, когда увидел, как ваша храбрость спасла вас.

— Они убили Гарри? — сказала она. — Так жаль! Он попросил разрешения повидать меня в Долине Паломника.

Бет легла, опершись на локоть, и рассказала Шэнноу о своей встрече с разбойниками. Он слушал ее в молчании, а потом сказал:

— Некоторые женщины оказывают на мужчин такое действие. Гарри проникся к вам уважением за вашу храбрость и цеплялся за жизнь, пока не послал меня вам на помощь. За это, думаю, Всемогущий будет милостив к нему.

— На это мы с вами смотрим по-разному. — Она
поглядела на качели и увидела, что Мэри с Сэмюэлем идут
к ним. — Мои дети возвращаются, — сказала она мягко.

— А я вас покидаю, — сказал он.

— Вы примете участие в пистолетном состязании? —
спросила она. — После того, как Пастырь кончит проповедь. Победитель получит сто обменных монет.

— Не думаю, — ответил он, снова пожав плечами, и
поклонился. Она смотрела, как он уходит.

— Будь ты проклята, Бет! — прошептала она. — Не
пускай его себе в душу!

Пастырь преклонил колени на склоне и погрузился в
молитву. Вокруг начала собираться толпа. Он открыл глаза, оглядел тесные ряды людей, и в нем поднялась горячая
волна радости. Два месяца шел он в Долину Паломника
через пустыни и плодородные равнины, через долины и горы.
Он проповедовал на одиноких фермах и в селениях; женил,
крестил и совершал похоронный обряд в уединенных жи-
лищах. Он молился о выздоровлении больных, и всюду на-
ходил радушный прием. Он даже произнес проповедь перед
разбойниками, случайно оказавшись в их лагере, и они на-
кормили его, снабдили припасами и водой, чтобы он мог
продолжать свой путь. И вот он здесь и смотрит на две
тысячи жаждущих лиц. Он провел рукой по густым ры-
жим волосам.

Он дома!

Подняв одолженные пистолеты, он взвел курки и дважды выстрелил в воздух. И в воцарившейся тишине зазвучал его голос:

— Братья и сестры, добро пожаловать на Святой День Господень! Взгляните, как сияет солнце в чистоте небес. Почувствуйте тепло на своих лицах. Это лишь слабый намек на Любовь Божью, когда она вливается в ваши сердца и мысли. Мы тратим свои дни, братья, роясь в грязи в поисках богатства. Но истинное богатство вот здесь. Прямо здесь! Я хочу, чтобы вы все повернулись к тем, кто стоит рядом с вами, и взяли их руки в знак дружбы. Теперь же! Прикоснитесь! Почувствуйте! Откройте объятия! Ведь рядом с вами сегодня ваш брат или ваша сестра. Или ваш сын. Или ваша дочь. Так сделайте это немедля! Сделайте во имя любви!

По толпе словно пробежала рябь: люди поворачивались, чаще всего смущенно, чтобы быстро сжать и тут же выпустить руки незнакомых людей рядом.

— Плохо, братья! — закричал Пастырь. — Неужели вы так приветствовали бы брата или сестру после долгой разлуки? Я вам покажу.

Он подошел к пожилой женщине, крепко ее обнял и расцеловал в обе щеки.

— Божья любовь с тобой, матушка! — сказал он, ухватил мужчину за плечо и повернул к молоденькой девушке. — Обними ее, — приказал он. — И произнеси слова, влагая в них смысл. И веру. И любовь.

Он медленно двигался среди толпы, заставляя людей обниматься. Несколько рудокопов пошли за ним, хватая в объятия женщин и звучно целуя их в щеки.

— Вот так, братья! — кричал Пастырь. — Нынче День Господень! Нынче любовь! — И он вернулся на склон.

— Любовь, но не в таком избытке! — завопил он на рудокопа, который поднял отбивающуюся женщину на воздух. Толпа взвыла от смеха, и напряжение рассеялось.

— Взгляни на нас, Господи! — Пастырь поднял руки и обратил лицо к небесам. — Взгляни на народ свой. Нынче не место убийствам. Насилию. Алчности. Нынче мы одна семья перед ликом Твоим.

Затем он начал завораживающую проповедь о грехах многих и радостях избранных. Они оказались в полной власти его мощного голоса. Он говорил об алчности и жестокости, о бессмысленной погоне за богатством и тщете даримых им радостей.

— Ибо какая польза человеку, если он приобретет весь мир, а душе своей повредит? Что богатство без любви? Триста лет назад Господь обрушил Армагеддон на мир греха, опрокинул землю, уничтожил Вавилон Великий. Ибо в те дни зло распространялось по земле, как смертоносная чума, и Господь смыл их грехи, как пророчествовал Исайя. Солнце взошло на западе, моря выплеснулись из чаш своих, и ни одного камня не осталось на камне. Но чему мы научились, братья? Полюбили друг друга? Обратились к Всемогущему? Нет. Мы уткнулись носами в грязь и роемся в ней, ища золото и серебро. Мы предаемся похоти, и мы деремся, мы ненавидим, и мы убиваем.

— А почему? Почему? — загремел он. — Да потому, что мы люди. Грешные жадные люди. Но не сегодня, братья. Мы стоим здесь, и солнце льет на нас Божий свет и тепло, и мы познаем мир и покой. Мы познаем Любовь. А завтра я построю себе церковь на этом лугу, и в ней будут освящены любовь и мир дня сего, будут посеяны в ней, точно семена. И те из вас, кто хочет, чтобы Божья любовь пребывала в этой общине, придет ко мне сюда, принесет доски и молотки, гвозди и пилы, и мы построим церковь любви. А теперь помолимся.

Толпа упала на колени, и Пастырь благословил ее. Он продлил молчание более минуты, а затем возгласил:

— Встаньте, братья мои. Откормленный телец ждет вас. И забавы и веселье для всех. Встаньте и будьте счастливы! Встаньте и смейтесь!

Толпа повалила к шатрам и столам на козлах. Дети помчались вниз по склону к качелям и мокрой глине по берегам ручья. Пастырь спускался среди толпы и принял кувшин с водой из рук женщины, торговавшей пирогами. Он сделал несколько глубоких глотков.

— Ты хорошо говорил, — раздался голос, и, обернувшись, Пастырь увидел высокого мужчину с серебрящимися сединой волосами по плечи и седеющей бородой. Шляпа с плоскими полями, черная длиннополая куртка и два пистолета в кобурах на его бедрах.

— Благодарю тебя, брат. Проснулось ли в тебе желание покаяться?

— Ты заставил меня глубоко задуматься. Уповаю, что это послужит началом.

— Воистину! У тебя здесь ферма?

— Нет. Я остановился здесь в пути. Удачи тебе с твоей церковью!

И он скрылся в толпе.

— Это Иерусалимец, — сказала продавщица пирогов. — Он вчера убил одного. Говорят, он приехал покончить с лихими людьми.

— Мне отмщение, говорит Господь. Но не надо разговоров об убийствах и смертях, сестра. Отрежь-ка мне кусок вот этого пирога!

14

Ш энноу наблюдал за состязанием на пистолетах с интересом. Двадцать два участника выстроились шеренгой по краю ровной площадки и стреляли по мишеням с расстояния в тридцать шагов. Мало-помалу число их сократилось до трех. Одним был Клем Стейнер. Стреляли они по глиняным тарелкам, которые подбрасывали высоко в воздух мальчишки, стоявшие справа от площадки. Победителем стал Стейнер и получил свой приз — сто обменных монет — из рук Эдрика Скейса. Толпа начала расходиться, но тут раздался громкий голос Скейса:

— Сегодня здесь среди нас находится легендарный человек, возможно, один из самых метких стрелков на континенте. Дамы и господа — Йон Шэнноу, Иерусалимец!

В толпе послышались приветственные хлопки. Шэнноу стоял молча, стараясь подавить нарастающий гнев.

— Подойдите сюда, менхир Шэнноу, — позвал Скейс, и Шэнноу подошел к площадке. — Победитель нашего состязания Клемент Стейнер полагает, что заслужит свой приз, только если одержит верх над самыми искусными соперниками. А потому он возвращает приз, чтобы помериться искусством с Иерусалимцем.

Толпа одобрительно взревела.

— Вы принимаете вызов, Йон Шэнноу?

Шэнноу кивнул, снял куртку и шляпу, повесил их на жердяную ограду площадки, а потом достал пистолеты и проверил их. Стейнер встал рядом.

— Вот теперь они увидят настоящую стрельбу! — сказал молодой человек и вытащил пистолет. — Предпочтешь начать первым? — Шэнноу покачал головой. — Ну ладно. Бросай, малый! — крикнул Стейнер, и в воздух взвилась большая тарелка. Вслед за треском выстрела она разлетелась на черепки в верхней точке своего полета. Шэнноу взвел курок и кивнул мальчику. Взлетела новая тарелка, и пуля Шэнноу раздробила ее. Тарелки одна за другой разбивались вдребезги, пока Иерусалимец наконец не сказал:

— Так может продолжаться до вечера, малый. Попробуй две.

Глаза Стейнера сощурились.

Рядом с первым мальчиком встал второй, и воздух прочертили две тарелки. Стейнер разбил первую, но вторая разбилась от удара о землю.

Шэнноу занял его место, и обе тарелки рассыпались осколками.

— Четыре! — крикнул он. Толпа замерла, глядя, как к двум мальчикам подходят еще два. Шэнноу взвел курки обоих пистолетов и сделал глубокий вдох. Потом кивнул мальчику, и следом за тарелками взметнулись его пистолеты. Выстрелы раскатились громом, и три тарелки разбились в начале дуги. Четвертая уже падала, как камень, когда ее настигла четвертая пуля. Под оглушительные аплодисменты Шэнноу поклонился толпе, перезарядил пистолеты и убрал их в кобуры. Надел куртку и шляпу. И взял у Скейса свой приз.

Скейс улыбнулся.

— Мне жаль, мистер Шэнноу, что вам это особого удовольствия не доставило, но никто тут не забудет вашего искусства.

— Монеты будут не лишними, — сказал Шэнноу и обернулся к Стейнеру. — По-моему, нам следует поделить приз, — предложил он. — Ведь ты много ради него потрудился.

— Оставь себе! — огрызнулся Стейнер. — Ты его выиграл. Но это еще не доказывает, что ты лучше. Это нам еще предстоит решить.

— Решать нечего, менхир Стейнер. Я могу разбить больше тарелок, но вы успеваете выхватить пистолет и метко выстрелить много быстрее.

— Ты знаешь, о чем я, Шэнноу. О том, чтобы как мужчина с мужчиной.

— Даже и не думай об этом, — посоветовал Иерусалимец.

* * *

Почти наступила полночь, когда Брум наконец позволил Бет уйти из «Веселого паломника». Утренний праздник затянулся до вечера, и Брум не хотел закрывать харчевню, пока в нее еще могли заглянуть припозднившиеся гуляки. О детях Бет не беспокоилась — Мэри, конечно, отвела Сэмюэля в фургон и покормила его ужином — но ей было жаль, что вечер она провела не с ними. Они растут так быстро! Она прошла по темному тротуару и сделала три шага через улицу. Из глубокой тени дома появился человек и преградил ей путь. К нему присоединились еще двое.

— Ну-ну, — сказал первый, чье лицо было укрыто от лунных лучей полями шляпы. — Да никак это потаскушка, которая прикончила беднягу Томаса.

— Его прикончила собственная дурость, — возразила она.

— Н-да? Но ты-то предупредила Иерусалимца, скажешь, нет? Так сразу к нему и побежала? Спишь с ним, сука?

Кулак Бет врезался ему в подбородок, и он зашатался. А она ударила его левой и сбила с ног. Он попытался подняться, но она добавила ему ногой под подбородок.

— Еще вопросы? — спросила она и пошла дальше, однако на нее прыгнул другой и прижал ее руки к бокам. Она попыталась вывернуться, ударить его коленом, но третий ухватил ее за ноги, и она повисла в воздухе.

Они потащили ее в проулок.

— Вот поглядим, чем ты такая особенная! — пробурчал один.

— Я бы воздержался, — произнес мужской голос, и нападавшие уронили Бет на землю. Она вскочила и увидела, что посреди мостовой стоит Пастырь.

— Не суй свой паршивый нос не в свое дело, — заорал один, а второй вытащил пистолет.

— Мне не нравится смотреть, как кто-то из братьев так обращается с достойной женщиной, — сказал Пастырь. — И мне не нравится, когда в меня целятся из пистолетов. Это невежливо. Идите-ка с миром.

— Думаешь, я тебя не прикончу? — спросил пистолетчик. — Раз ты ходишь в черном балахоне и бормочешь про Бога? Да ты мразь, и ничего больше. Мразь!

— Я просто человек. А люди не ведут себя, как вы. Только тупейшие животные ведут себя так. Вы грязь. Вредные твари! Вам не место в обществе цивилизованных людей.

— Ну, хватит! — крикнул его противник, вскидывая пистолет и держа большой палец на спуске. Рука Пастыря появилась из складок одеяния, и его пистолет оглушительно рявкнул. Пуля ударила в грудь пистолетчика с такой силой, что опрокинула его, и тут же вторая пуля размозжила ему череп.

— Господи Иисусе! — ахнул его товарищ.

— Поздновато для молитв, — сказал Пастырь. — Ну-ка подойди, покажи свое лицо. — Тот, спотыкаясь, подошел. Пастырь поднял руку, снял с него шляпу, так что на его лицо упал лунный луч. — Завтра придешь на луг и будешь помогать мне строить мою церковь. Не так ли, брат? — Дуло пистолета прижалось к его подбородку.

— Как скажете, Пастырь.

— Отлично. А теперь убери труп. Нельзя, чтобы утром его здесь увидели дети.

Он подошел к Бет.

— Как вы себя чувствуете, сестра?

— Не очень, — ответила Бет.

— Я провожу вас до дома.

— В этом нет необходимости.

— Разумеется. Но это удовольствие.

Он взял ее под руку, и они направились к шатровому поселку.

— Я думала, ваш Бог не одобряет убийства, — сказала Бет.

— Воистину так, сестра. Но именно убийство. В Библии много говорится про то, как убивают, о бойнях и резне. Господь понимает, что среди грешных людей всегда будет литься кровь. Как сказано у Екклезиаста: «*Всему свое время, и время всякой вещи под солнцем. Время рождаться, и время умирать; время насаждать, и время вырывать посаженное. Время убивать, и время врачевать...*» Там говорится еще много. Чудеснейшие слова!

— Вы прекрасно говорите, Пастырь. Но я рада, что вы и стреляете прекрасно.

— У меня была большая практика, сестра.

— Называйте меня Бет. Братьев у меня нет и не было. А вас есть имя?

— Достаточно Пастыря. Мне нравится имя Бет, оно красиво. Вы замужем?

— Была. Шон умер в пути. Но со мной мои дети. Думаю, они сейчас спят... или им плохо придется!

Они прошли между шатрами и фургонами к ее стоянке. Костер еле теплился, дети спали у колес, завернувшись в одеяла. Волы паслись на соседнем лугу вместе с другими. Бет подбросила топлива в костер.

— Не выпьете со мной чаю, Пастырь? Я не ложусь без чашечки.

— Благодарю вас, — сказал он и сел к костру, скрестив ноги. Бет вскипятила воду, положила в нее трав и сахара и налила две глиняные кружки.

— Вы приехали издалека? — спросила она, прихлебывая чай.

— Очень. Я слышал, как Бог призывает меня, и ответил на зов. Ну а вы? Куда вы направляетесь?

— Останусь в долине. Арендую землю у менхира Скейса. Заведу хозяйство. У меня есть зерно для посева и разные нужные вещи.

— Тяжелая работа для одинокой женщины!

— Одинокой я недолго останусь, Пастырь. Это не для меня.

— Да, я вижу, — ответил он без малейшего смущения. — Кстати, где столь очаровательная молодая мать усвоила элементы хука левой? Великолепный удар всем весом!

— Мой муж Шон был кулачным бойцом. Он научил меня этому... и многому другому.

— Ему выпала большая удача, Бет.

— Он умер, Пастырь.

— Многие мужчины живут долго, но им не выпадает встретить женщину, такую, как вы. Вот они, по-моему, неудачники. А теперь я должен пожелать вам доброй ночи. — Он встал и поклонился.

— Приходите еще, Пастырь. Вы будете всегда кстати.

— Очень приятно знать это. Надеюсь, мы будем видеть вас в нашей церкви.

— Только, если у вас поют гимны. Я люблю петь.

— Мы подыщем какие-нибудь гимны специально для вас, — сказал он и скрылся среди ночных теней.

Бет еще посидела возле угасающего костра. Пастырь был очень сильным и поразительно красивым, с чудесными огненными волосами и обаятельной улыбкой. Но что-то в нем ее смущало, и она задумалась, стараясь понять причину этого тревожного ощущения. Физически она находила его привлекательным, но была в нем какая-то сжатость, какое-то напряжение, которые настораживали. Ее мысли обратились к Йону Шэнноу. Похожи... и все-таки нет! Как гром и молния. Обоим знакомы внутренние грозы. Но Шэнноу сознает свою темную сторону. А вот Пастырь? В этом она уверена не была.

Бет сняла длинную шерстяную юбку, белую блузку и вымылась холодной водой. Потом надела ночную рубашку до пят и завернулась в одеяло. Ее рука скользнула под подушку, сжала рукоятку пистолета...

И она уснула.

За ночь убили двоих и изнасиловали женщину на задворках игорного дома в восточной части городка. Шэнноу сидел молча в углу Длинной залы, пил баркеровку и слушал разговоры. Одного, напавшего на женщину, убил Пастырь, а вот второе убийство оставалось загадкой, хотя было известно, что застреленный выиграл много монет в карнат в заведении человека по фамилии Веббер.

Шэнноу все это видел прежде и не раз: шулера, воры, грабители обосновывались в общинах, где не поддерживался закон. Когда же честные люди хоть чему-то научатся? В Долине Паломника около двух тысяч жителей, и преступников среди них набралось бы не больше сотни. Тем не менее разбойники расхаживают по городку, как хозяева, и порядочные его жители расступаются перед ними. Он угрюмо уставился в темную глубину кувшина перед собой, испытывая соблазн очистить городок от проказы, взять приступом крепость нечестивцев и искоренить зло. Но нет!

«Я больше не вскрываю нарывы», — вот что он сказал Борису Хеймуту. И это была правда. Человек не способен беспредельно терпеть, что его чураются и презирают. Вначале всегда красивые слова и обещания: «Помогите нам, мистер Шэнноу!», «Вы нужны нам, мистер Шэнноу», «Отличная работа, мистер Шэнноу», «Уж теперь они поджмут хвосты, сэр!» А потом... «Неужели такая кровожадность необходима, мистер Шэнноу?», «Разве обязательно было устраивать бойню?», «Когда вы намерены уехать?»

Довольно! Если городок поражен проказой, это дело тех, кто хочет трудиться тут, растить детей. Пусть сами наводят порядок в своем доме.

Он так и сказал торговцам Бризли и Феннеру, которые пришли к нему утром. Бризли, толстый и болтливый, восхвалял их общину, а все беды сваливал на людей вроде Скейса и Веббера.

«Сущие разбойники, менхир, уж поверьте мне. Всадники Скейса задиристы и грубы. Ну а Веббер... так он же вор и убийца. За последний месяц возле его заведения убили четверых, выигравших там большие суммы. А двух других он убил в перестрелке из-за обвинения в передергивании. Этого нельзя терпеть, менхир».

«Так сделайте что-нибудь!» — посоветовал Шэнноу.

«Мы же для того и пришли, — вмешался Феннер, темноглазый молодой человек щуплого сложения. — Пришли к вам».

«Я вам не нужен. Соберите двадцать человек. Идите к Вебберу. Закройте его заведение. Велите ему убраться отсюда».

«Его подручные — отпетые негодяи, — сказал Бризли, утирая пот с лица. — Их хлебом не корми, дай с кем-нибудь расправиться. А мы торговцы».

«У вас есть ружья и пистолеты, — сказал Шэнноу просто. — Даже торговец может спустить курок».

«Со всем уважением, менхир, — сказал Феннер, — не всякий способен хладнокровно убить человека. Да я и не знаю, потребуется ли кого-нибудь убивать. От души надеюсь, что нет. Но, конечно же, человеку с вашей репутацией будет легче заставить негодяев подчиниться!»

«Хладнокровно, менхир? — отозвался Шэнноу. — Я на это гляжу по-другому. Я не убиваю просто, чтобы убить. И я не разбойник, внушающий к себе уважение. Большинство тех, кого я убил, погибали, пытаясь убить меня. Остальные беспричинно нападали на мирных людей. Однако обсуждать все это не имеет смысла. Я не хочу вновь породить семь злых духов».

«Я не понимаю, менхир», — сказал Феннер.

«Читайте свою Библию, менхир. А теперь оставьте меня в покое».

Шэнноу допил баркеровку и поднялся к себе в комнату. Некоторое время он раздумывал над решением задач, которые предлагала Стена, но перед его умственным взором все время возникало лицо Бет Мак-Адам.

«Ты дурак, Шэнноу», — сказал он себе. Любовь к Донне Тейбард была ошибкой, о которой он очень сожалел.

И уж полнейшее безумие позволить другой женщине войти в его сердце.

Он принудил себя забыть о ней, взял Библию и открыл ее на Евангелии от Матфея.

«Когда нечистый дух выйдет из человека, то ходит по безводным местам, ища покоя и не находит; тогда говорит: возвращусь в дом мой, откуда я вышел. И пришед находит его незанятым, выметенным и убранным; тогда идет и берет с собою семь других духов, злейших себя, и вошедши, живут там; и бывает для человека того последнее хуже первого».

Как часто Взыскующий Иерусалима убеждался в истинности этого? В Ольоне, Кантесеи, Беркалине и десятках других селений. Разбойники бежали от него — или оказывались в могиле благодаря ему. Потом он уезжал, а зло возвращалось. Даниил Кейд напал на Ольон через две недели после отъезда Шэнноу, и городок так и не оправился от его бесчинств.

Здесь этого не произойдет. Его решение было твердым.

Взыскующий Иерусалима останется в Долине Паломника сторонним наблюдателем.

15

После состязаний в пистолетной стрельбе у Шэнноу почти кончился запас патронов для адских пистолетов. Он пересчитал их; всего двадцать три, включая десять в обоймах. Долина Паломника имела своего оружейника, и Шэнноу отправился в его небольшую мастерскую в восточном конце. Задняя стена освещенного фонарями узкого помещения была увешана всевозможным огнестрельным оружием: кремневые пистолеты, капсюльные ружья, аркебузы с раструбами, двустволки, щеголяющие ложами из орехового дерева. И ни одного пистолета, похожего на пистолеты Шэнноу.

Владелец, низенький лысеющий человек в годах, назвался Грувсом. Шэнноу достал адский пистолет и положил его на прилавок из двух досок, отделявший оружейника от покупателей. Грувс втянул носом воздух, взял пистолет, открыл его и вынул патрон.

— Пистолет исчадий Ада, — сказал он. — На севере теперь таких много. Мы надеемся получить и их, но они очень дорогие.

— Мне нужны к нему пули, — сказал Шэнноу. — Вы могли бы их изготовить?

— Формочки, гремучая ртуть — это у меня имеется. Но латунные гильзы? С ними придется повозиться, мистер Шэнноу. И получится недешево.

— Но изготовить их вы можете?

— Оставьте мне пять штук для образца. Сделаю что смогу. Когда вы уезжаете?

— Думал сегодня.

Грувс усмехнулся:

— Меньше чем неделей, менхир, я не обойдусь. Сколько вам их нужно?

— Сотни будет достаточно.

— Это обойдется в пятьдесят обменных монет. Я был бы благодарен получить половину вперед.

— Ваша цена очень высока.

— Как и мое мастерство.

Шэнноу заплатил ему и вернулся в гостиницу. Мейсон сидел в кресле у открытого окна и мирно дремал на солнышке.

— Комната будет мне нужна еще неделю, — сказал Шэнноу.

Мейсон заморгал и поднялся на ноги.

— Я думал, вы у нас проездом, мистер Шэнноу?

— Да, менхир, но я задержусь еще на неделю.

— Так-так. Очень хорошо. Значит, еще на неделю.

Шэнноу прошел на конюшню и оседлал жеребца. Когда он выезжал за ворота, конюх ухмыльнулся ему, Шэнноу помахал в ответ и повернул коня на юг в сторону Стены. Два часа он ехал по бархатистым лугам, через лесистые холмы. Видел пасущийся скот, а один раз заметил антилоп, которые шли гуськом по берегу речки. Стена приближалась и приближалась. С холмов Шэнноу открывался широкий вид на нее и на пологие холмы за ней. Там не было заметно никаких признаков жизни — ни рогатого скота, ни овец, ни коз, ни оленей. Хотя земля там казалась плодородной и была покрыта сочной зеленью. Направив жеребца вниз, он остановил его на склоне и достал из седельной сумки длинную зрительную трубку. Сначала он проследил Стену на восток до того места, где горы укрыли ее голубой дымкой, а потом повернул трубку на запад. Насколько хватал глаз, Стена тянулась миля за милей без единого пролома, монолитная и неприступная. Он навел трубку на место примерно в полумиле от холма, с которого он смотрел, и увидел, что возле нее устроили привал несколько человек. Он тронул коня и поехал туда. Теперь Стена вздымалась высоко над ним, и он определил ее высоту в шестьдесят с лишним футов. Она была сложена из огромных прямоугольных плит, длиной примерно в десять футов, а высотой более шести.

Шэнноу спешился и направился к Стене. Вытащил охотничий нож и попытался всунуть лезвие между двумя плитами

6*

тами, но они плотно прилегали друг к другу, хотя известки не было и следа. С холма он определил, что в толщину Стена достигает по меньшей мере десяти футов. Он вложил нож в ножны и провел пальцами по плитам, ища выступов, цепляясь за которые можно было бы взобраться на нее. Но кроме лишайников и раковин, кое-где выглядывавших из камня она была гладкой.

Шэнноу вскочил в седло и поехал вдоль Стены на запад, пока не подъехал к стоянке, где Борис Хеймут стучал молотком по зубилу, откалывая куски от одной из плит. Арканист положил инструменты и помахал ему.

— Поразительно, не правда ли? — сказал Хеймут, весело улыбаясь. Шэнноу спрыгнул на землю, вглядываясь в горстку людей, которые продолжали свою работу. Двух крайних справа он узнал: это они пытались выпроводить его с раскопок древнего корабля. Они отвели глаза и продолжали орудовать молотками и зубилами.

Шэнноу пошел с Хеймутом на стоянку, где в большом котелке упаривалась баркеровка. Хеймут намотал на руку тряпку, снял котелок за ручку и наполнил две кружки. Одну он протянул Шэнноу.

— Вы когда-нибудь видели что-либо подобное? — спросил он, и Шэнноу покачал головой. — Вот и я тоже. Ни бойниц, ни башен, ни ворот. Ее строили не для обороны. Вражеским солдатам ничего не стоило бы перебраться через нее с помощью крючьев и веревок. На ней нет парапета. И вообще ничего. Просто гигантская стена. Вот поглядите! — Он выудил из кармана блестящую ракушку, чуть больше обменной монеты. Шэнноу взял ее, повернул и подставил под солнечный луч. Внутренняя волнистая поверхность переливалась разными цветами — малиновым, желтым, голубым и белым.

— Очень красивая, — сказал Шэнноу.

— О да! Но ведь она обитала в море, мистер Шэнноу. Это массивное сооружение когда-то находилось под океанской водой.

— Вся эта земля когда-то была морским дном, — сказал Шэнноу. — Тут существовала цивилизация... великая цивилизация. Но море поднялось и пожрало все.

— То есть вы хотите сказать, что это памятник Старого мира?

— Нет. Большая часть Старого мира сейчас находится под водой. Несколько лет назад я узнал, что Земля опрокидывалась не один раз, а два. Люди, которые жили за этой Стеной, погибли тысячи лет назад. Я не знаю точно, но полагаю, что произошло это примерно в Эпоху Всемирного Потопа, который описан в Библии.

— Откуда вам все это известно? — спросил Хеймут.

Шэнноу взвесил, не рассказать ли ему все, но отбросил эту мысль. Ни одному его слову больше не поверят, если он объяснит, что давным-давно умерший царь Атлантиды пришел ему на помощь в битве с Хранителями в дни войны с исчадиями Ада.

— Два года назад я с одним другом нашел развалины большого города. На улицах повсюду стояли статуи. Великолепно изваянные. Там я повстречал ученого — его звали Сэмюэль Арчер. Чудесный был человек: очень сильный и в то же время кроткий. Он изучал и те развалины, и другие, и даже научился понимать язык древних. Город назывался Балакрис, а земля звалась Атлантидой. Я многое успел у него узнать до его смерти.

— Грустно, что он умер. Я бы дорого дал, лишь бы с ним познакомиться, — вздохнул Хеймут. — Мне тоже доводилось видеть записи на золотой фольге. Но встретиться с человеком, который умел их читать... Как он умер?

— Его забили насмерть, потому что он отказался работать невольником на серебряном руднике.

Хеймут отвел глаза и пригубил баркеровку.

— Этот мир не знает покоя, менхир Шэнноу. Мы живем в тисках непонятных обстоятельств и боремся за каждую крупицу знания. Повсюду замкнутые общины без объединяющего центра. В диких землях господствуют разбойники, а в утвердившихся общинах идут войны между соперниками. И нигде нет мира. Это страшно. Далеко на юге есть край, где женщинам запрещено показывать лицо посторонним, а мужчин, отрицающих Писание, сжигают заживо. На севере есть общины, где принесение в жертву детей стало обычаем. В прошлом году я побывал в краях, где женщинам не дозволено выходить замуж, они — собственность мужчин, и их используют, как производительниц для всей общины. Но куда бы вы ни поехали, всюду кровопролитие, всюду смерть, и власть у тех, кто сильнее. Вы бывали в Ривердейле?

— Да, — ответил Шэнноу. — Одно время я жил там.

— Теперь это оазис. Там управляет человек по имени Даниил Кейд. У них есть законы. Справедливые законы. И люди могут растить детей в спокойствии и достатке. Если бы нам всем удалось достигнуть того же! Вы сказали, что жили там? Вы знакомы с Даниилом Кейдом?

— Знаком, — ответил Шэнноу. — Он мой брат.

— Боже мой! Я понятия не имел. Конечно, я слышал о вас. Но никто никогда не упоминал про брата.

— Мы расстались еще в детстве. Скажите, чего вы хотите добиться здесь?

— Менхир Скейс ищет способа проникнуть за стену. Он попросил меня обследовать ее. А мне нужны монеты, чтобы вернуться домой.

— Мне казалось, вы о нем дурного мнения.

— Да. Он — как и все, кто ищет власти — думает только о себе. Но я не могу позволить себе быть щепетильным. А исследуя Стену, я никому не причиняю вреда.

Шэнноу допил кружку и встал.

— Вы не останетесь на ночь, менхир? — спросил Хеймут. — Было бы так приятно побеседовать на серьезные темы!

— Благодарю вас, но нет. Как-нибудь в другой раз. Скажите мне, что вы знаете о Скейсе?

Хеймут пожал плечами:

— Почти ничего. Он приехал сюда год назад с большим количеством монет и большим стадом рогатого скота. Говорят, он с дальнего севера. И он очень умен.

— В этом я не сомневаюсь, — сказал Шэнноу.

Шэнноу вернулся в городок перед сумерками. Он завел жеребца в конюшню, заплатил конюху, чтобы он его вычистил и задал ему корма, а сам направился в «Веселый паломник». Бет Мак-Адам улыбнулась и подошла к нему.

— Вы редко сюда заглядываете, Шэнноу, — сказала она. — Не нравится, как здесь кормят?

— Очень нравится. Как вы?

— Не могу пожаловаться. А вы?

— Неплохо, — ответил Шэнноу, ощущая, как нарастает напряжение. — Вы не принесете мне поесть? Чего-нибудь горячего.

— Сию минуту, — сказала она.

Он неторопливо сел лицом к двери и оглядел залу. Обедающих было восемь, и все они старательно не смотрели на него. Бет принесла ему тарелку густой похлебки и черного хлеба с сыром. Он ел медленно, подумал было заказать баркеровку, но тут же вспомнил предупреждение Хеймута, что к ней можно пристраститься. И попросил стакан воды.

— У вас все хорошо, Шэнноу? — спросила Бет, ставя стакан на стол. — Вы какой-то... задумчивый.

— Я осматривал Стену, — ответил он. — Искал, как перебраться за нее. Видимо, есть только один способ. Перелезть и дальше идти пешком. А это мне не по вкусу.

— Так поезжайте в обход! Не может же она тянуться поперек всего мира!

— На это могут уйти недели.

— А у вас, конечно, и лишней минуты нет.

Он улыбнулся ей:

— Вы не посидите со мной?

— Не могу. Я на работе. Но завтра у меня будет свободный час после полудня. Приходите тогда.

— Может быть, и приду.

— Если так, то почистили бы вы вашу куртку, да и остальную одежду тоже. От вас пахнет пылью и лошадиным потом. А эта ваша борода с седым клином придает вам вид столетнего старца.

Шэнноу почесал подбородок и улыбнулся:

— Посмотрим!

В залу вошел Алейн Феннер. Увидев Шэнноу, он подошел к нему.

— Могу я сесть, менхир?

— Я думал, мы кончили наш разговор, — ответил Шэнноу, досадуя, что Бет отошла.

— Я только хочу попросить у вас совета.

Шэнноу кивнул на стул напротив.

— Чем могу вам помочь?

Феннер наклонился к нему и понизил голос.

— Вечером мы хотим закрыть заведение Веббера. Как вы рекомендовали, мы пойдем к нему вместе — Бризли, Брум и еще кое-кто. Но никто из нас не привык к насильственным действиям. И я был бы благодарен вам за любые указания.

Шэнноу посмотрел на открытое честное лицо Феннера и понял, что он ему нравится. Феннер обладал мужеством и принимал к сердцу общие интересы.

— Кто будет говорить от имени вас всех?

— Я.

— Значит, нечестивцы будут примериваться к вам. Не позволяйте ни Вебберу, ни другим перехватить инициативу. Не вступайте в споры. Предъявите свои требования и заставьте выполнить их. Вы понимаете?

— Мне кажется, да.

— Меньше говорите. Войдите, выведите Веббера вон и закройте заведение. При малейшем признаке сопротивления стреляйте. Не давайте им опомниться. А главное, справьтесь с Веббером. Он — голова змеи. Покончите с ним, и остальные не будут знать, что им делать, а стоит им растеряться, победа останется за вами. Вы можете положиться на тех, кто с вами?

— Положиться? О чем вы?

— Они умеют держать язык за зубами? Будет ли Веббер предупрежден о ваших планах?

— Не думаю.

— Надеюсь, вы не ошибаетесь. От этого зависит ваша жизнь. Вы женаты?

— Да. И у нас четверо сыновей.

— Думайте о них, Феннер, когда войдете туда. Если допустите ошибку, расплачиваться за нее будут они.

— А нельзя все уладить, ни в кого не стреляя?

— Не исключено. Я ведь не говорю, что вы должны ворваться туда, паля направо и налево, а пытаюсь втолковать вам, как остаться в живых. Если Веббер начнет вам что-нибудь говорить, а вы станете отвечать, его люди успеют опомниться, ваши же начнут колебаться. Будьте сильны, быстры и решительны. Никаких серых тонов, менхир Феннер. Черное или белое. Победа или поражение. Жизнь или смерть.

Вооруженных мужчин, которые вошли в игорное заведение Вебера было восемь. В зале стояло больше двадцати столов, у длинной стойки теснились посетители. Сам Веббер сидел в глубине залы за столом, где шла игра в карнат, и Феннер повел своих товарищей туда.

— Вы пойдете с нами, менхир Веббер, — сказал он, вытаскивая пистолет и прицеливаясь. Когда посетители сообразили, что происходит, воцарилась мертвая тишина. Веббер встал и скрестил руки на груди. Он был высок, могучего сложения, хотя и начинал обрастать жиром. Глаза у него были черные, глубоко посаженные. Он улыбнулся

Феннеру, блеснув золотом, и Феннер заметил, что его зубы по сторонам резцов отлиты из драгоценного металла.

— С какой еще стати, во имя дьявола? — осведомился Веббер.

Феннер взвел затвор.

— С той, что иначе умрете, — ответил он.

— Это по-честному? — взревел Веббер. — Что я такого сделал? Содержу игорный дом. Я никого не убивал... кроме как в честном бою.

— Вы вор и мошенник, — вмешался Джозия Брум, выходя вперед. — И мы закрываем ваше заведение.

— Кто говорит, что я вор? Пусть-ка выйдет и повторит мне в глаза! — заорал Веббер.

Феннер сделал знак Бруму отойти, но тот продолжал кричать:

— Тех, кто у вас выигрывает, убивают. Вы отрицаете свое соучастие?

— При чем тут я, менхир? Того, кто навыигрывает много монет, видят другие — неудачливые — игроки.

Феннер посмотрел по сторонам. Посетители отступили, и их окружали подручные Веббера. Бризли покрылся потом, еще двое переминались с ноги на ногу. Пистолет Феннера нацелился в грудь Веббера.

— Вы пойдете с нами, менхир. Или примете последствия отказа.

— Вы меня пристрелите? Совершите хладнокровное убийство, менхир? Это что же за закон вы вводите?

— Он... он прав, Алейн, — прошептал Брум. — Мы пришли сюда не убивать. Но пусть это послужит вам уроком, Веббер! Больше мы таких преступлений не потерпим!

— Я прямо трясусь от страха, менхир Яичница со шкварками. А теперь, все вы, бросьте оружие, не то мои люди вас изрешетят.

Пистолет Бризли со стуком упал на пол. Остальные последовали его примеру... все, кроме Алейна Феннера. Его взгляд скрестился со взглядом Вебера, и они поняли друг друга.

Только Феннер не был хладнокровным убийцей. Он спустил затвор и засунул пистолет в кобуру на бедре, но в ту же секунду Веббер выхватил свой пистолет и дважды выстрелил Феннеру в грудь. Молодой человек упал на колени, судорожно хватаясь за рукоятку своего пистолета, но третья пуля ударила его в грудную кость и опрокинула назад на пол.

— Эмили... — прошептал он. На губах у него запузырилась кровь, тело дернулось в последней судороге.

— Уберите этого дурня, — приказал Веббер. — Здесь идет игра.

Бризли вместе с остальными вынесли Феннера на улицу.

Шэнноу сидел на крыльце «Отдыха путника», и когда они приблизились, встал и пошел к ним. На него навалилась неизбывная печаль.

— Он взял и застрелил его, — сказал Брум. — Алейн убрал пистолет в кобуру, а Веббер взял и застрелил его.

Шэнноу нагнулся и приложил пальцы к шее Феннера.

— Он умер. Положите его.

— Не на улице же! — возразил Брум.

— Положите! — бешено крикнул Шэнноу. — И ждите здесь!

Он снял куртку, положил ее возле трупа, потом стремительно направился к заведению Веббера. Он вошел, пересек залу и остановился перед Веббером, который пил, перешучиваясь со своими приспешниками. Шэнноу выхватил пистолет, взвел курок и прижал дуло к губам Веббера.

— Открой рот! — приказал Шэнноу.

Веббер моргнул и увидел пламя ярости в глазах Шэнноу. Он открыл рот, и ствол скользнул между его челюстями.

— Теперь встань! — и Веббер осторожно поднялся на ноги. Шэнноу медленно повел его через залу, сквозь ряды повскакавших игроков и дальше на улицу. Он и не оглядываясь знал, что все, кто был в зале, идут за ними. Толпа росла — в соседних заведениях услышали, что происходит. Веббер пятился, давясь пистолетом. Его собственный был по-прежнему в кобуре, но он старательно держал руки подальше от нее. Шэнноу остановился возле тела Алейна Феннера и полуобернулся, чтобы видеть толпу.

— Этот молодой человек рискнул жизнью ради многих среди вас. И вот он лежит мертвый, его жена осталась вдовой, его сыновья лишились отца. А почему? Да потому, что в вас нет и капли мужества. Потому, что вы позволяете всякой гнуси жить среди вас. Он погиб, став жертвой греха. — Взгляд Шэнноу скользнул по толпе. — А как сказано в Писании: «Возмездие за грех — смерть!»

Шэнноу спустил курок. Мозг Веббера разбрызгался вместе с осколками черепа, его тело упало навзничь, а из почернелого рта заструился темный пороховой дым.

— Теперь слушайте! — загремел Шэнноу в наступившей смятенной тишине. — Я знаю, здесь много разбойников. Если с наступлением утра вы будете еще в Долине Паломника, я начну охотиться на вас и убивать, едва увижу. Вы будете подкрепляться утром, или сладко спать в своей постели, или мирно играть в карнат с приятелями. Но я обрушусь на вас, как гнев Божий. Те, кто имеют уши, чтобы слушать, запомните это. Завтра вы умрете.

Из толпы вышел коренастый детина с двумя пистолетами, заткнутыми за пояс.

— Ты думаешь, что можешь один справиться с нами? — вызывающе крикнул он.

Пистолет Шэнноу рявкнул, и детина рухнул на мостовую с размозженным черепом.

— Никаких вопросов! — объявил Иерусалимец — Завтра я начинаю охотиться на вас.

16

Началась долгая ночь. Шэнноу сидел у себя в комнате: адские пистолеты — на столе у него под рукой, а верные капсюльные — в кобурах на поясе. Он вычистил старые пистолеты и перезарядил их. У него осталось только шестнадцать адских патронов, а если ночь не пройдет мирно, их могло не хватить. Он отодвинул кресло от окна, и теперь его скрывал мрак, царивший в комнате. Подушки на кровати были взбиты и накрыты одеялом, будто под ним кто-то спал, и теперь Иерусалимцу оставалось только сидеть и ждать неизбежного.

К концу первого часа он услышал стук копыт — какие-то всадники уезжали из городка. Он не подошел к окну посмотреть, сколько их. По меньшей мере две трети разбойников до зари навсегда покинут эти места, но Шэнноу тревожили не беглецы.

Он сидел в темноте, его ярость давно улеглась, и он винил себя в смерти Феннера. Ведь в глубине души он знал, что молодой человек не уцелеет, и все-таки позволил ему войти в Долину Смертной Тени.

Разве сторож я брату моему? Ответить надлежало бы: да! Он вспомнил потрясение на лицах толпы, когда его пуля отправила Веббера в ад. Ему было ясно, чему, по их мнению, они стали свидетелями: сумасшедший фанатик, известный под прозвищем Иерусалимец, расправился с еще одной беспомощной жертвой. Они забудут, что Веббер беспощадно убил бедного Алейна Феннера, но запомнят, как мучился Веббер, стоя в лунном свете со стволом пистолета во рту.

Запомнит и Шэнноу. Это не было благим деянием. Он мог убедить себя в его необходимости, но не в благородстве. Было время, когда Йон Шэнноу сразился бы с Веббером, как мужчина с мужчиной, открыто и бесстрашно. Но не теперь. Его силы и быстрота убывали. Он лишний раз убедился в этом, когда на его глазах Клем Стейнер разнес вдребезги падающий кувшин. Когда-то Иерусалимец, возможно, был способен показать сноровку не хуже. Но это время прошло.

В коридоре за дверью скрипнула половица. Шэнноу взял пистолет в руку, но услышал, как открылась и закрылась дверь, как кто-то тяжело сел на кровать. Он расслабился, оставив курок взведенным.

Ривердейл. Вот где его жизнь изменилась. Он ехал по дикому краю и оказался в мирном селении. Там он познакомился с Донной Тейбард. Ее мужа, плотника Томаса, убили, и ей самой грозила беда. Шэнноу выручил ее, а потом полюбил. Вместе они отправились с караваном Кона Гриффина в надежде обрести новую жизнь в краю без разбойников и убийц. Гриффин называл этот край Авалоном.

И что же они нашли? Шэнноу ранили канны, странное каннибальское племя, и его спас Каритас, человек, переживший Падение, ставший почти святым. Донна, считая, что Шэнноу погиб, вышла замуж за Гриффина.

И что-то в Йоне Шэнноу похолодело и умерло. Он вспомнил, как его отец сказал однажды: «Лучше любить и потерять, чем никогда не любить». Неправда!

Он был более доволен своей жизнью до встречи с Донной. Пусть и не истинно счастлив, но он знал, кто он и что он такое...

На крыше у него над головой зашуршали подошвы сапог.

Что же, задумавшие меня убить, придите. Я здесь. Я жду. Он услышал постанывание растягивающейся веревки, увидел, как за окном опускается нога в сапоге, вдетая в петлю.

Ниже, ниже, ниже... Потом появилось туловище. Левая рука держалась за веревку, правая сжимала длинноствольный пистолет. Когда голова поравнялась с окном, человек прицелился и дважды выстрелил в бугор под одеялом на кровати. В ту же секунду дверь слетела с петель, и в комнату Шэнноу вбежали два человека.

Иерусалимец застрелил обоих из левого пистолета, потом повернул правый и выстрелил в живот человека на веревке, тот взвизгнул, сорвался и исчез из вида. Шэнноу поднял пистолеты вертикально и всадил три пули в потолок. Услышал крик, веревка за окном исчезла, и он услышал треск дощатого тротуара под тяжестью упавшего тела.

Наступила тишина. Комната смердела кордитом, в ней висел пороховой дым.

Из коридора до слуха Шэнноу донесся шепот: отдавались какие-то распоряжения. Но шорохов не было.

Он быстро перезарядил пистолеты последними патронами.

В коридоре раздались два выстрела. Кто-то закричал, и тело ударилось о деревянные перила лестничной площадки.

— Эй, Шэнноу! — крикнул Стейнер. — Тут чисто. Могу я войти?

— Лучше, чтобы у тебя в руках ничего не было, — ответил Шэнноу.

Стейнер перешагнул через трупы и вошел.

— Их было только двое, — сказал он с улыбкой. — Дьявол! Но ты добавляешь интереса жизни! Знаешь, по меньшей мере тридцать человек уже убрались из Долины. Чего бы я не дал за такую славу, как у тебя!

— Почему ты мне помог?

— Дьявол, Шэнноу, как бы я мог допустить, чтобы тебя убил кто-нибудь другой? Где еще я найду в мире противника равного тебе?

Стейнер осторожно подошел к окну сбоку, задернул плотную занавеску, чиркнул спичку и зажег фонарь на столе.

— Ты не против, если я уберу эту падаль в коридор? От них уже воняет. — Не дожидаясь ответа, он нагнулся над трупами. — Обоих в лоб. Очень хорошо. Дьявольски хорошо! — Он ухватил первого за воротник и выволок в коридор. Шэнноу сел и смотрел, как он вытаскивает второго. — Эй, Мейсон! — крикнул Стейнер. — Ты не пришлешь сюда кого-нибудь убрать дохлятину?

Вернувшись в комнату, он кое-как водворил дверь на место и подпер ее.

— Ну, Шэнноу, скажешь мне «спасибо», или как?

— За что спасибо?

— За то, что я разделался с двумя на лестнице. Что бы ты делал без меня? Они же поймали тебя здесь в ловушку.

— Спасибо, — сказал Шэнноу. — А теперь уходи. Мне надо поспать.

— Хочешь, я пойду с тобой завтра, когда начнется охота?

— В этом нет необходимости.

— Нет, ты сумасшедший! Здесь же еще остается человек двадцать—тридцать, которые не побегут. С ними со всеми тебе в одиночку не справиться.

— Доброй ночи, менхир Стейнер.

На следующее утро, проспав три часа, Йон Шэнноу спустился вниз и позвал Мейсона.

— Пошлите кого-нибудь найти для меня шесть мальчишек, которые умеют читать. Пусть они придут сюда.

Потом Взыскующий Иерусалима сел за стол, положил на него шесть больших листов бумаги и взял древесный уголек. Медленно и тщательно он написал на каждом листе короткое объявление.

Когда пришли мальчишки, он велел каждому прочесть написанное вслух и отправил их в игорные и питейные заведения в восточной части городка, вручить листы владельцам или барменам.

Объявление было простым:

ПРЕДУПРЕЖДЕНИЕ.

ВСЯКИЙ ЧЕЛОВЕК С ПИСТОЛЕТОМ В ПРЕДЕЛАХ СЕЛЕНИЯ ДОЛИНА ПАЛОМНИКА БУДЕТ СЧИТАТЬСЯ РАЗБОЙНИКОМ ИЛИ ЗАЧИНАТЕЛЕМ ВОЙН, И С НИМ БУДЕТ ПОСТУПЛЕНО СООТВЕТСТВЕННО.

ШЭННОУ.

Когда мальчишки ушли, Шэнноу откинулся на спинку стула в терпеливом ожидании, не позволяя себе почувствовать ни страха, ни напряжения. Мейсон принес ему кружку баркеровки и сел напротив.

— Конечно, услуга невелика, Шэнноу, но за комнату платить не нужно. И за то, что вы едите и пьете, тоже.

— Вы очень добры, менхир.

Мейсон пожал плечами.

— Вы хороший человек. Но всем этим вы друзей не наживете.

— Знаю. — Он вгляделся в худое лицо своего собеседника. — По-моему, вы не всегда содержали гостиницу.

Мейсон сухо улыбнулся:

— Вы выгнали меня из Ольона — всадили мне в плечо пулю. Когда идет дождь, боль ну прямо адская.

Шэнноу кивнул:

— Я вас помню. Вы ездили с Кейдом. Я рад, что вы занялись чем-то более полезным.

— Молодость проходит, — сказал Мейсон. — Почти все мы оказались на большой дороге, потому что нас выгнали из наших ферм — или разбойники, или засуха, или те, кто просто был сильнее. Но это не жизнь. А тут у меня жена, две дочери, крыша над головой. Ем три раза в день, а зимой веселый огонь в очаге прогоняет холод. Что еще вправе желать человек?

— Аминь, — согласился Шэнноу.

— А что вы будете делать теперь?

— Дождусь полудня, а тогда выкорчую все, что осталось.

— Это не Ольон, Шэнноу. Там вас поддерживали горожане. Помнится, у них был комитет — все хорошие стрелки, и они прикрывали вас сзади. А здесь это самоубийство. Они будут подстерегать вас в закоулках или застрелят, едва вы выйдете на улицу.

— Я сказал, менхир, а мое слово железно.

— Да, — сказал Мейсон, вставая. — Пусть сопутствует вам Божья удача.

— Обычно так и бывает, — сказал Иерусалимец.

С его места ему было видно, как солнце медленно поднимается к верхней точке небес. Чудесный день! Человек
не мог бы выбрать дня чудеснее, чтобы умереть. Один за
другим возвращались мальчики. Шэнноу давал каждому
монету и спрашивал, куда он отнес предупреждение и что
было дальше. Почти все получатели прочли его предупреждение вслух всем присутствующим, но один, дочитав,
разорвал лист в клочья. И остальные захохотали, сказал
мальчик.

— Опиши это место, — попросил Шэнноу, а выслушав,
задал еще вопрос: — И ты видел там людей с оружием?

— Да. Один сидел у окна с длинным ружьем, нацеленным
на улицу. И еще двое на балконе справа. И, по-моему, еще
один прятался за бочками у дальней стены около стойки.

— Ты наблюдательный малыш. Как тебя зовут?

— Мэтью Феннер, менхир.

Шэнноу поглядел в темные глаза мальчика и удивился
тому, что сразу не заметил его сходства с подло убитым
отцом.

— Как твоя мать?

— Все время плачет.

Шэнноу открыл кожаный кисет, в котором хранил монеты, и отсчитал двадцать.

— Отдай их своей матери. Скажи ей, что я сожалею.

— Мы не бедны, менхир. Но благодарю вас за сочувствие, — сказал Мэтью, повернулся и вышел.

Почти наступил полдень. Шэнноу ссыпал монеты в кисет и встал.

Он вышел из «Отдыха путника» через заднюю дверь в проулок и стремительно отступил вправо, держа пистолет наготове. Но проулок был пуст. Он шел задворками, пока не оказался перед боковой стеной игорного заведения, которое описал мальчик. Оно принадлежало человеку по имени Зеб Мэддокс, и Мейсон предупредил его, что Мэддокс быстрый стрелок. «Почти такой же молниеносный, как Стейнер. Не дайте ему опомниться, Шэнноу».

Иерусалимец остановился перед узкой дверью черного хода, глубоко вздохнул и осторожно поднял щеколду. Перешагнув порог, он увидел человека, стоящего на коленях за бочкой. Его глаза, как глаза всех остальных в зале, были устремлены на входную дверь. Шэнноу скользнул к нему и ударил его рукояткой пистолета по затылку. Он крякнул, накренился, и Шэнноу, ухватив его за воротник, мягко опустил на пол.

Тут кто-то закричал:

— Там толпа собирается, Зеб!

Шэнноу увидел, как высокий худой мужчина в черной рубахе и кожаных брюках вышел из-за стойки и направился к двери. В кобуре из глянцевой кожи на его поясе покоился короткоствольный пистолет с костяной рукояткой.

Снаружи донесся голос:

— Вы, там внутри, слушайте меня! С вами говорю я, Пастырь. Мы знаем, что вы вооружены, и мы готовы дать вам бой. Но подумайте вот о чем. Нас здесь сорок, и когда мы ворвемся внутрь, произойдет страшная бойня. Те из вас, кого мы не убьем, будут отведены на место казни и повешены. Предлагаю вам положить оружие и пойти — с миром — к вашим лошадям. Мы подождем несколько минут, но, если будем вынуждены взломать дверь, вы умрете все.

— Зеб, надо выбраться отсюда, — крикнул человек, скрытый от глаз Шэнноу.

— Чтобы я побежал от кучки горожанишек! — прошипел Зеб Мэддокс.

— Ну так беги от меня, — сказал Шэнноу, выходя вперед с поднятым пистолетом.

Мэддокс медленно обернулся.

— Попробуешь сунуть пистолет мне в рот, Шэнноу, или сойдемся, как мужчина с мужчиной?

— Именно так, — сказал Шэнноу и, стремительно шагнув к нему, прижал пистолет к его животу. — Вынь пистолет и взведи курок.

— Какого дьявола?

— Делай, что сказано. А теперь прижми его к моему животу. — Мэддокс прижал. — Отлично. Вот твой шанс.

Считаю до трех, и мы спускаем курки, — холодно прошептал Шэнноу.

— Ты спятил! Мы же оба умрем, это уж точно.

— Раз, — сказал Шэнноу.

— Это безумие, Шэнноу! — Глаза Мэддокса выпучились от ужаса.

— Да.

— Нет! — взвизгнул Мэддокс, отшвырнул пистолет и попятился, прижав ладони к лицу.

Иерусалимец обвел взглядом пистолетчиков, застывших в ожидании.

— Живите или умрите, — сказал он им. — Выбирайте!

Пистолеты со стуком попадали на пол. Шэнноу вышел за дверь и кивнул Пастырю и тем, кто пришел с ним. Брум. И Бризли... и Мейсон... и Стейнер. Рядом с ними стояла Бет Мак-Адам с пистолетом в руке.

— Я никого не убил, — сказал Шэнноу. — Они готовы уехать. Не препятствуйте им. — Он пошел по улице, пистолет покачивался у него на боку.

— Шэнноу! — отчаянно вскрикнула Бет, и Иерусалимец обернулся в то мгновение, когда Зеб Мэддокс выстрелил с порога. Пуля опрокинула Шэнноу, в глазах у него помутилось, но он успел выстрелить. Мэддокс согнулся пополам, потом выпрямился, но залп из толпы отбросил его внутрь залы.

Шэнноу с трудом поднялся на ноги и зашатался. На его щеку капала кровь. Он нагнулся поднять шляпу...

И тьма поглотила его.

* * *

Всюду пылали яркие краски, режущие глаза. И по его лицу текла кровь. Где-то сбоку замерцало пламя, и он увидел, что к нему идет чудовищный зверь, держа веревку, чтобы задушить его. Рявкнул его пистолет, зверь пошатнулся, но продолжал идти, а из его раны хлестала кровь. Он снова выстрелил. И еще раз. Но зверь продолжал идти, пока не упал на колени перед ним, повертывая к нему когтистые лапы.

— Почему? — прошептал зверь.

Шэнноу опустил взгляд и увидел, что зверь нес не веревку, а бинт.

— Почему ты убил меня, когда я старался тебе помочь?

— Я сожалею, — прошептал Шэнноу. Зверь исчез, а он встал и пошел ко входу в пещеру. В небе, грозный своей колоссальностью, висел Меч Божий, окруженный разноцветными крестами — зелеными, и белыми, и синими. Внизу был город, кипевший жизнью, — огромный круглый город, обнесенный стенами из белого камня, окруженный широким рвом, даже с гаванью, где стояли на якорях деревянные корабли с рядами весел друг над другом.

К Шэнноу приблизилась красавица с огненно-рыжими волосами.

— Я помогу тебе, — сказала она... но в руке у нее был нож, и Шэнноу отступил.

— Уйди, — сказал он ей. Но она шагнула вперед, и нож погрузился ему в грудь. Тьма обволокла его. Потом раздался оглушительный рев, и он очнулся.

Он сидел в маленьком кресле, окруженный хрусталем, вделанным в сталь. На его голове был плотно ее облегающий кожаный шлем. Голоса шептали ему в уши.

— Вызываем контроль. Чрезвычайное положение. Мы сбились с курса. Мы не видим суши... Повторяю... Мы не видим суши.

Шэнноу наклонился и посмотрел в хрустальное окно. Далеко внизу колыхался океан. Он поглядел назад. Он сидел внутри металлического креста, подвешенного в воздухе под облаками, которые проносились над ним с головокружительной быстротой.

— Ваше местоположение, командир звена? — донесся второй голос.

— Мы не знаем, контроль, мы не знаем, где находимся... Очевидно, мы сбились с курса...

— Поверните прямо на запад.

— Мы не знаем, где запад. Все не такое... непонятное... мы не можем определить ни одного направления — даже океан выглядит как-то иначе...

Крест отчаянно затрясся, и Шэнноу заскреб по хрусталю окна. Впереди небеса и океан словно слились воедино. Повсюду за хрусталем небо исчезло, и чернота затопила крест. Шэнноу закричал...

— Все хорошо, Шэнноу, успокойся. Лежи тихо.

Его глаза открылись, и он увидел Бет Мак-Адам. Она наклонялась над ним. Он попытался повернуть голову, но адская боль пронзила его висок, и он застонал.

Бет положила ему на лоб холодное полотенце.

— Все хорошо, Шэнноу. Вы как раз обернулись, и пуля только задела кость, хотя порядком оглушила. Отдыхайте!

— Мэддокс?

— Убит. Мы его застрелили. Остальных повесили. Теперь избран комитет, и по улицам ходят дозоры. Разбойники убрались восвояси.

— Они вернутся, — прошептал он. — Они всегда возвращаются.

— Довлеет днева злоба его, — услышал он другой голос.

— Это вы, Пастырь?

— Да, — ответил Пастырь, наклоняясь над ним. — Успокойтесь, Шэнноу. Тут царит мир.

И Шэнноу погрузился в сон без сновидений.

17

—Вижу, у вас есть две Библии, — сказал Пастырь, садясь у кровати Шэнноу и беря в руки две книги в кожаных переплетах. — Разве одной не достаточно?

Шэнноу, чья голова была забинтована, а левый глаз заплыл, протянул руку и взял верхнюю.

— Эту я возил с собой много лет. Но в прошлом году одна женщина подарила мне вторую — язык в ней проще. Ему не хватает торжественности, но многое становится легче понимать.

— Я понимаю все без малейшего труда, — сказал Пастырь. — С начала и до конца в ней утверждается одно: закон Бога абсолютен. Следуй ему и преуспеешь и здесь, и в загробной жизни. Восстань против него — и погибнешь.

Шэнноу осторожно опустился на подушки. Люди, утверждавшие, что понимают Всемогущего, всегда внушали ему опасения, однако Пастырь был приятным собеседником — и остроумным, и склонным к философии. Он обладал живым умом и искусно вел споры.

Эти посещения скрашивали Шэнноу его вынужденное безделье.

— Как идет постройка церкви?

— Сын мой, — сказал Пастырь с веселой усмешкой, — это поистине чудо! Каждый день десятки братьев работают не покладая рук. Вам вряд ли доводилось наблюдать такое воодушевление.

— А комитет тут совсем ни при чем, Пастырь? А то Бет говорила мне, что преступникам теперь предлагают выбор между работой на постройке или петлей.

— Вера без дел мертва, — засмеялся Пастырь. — Эти счастливцы... преступники, обретают Бога через свои труды. Да и выбор этот был предложен только троим. Один оказался прекрасным плотником, а двое других уже многому научились, однако главным образом там работают горожане. Когда поправитесь, вам надо будет пойти послушать какую-нибудь мою проповедь. Хотя мне не следовало бы самому говорить это, но в такие минуты меня ведет Святой Дух.

Шэнноу улыбнулся:

— А как же смирение, Пастырь?

— Я безмерно горжусь своим смирением, Шэнноу! — ответил Пастырь.

Шэнноу засмеялся:

— Никак я вас в толк не возьму, но я рад вашему обществу.

— Не понимаю вашего недоумения, — сказал Пастырь серьезно. — Я, как вы видите, слуга Всемогущего. И хочу увидеть, как Его план осуществится.

— Его план? Который?

— Как Новый Иерусалим сходит с неба от Бога во всей славе своей. И тайна этого — здесь, в южных землях. Взгляните на видимый нами мир. Он все еще прекрасен, но в нем нет единения. Мы ищем Бога сотнями разных способов в тысячах разных мест. Нам надо собраться вместе, трудиться вместе, строить вместе. Мы должны подчиняться законам, крепким, как железо, от океана до океана. Но сначала нам надо увидеть, как исполнится реченное в Откровении.

Тревога Шэнноу росла.

— Я думал, оно исполнилось. Разве там не говорится об ужасных катастрофах, катаклизмах, которые уничтожат большую часть человечества?

— Я говорю о Мече Божьем, Шэнноу. Господь послал его, чтобы он выкосил Землю, точно коса, а это не свершилось! Почему? Да потому, что он висит над нечистым краем, где обитают звери Сатаны и Блудница Вавилонская.

— Мне кажется, я смотрю глубже вас, Пастырь, — устало сказал Шэнноу. — Вы стремитесь уничтожить зверей, сокрушить Блудницу?

— А что еще остается богобоязненному человеку, Шэнноу? Неужто вы не хотите увидеть, как исполнится план Господа?

— Я не верю, что бойня поможет его исполнению.

Пастырь покачал головой. Его глаза широко раскрылись от удивления.

— Как можете вы — именно вы — говорить подобное? Ваши пистолеты легендарны, вехами вашего жизненного пути служат трупы. Я думал, вы начитаны в Писании, Шэнноу. Разве вы не помните о городах, сокрушенных Иисусом Навином, и как Господь проклял язычников? Из поклонявшихся Молеху в живых не осталось ни одного мужчины, ни одной женщины, ни одного ребенка.

— Я уже слышал этот довод, — сказал Шэнноу. — От царя исчадий Ада, поклонявшегося Сатане. Где же любовь, Пастырь?

— Любовь для избранных, созданных по образу и подобию Бога Всемогущего. Он создал людей и зверей полевых. Только у Люцифера достало бы нечестивой дерзости претворять зверей в людей.

— Вы быстры судить. Быть может, судить неверно.

Пастырь встал.

— Не исключено, что вы правы, так как, видимо, я неверно судил о вас. Я полагал, что вы — Божий воин, но в вас есть слабость, Шэнноу, сомнение.

Дверь открылась, и вошла Бет, держа поднос с ломтями черного хлеба, сыром и кувшинчиком воды. Пастырь осторожно обошел ее, дружески улыбнулся, но вышел, не попрощавшись. Бет поставила поднос и села у кровати.

— Попахивает ссорой? — заметила она.

Шэнноу пожал плечами.

— Он человек, зачарованный видением, которого я не разделяю. — Протянув руку, он сжал ее пальцы. — Вы были очень добры ко мне, Бет, и я благодарен вам. Насколько я понял, это вы пошли к Пастырю и понудили его создать комитет, который явился мне на выручку.

— Чепуха, Шэнноу. Город давно надо было очистить, а люди вроде Брума убили бы год на рассуждения о позволительности прямых действий.

— Однако Брум, по-моему, был там.

— В храбрости у него недостатка нет — в отличие от здравого смысла. Как ваша голова?

— Лучше. Почти не болит. Вы не окажете мне услугу? Не принесете бритву и мыла?

— Я сделаю кое-что получше, Иерусалимец. Сама вас побрею. Мне не терпится увидеть, какое лицо вы прячете под бородой.

Она вернулась с жесткой кисточкой из барсучьей шерсти и бритвой, позаимствованной у Мейсона, а также куском мыла и тазиком с горячей водой. Шэнноу лежал, откинувшись и закрыв глаза, пока она намыливала его бороду. Потом принялась умело срезать волосы и соскабливать щетину. Прикосновение бритвы к его коже было легким и прохладным. Наконец, она стерла мыльную пену с его щек и вручила ему полотенце. Он улыбнулся ей.

— Ну, что вы видите?

— Некрасивым вас не назовешь, Шэнноу, хотя и красавцем тоже. А теперь ешьте свой хлеб с сыром. Увидимся вечером.

— Не уходите, Бет. Подождите немножко. — Он протянул руку и взял ее за локоть.

— Меня ждет работа, Шэнноу.

— Да... да, конечно. Простите меня.

Она встала, попятилась к двери, заставила себя улыбнуться ему и вышла. В коридоре она остановилась и вновь словно увидела выражение его глаз в ту секунду, когда он попросил ее остаться.

«Не будь дурой, Бет!» — одернула она себя.

«А что? У тебя же еще есть свободный час». Повернувшись на каблуках, она снова открыла дверь и вошла внутрь. Ее пальцы поднялись к пуговицам блузы.

— Не придавай особого значения, Шэнноу, — прошептала она, сбрасывая юбку на пол. И забралась к нему в постель.

Для Бет Мак-Адам это явилось откровением. Потом она лежала рядом с уснувшим Шэнноу, ощущая теплую истому во всем теле. Однако главной неожиданностью была его стеснительная неопытность, тихая благодарность, с какой он принял ее. Бет знала мужские повадки, и у нее

7*

хватало любовников до того, как она познакомилась с Шоном Мак-Адамом и соблазнила его. Она успела убедиться, что поведение одного охваченного животной страстью мужчины мало чем отличается от поведения другого. Лапает, щупает, впадает в ритмичное исступление. С Шэнноу было по-другому...

Он привлек ее к себе, поглаживал ей плечи, спину... Все исходило от нее. Как грозен и молниеносен ни оказывался он в минуты смертельной опасности, в женских объятиях Иерусалимец был безыскусственным и удивительно нежным.

Бет соскользнула с кровати, и Шэнноу мгновенно проснулся.

— Ты уходишь? — спросил он.

— Да. Тебе хорошо спалось?

— Чудесно! Ты придешь вечером?

— Нет, — ответила она твердо. — Мне надо побыть с детьми.

— Спасибо, Бет.

— Не благодари, — отрезала она, быстро оделась и кое-как расчесала волосы пальцами. У двери она остановилась. — Со сколькими женщинами ты спал, Шэнноу?

— С двумя, — просто, без малейшего смущения ответил он.

Она направилась через улицу в «Веселого паломника», где ее поджидал Брум, багровый от злости.

— Вы сказали час, фрей Мак-Адам, а отсутствовали два. Я остался без клиентов... а вы останетесь без денег.

— Как сочтете нужным, менхир, — ответила она и прошла в чулан, где накопилась грязная посуда. В зале сидели два посетителя, и оба доедали обед. Бет унесла посуду на задний двор и вымыла водой из глубокого колодца. Когда она вернулась, зала «Паломника» была пуста.

Брум подошел к ней.

— Мне жаль, что я вспылил, — сказал он. — Я знаю, он ранен и нуждается в уходе. Монеты не возвращайте. Я вот подумал... вы бы не заглянули вечером ко мне домой?

— Зачем, менхир?

— Чтобы побеседовать... перекусить... поближе узнать друг друга. Тем, кто работает вместе, очень важно взаимное понимание.

Она поглядела на его испитое лицо и увидела желание в его глазах.

— Боюсь, я не могу, менхир. Сегодня вечером я иду к менхиру Скейсу обсудить одно дело.

— Аренду земли, я знаю, — сказал он, и ее глаза потемнели. — Поймите меня правильно, фрей Мак-Адам. Менхир Скейс говорил со мной, потому что я вас знаю. Он хочет быть уверен в вашей... надежности. Я сказал ему, что, по-моему, вы честная и трудолюбивая женщина. Но неужели вас и правда влечет одинокая жизнь вдовы на ферме?

— Я хочу иметь свой дом, менхир.

— Да-да...

Она поняла, что он собирается с духом для объяснения, и уклонилась.

— Меня работа ждет, — сказала она, проскальзывая мимо него в кухню.

Вечером слуга Скейса встретил ее у входа в комнаты, которые Скейс занимал в «Отдыхе путника», и проводил в зальце, где в большом очаге жарко пылали поленья. Скейс встал из глубокого мягкого кресла, взял ее руку и поднес к губам.

— Добро пожаловать, сударыня. Могу я предложить вам глоток вина?

Красивый мужчина, он выглядел еще внушительнее в свете огня — зачесанные назад волосы блестят, резкие суровые черты лица дышат яростной силой.

— Нет, благодарю вас, — сказала она.

Он подвел ее к другому креслу, подождал, чтобы она села, и вернулся в свое.

— Земля, которую вы хотите арендовать, мне не нужна. Но объясните, фрей Мак-Адам, почему вы обратились ко мне? Вы же знаете, что никаких документов на владение землей не существует. Люди забирают столько, сколько могут удержать. Вам достаточно было бы приехать в вашем фургоне на облюбованное место и построить себе дом.

— Будь я богата, менхир, и имей пятьдесят всадников, то поступила бы именно так. Но я бедна. Земля остается вашей, а если мне начнут угрожать, я обращусь к вам за помощью. Ваши люди объезжают верхние пастбища, и всем известно, что разбойники редко вас тревожат. Надеюсь, так будет и со мной.

— За свое недолгое пребывание тут вы успели узнать очень много. Несомненно, вы женщина большого ума. А мне редко доводилось видеть, чтобы в одной женщине сочетались красота и ум.

— Как странно! То же самое я замечала в мужчинах.

Он засмеялся:

— Вы не поужинаете со мной?

— Да нет, пожалуй. Мы ведь договорились об арендной плате?

— Я откажусь от платы... в обмен на ужин.

— Пусть все будет ясно, менхир. Это деловое соглашение. — Она развязала небольшой кисет и отсчитала тридцать серебреников. — Вот плата за первый год. А теперь мне пора идти.

— Я разочарован, — сказал он, вставая вместе с ней. — У меня были такие надежды!

— Храните их, менхир. Это ведь все, что у нас есть.

После ухода Бет Шэнноу сел на постели. Он все еще ощущал благоухание ее тела на простынях, чувствовал теплоту ее присутствия. Никогда он не испытывал ничего подобного. Донна Тейбард была нежной, кроткой, уступчивой, глубоко любящей, источником утешения. Но Бет... в ней была сила, почти первозданный голод, который и утомил его тело, и воспламенил его дух.

Он осторожно спустил ноги с кровати и встал. Покачнулся, комната завертелась вокруг него, но он устоял, глубоко дыша, пока головокружение не прошло. Ему хотелось одеться, выйти на воздух, но он знал, что еще слишком слаб. В таком состоянии его мог бы свалить на землю ребенок с прутиком. Он неохотно снова лег, начал есть хлеб с сыром и с удивлением обнаружил у себя волчий аппетит. Потом проспал несколько часов и проснулся освеженный.

Раздался легкий стук в дверь. С надеждой, что это Бет, он крикнул:

— Войдите!

На пороге появился Клем Стейнер.

— Есть на что полюбоваться! — сказал Стейнер, ухмыляясь. — Иерусалимец слег и побрился. Без этой своей бороды с серебряным клином ты не выглядишь таким уж внушительным, Шэнноу. — Молодой человек повернул стул спинкой вперед и сел на него верхом лицом к кровати. Шэнноу посмотрел ему в глаза.

— Что тебе нужно, Стейнер?

— То, чего ты мне дать не можешь. То, что мне придется отобрать у тебя... как мне ни жаль, потому что ты мне нравишься, Шэнноу.

— Ты поднимаешь больше шума, чем свинья, пускающая ветер. И слишком молод, чтобы понять это. То, что у меня есть — чем бы оно ни было, — не по тебе, малый. И так будет всегда. Получаешь, если не хочешь, — и никогда, если хочешь.

— Тебе легко рассуждать, Шэнноу. Посмотри на себя — самого знаменитого человека из всех, кого мне доводилось видеть. А кто слышал обо мне?

— Хочешь посмотреть цену славы, Стейнер? Загляни в мои седельные сумки. Две старые рубахи, две Библии и четыре пистолета. Ты видишь мою жену, Стейнер? Мою семью? Дом? Ах, слава! Я не искал славы. И я глазом не моргну, если потеряю ее. А я ее потеряю, Стейнер. Потому что буду странствовать и дальше и найду место, где никогда не слышали о Иерусалимце.

— Ты мог бы стать богатым, — сказал Стейнер. — Ты мог бы стать чем-то вроде древнего царя. Но ты все это отшвырнул, Шэнноу. Славу на тебя потратили зря. А я знаю, что с ней делать.

— Ты ничего не знаешь, малый.

— Меня уже давно не называли «малым», и мне не нравится такая кличка.

— Мне не нравится дождь, малый, но что поделать! Стейнер вскочил:

— Ты умеешь довести человека, верно, Шэнноу? Умеешь его допечь?

— Не терпится убить меня, Стейнер? Твоя слава достигнет небес. Вот человек, который пристрелил Шэнноу в постели.

Стейнер ухмыльнулся и снова сел.

— Я учусь. Я не пристрелю тебя темной ночью, Шэнноу. Не выстрелю тебе в спину. А прямо в лоб. На улице.

— Где все это увидят?

— Вот именно.

— А что ты сделаешь потом?

— Присмотрю, чтобы тебя похоронили с честью. Отвезли к могиле на высоких вороных конях и поставили на нее красивый камень. Потом отправлюсь странствовать и, может, стану царем... Скажи, зачем ты устроил эту штуку с Мэддоксом? Вы могли бы разнести друг друга в куски.

— Но не разнесли, верно?

— Да. Он чуть тебя не убил. Скверный просчет, Шэнноу. Не похоже на то, что я о тебе слышал. Быстрота исчезла? Ты стареешь?

— Да. На оба вопроса, — ответил Шэнноу. Приподнявшись на подушке, он посмотрел в окно, словно забыв о молодом человеке. Но Стейнер засмеялся и похлопал его по плечу:

— Пора на покой, Шэнноу... если только они тебе позволят.

— Эта мысль приходила мне в голову.

— Но, бьюсь об заклад, ненадолго. Что ты будешь делать? Копаться в земле, пока кто-нибудь тебя не узнает? Ожидать пули или ножа? Все время глядеть на дальние горы, думая, не за ними ли Иерусалим? Нет. Ты уйдешь из жизни под перекрестным огнем на улице, на равнине или в долине.

— Как они все? — негромко спросил Шэнноу.

— Как мы все, — согласился Стейнер. — Но имена живут. История помнит.

— Иногда. Ты когда-нибудь слышал про Пендаррика?

— Нет. Он был пистолетчиком?

— Он был одним из величайших царей, каких знала земля. Он изменил мир, Стейнер. Он завоевал его, и он его уничтожил. Он вызвал Первое Падение.

— Ну и что?

— Ты никогда о нем не слышал. Вот как хорошо хранит память история. Назови имя, которое ты помнишь.

— Кори Тайлор.

— Разбойник, который создал себе крохотную империю на севере, — и отвергнутая женщина всадила пулю ему в лоб. Опиши его, Стейнер. Скажи, о чем он мечтал? Расскажи мне, откуда он явился?

— Я его ни разу не видел.

— Так что меняет его имя? Просто звук, нашептанный воздуху. В будущем какой-нибудь другой глупый мальчишка может стать похожим на Клемента Стейнера. И он тоже понятия иметь не будет, был ты высоким или невысоким, толстым или худым, молодым или старым, но будет произносить твое имя, как волшебное заклинание.

Стейнер улыбнулся и встал:

— Может быть, и так. Но я убью тебя, Шэнноу. Я проложу свой след.

18

Нои-Хазизатра увидел, что с караваном произошло что-то неладное, еще задолго до того, как приблизился к стоянке. Солнце давно взошло, но среди двадцати шести фургонов не было заметно ни малейшего движения. Неподалеку лежал труп, и тут же Нои разглядел шагах тридцати в стороне другие трупы, уложенные в ряд.

Он остановился, решил обойти их, но тут из высокой травы у тропы его окликнул чей-то голос. Нои оглянулся и увидел лежащую в ложбинке молодую женщину с ребенком на руках. Слова ее были нечленораздельны — слова какого-то неблагозвучного языка, незнакомого Нои. Черты лица у нее обострились, щеки запали. Лицо и шея были все в багровых язвах. На миг Нои отпрянул, потом посмотрел ей в глаза и увидел в них страх и боль. Он достал Камень, нагнулся над ней и ощутил торчащие кости под серой шерстяной тканью ее платья. Едва он прикоснулся к ней, как мгновенно понял ее шепот:

— Помогите мне. Во имя Божье, помогите мне!

Он прикоснулся Камнем к ее лбу, язвы тут же исчезли, как и темные круги под ее большими голубыми глазами.

— Моя маленькая! — прошептала она, протягивая Нои запеленатого младенца.

— Я не могу ей помочь, — сказал он грустно, глядя на посиневший трупик.

У женщины вырвался протяжный стон, и она прижала дочку к груди. Нои выпрямился, помог ей встать и повел к фургонам. Шагов через двадцать они прошли мимо распростертого на земле мужчины, чьи мертвые глаза незряче смотрели в небо. Когда они вошли на стоянку, к Нои подбежала пожилая женщина с подернутыми проседью волосами.

— Назад! — закричала она. — Здесь чума!

— Я знаю, — сказал он ей. — Я... я целитель.

— Ничего уже сделать нельзя, — сказала она и тут заметила девушку. — Элла? Боже Великий, Элла! Ты выздоровела?

— Мою маленькую он не спас, — прошептала Элла. — Он опоздал спасти мою Мэри.

— Как вас зовут, друг? — спросила женщина, прикасаясь к его руке.

— Нои-Хазизатра.

— Так вот, менхир Нои, больных тут больше семидесяти, и только четверо нас, чтобы сражаться с чумой. Благодарение Богу, если вы и правда целитель!

Нои огляделся. Повсюду смерть. Некоторые мертвецы лежали, ничем не укрытые, и все еще гноящиеся язвы были облеплены мухами, на других были кое-как наброшены одеяла. В пяти шагах справа от себя он увидел детскую ручонку, торчащую из-под большого куска мешковины. Из фургонов доносились крики и стоны. Несколько человек, сами чумные, пошатываясь, переходили от одной жертвы к другой, помогая чем могли, давая напиться. Нои сглотнул, и тут женщина снова прикоснулась к его руке.

— Идемте, — сказала она.

Он посмотрел на ее руку и увидел, что она вся по локоть в багровых пятнах. Взяв Камень, он погладил ее по волосам.

— Во имя любви Господней, — сказал он ей. И пятна исчезли.

Она уставилась на свои руки, ощущая прилив силы, будто проснулась после долгого освежающего сна.

— Благодарю вас, — прошептала она. — Бог да благословит вас! Но идите быстрее, многим очень плохо.

Она привела его к фургону, где под одеялами, заскорузлыми от пота, лежали женщина и четверо детей. Нои приложил Камень к ним всем, и жар тотчас спал. Он переходил от фургона к фургону, исцеляя чумных, и смотрел, как ширятся черные прожилки в Камне. К тому времени, когда смерклось, он исцелил более тридцати переселенцев. Пожилая женщина, которую звали Мартой, занялась приготовлением еды для выживших, и Нои был предоставлен самому себе. Он подставил Камень лучам луны. Черноты в нем теперь было больше, чем золота, и под покровом темноты он ускользнул в ночь.

У него нет выбора, сказал он себе. Если он хочет вновь увидеть Пашад и сыновей, он должен оставить в Камне какую-то энергию. Но с каждым шагом его сердце все больше наливалось свинцом.

В конце концов он опустился на колени в лунном луче и начал молиться:

— Что ты хочешь, чтобы я сделал? — спросил он. — Кто мне эти люди? Ты податель жизни и податель смерти. Это ты наслал на них чуму. Почему же ты не можешь отозвать ее?

Ответа не было, но ему вспомнились годы отрочества в храме и его великий учитель Риззак.

Он словно увидел глаза старика под тяжелыми веками, его крючковатый нос, белую клочкастую бороду. И в ушах у него зазвучала притча о Небесах и Аде, которую рассказывал Риззак.

«Я молился Владыке Всего Сущего, дабы он позволил мне узреть и Рай, и Муки Велиала. И в видении мне предстала дверь. Я открыл ее и увидел стол, накрытый для великолепного пиршества. Но все гости стенали, ибо ложки были с очень длинными ручками, и хотя они могли зачерпывать яства, длина ручки не позволяла поднести ложку ко рту. И они проклинали Бога, изнывая от голода. Я закрыл дверь и попросил показать мне Рай. Однако передо мной осталась та же дверь. Я открыл ее и увидел такой же стол, и у всех гостей были ложки с такими же длинными ручками. Но они подносили яства к устам друг друга и воздавали хвалу Богу, называя его тысячью имен, известных только ангелам».

Нои посмотрел на луну и подумал о Пашад. Он вздохнул и поднялся с колен.

Вернувшись к фургонам, он начал снова исцелять чумных. Он трудился далеко за полночь, а на рассвете поглядел на Камень в своей руке. Теперь он был весь черный. Золота не осталось ни следа.

Подошла Марта и села рядом с ним. Она подала ему чашку с темным горьким питьем.

— Я слышала про них, — сказала она, — а вот видеть не видела. Это же был Камень Даниила! Он израсходовался?

— Да, — ответил Нои, бросая его на землю у костра.

— Он спас много жизней, менхир Ньи. И я благодарю вас за это.

Нои ничего не сказал.

Он думал о Пашад.

Бет Мак-Адам, погруженная в свои мысли, молча сидела на козлах фургона, который волы тащили по всхолмленной равнине, уходившей к Стене. Дети сидели сзади, свесив ноги и пререкаясь, но она не обращала внимания на шум, который они поднимали. Шэнноу выздоравливал, однако все еще не мог выходить из своей комнаты в «Отдыхе путника», а Пастырь часто заглядывал к ним в шатровый поселок. И теперь появился Эдрик Скейс, высокий, уверенный в себе, обходительный и галантный. Он дважды приглашал ее поужинать с ним в гостинице и развлекал рассказами о своей юности на далеком севере.

«Там теперь построили большие города, а правителей избирают, — сообщил он ей. — Некоторые области заключили договора с соседними, и в прошлом году начали поговаривать о создании конфедерации».

«Никогда они не объединятся, — возразила Бет. — Люди на это не способны. Будут спорить по всякому поводу и драться из-за сущих пустяков».

«Не будьте так уверены, Бет. Человечество не сможет идти вперед, если останется неорганизованным. Возьмите, к примеру, обменные монеты — они теперь имеют хождение повсюду, не важно, в каком селении вы бы ни оказались. Старый Джейкоб Обминс, первый, начавший их чеканить, грезил о единой нации. И теперь, похоже, его мечта может сбыться. Попробуйте вообразить, каким станет мир, если законы будут приниматься столь же охотно, как обменные монеты!»

«Просто войны станут страшнее, — ответила она. — Так уж заведено на свете».

«Нам нужны вожди, Бет. Сильные люди, которые нас сплотят. Прошлое прячет так много нам неизвестного, того, что помогло бы нам для будущего... так много!»

Передние волы споткнулись, вернув Бет в настоящее, и она натянула вожжи, чтобы помочь им. Ей нравился Скейс, привлекала его сила, но что-то в нем внушало смутную тревогу. Как и Пастырь, он таил в себе что-то опасное, зыбкое. У Шэнноу все опасное было снаружи — что вы видели, то и получили...

Насколько проще была бы жизнь, если бы ей нравился Джозия Брум! Но он такой безнадежный дурак!

«Мне страшно подумать, что находятся люди, которые смотрят на Йона Шэнноу с уважением, — сказал он ей однажды утром в ожидании первых посетителей. — Омерзительный человек! Убийца и разбойник наихудшего пошиба. Такие, как он, разрушают общины, уничтожают самое понятие о цивилизованном поведении. Он — губительная язва в нашей среде, и давно пора приказать ему отправиться восвояси!»

«Когда он что-нибудь украл? — возразила она гневно. — Когда был груб? Когда? И хоть раз он убил человека, если ему самому не угрожали смертью?»

«Как вы можете задавать такие вопросы? Разве вы своими глазами не видели того, что произошло вечером, когда погиб бедняга Феннер? Когда он стоял перед толпой, и тот человек спросил, уж не думает ли он справиться с ними со всеми? Шэнноу застрелил его без предупреждения, а у того даже пистолета в руке не было!»

«Никак вы не хотите понять, менхир Брум! Просто удивляюсь, как вы умудрились прожить столько! Упусти Шэнноу эту секунду, они тут же все вместе изрешетили бы его пулями. А так он помешал им, он перехватил инициативу... в отличие от бедного Феннера. Я говорила о нем с Шэнноу. Вы знаете, что Феннер приходил к нему за советом? Иерусалимец предупредил его, чтобы он потребовал от Веббера убраться и ни в какие разговоры не вступал. Он сказал, что стоит вам позволить Вебберу вступить в спор, и вы упустите момент. Феннер это понял, менхир Брум, но вы и все, кто был с вами, предали его. И он погиб».

«Как вы смеете обвинять меня в предательстве?! Я пошел туда с Феннером и выполнил свой долг».

«Ваш долг? — прошипела она. — Вы подставили его под выстрел и уползли, как трусливая змея».

«Мы ничего не могли сделать. И никто не мог бы!»

«Шэнноу сделал. В одиночку. А потому вы поносите его при мне!»

«Убирайся вон! Ты тут больше не работаешь! Вон, я сказал!»

Лишившись работы, Бет пошла к Скейсу, и он позволил ей занять участок без промедления. Он даже предложил ей своих людей для постройки дома, но она отказалась.

Вот она почти и доехала. Волы утомились, втаскивая фургон на склон последнего холма перед ее арендованной землей, и Бет решила дать им передышку на вершине. Однако оттуда она увидела в долине пятерых мужчин. Они обрубали сучья с поваленных деревьев. Неподалеку веревки огораживали площадку утоптанной земли — готовый пол для хижины. Бет задохнулась от ярости. Она вытащила пистолет, спрыгнула с козел и, обогнув фургон, отвязала привязанную сзади лошадь. Приказав детям оставаться на месте, она поскакала в долину. При ее приближении один из мужчин положил топор, сдернул кожаную шляпу и, ухмыляясь, пошел ей навстречу.

— Доброе утречко, фрей. Хороший денек для такой работы! Тут тебе и солнце, и ветерок обдувает...

Бет подняла пистолет, и ухмылка исчезла.

— Какого дьявола вы делаете на моей земле? — спросила она, взводя курок.

— Погодите, госпожа! — сказал он, поднимая руки. — Менхир Скейс поручил нам помочь вам для начала, ну, деревья повалить на бревна и всякое такое. Мы уже и воду поразведали, и какой тут наклон.

— Я никакой помощи не просила, — заявила она, продолжая целиться.

— Про это мне ничего не известно. Мы ездим для менхира Скейса. Он скажет: «прыгай!» — и мы вопросов не задаем, а прыгаем.

Бет опустила пистолет и убрала его в кобуру.

— А почему вы выбрали для хижины это место?

— Ну, — ответил он, снова расплываясь в улыбке, — тут и спереди и сзади далеко видать. И вода рядом, а к вечеру солнце будет светить в большую комнату.

— Ты хорошо выбрал. А как тебя называть?

— Называют-то меня Быком, хотя по-настоящему я Ишмаил Ковач.

— Бык так Бык, — сказала она. — Работайте, а я схожу за фургоном.

🌸 19 🌸

Первая дрожь сотрясла город на рассвете. Всего лишь долгие вибрации, от которых брякала посуда на полках, так что многие даже не проснулись, а другие поднимались с постели, протирая глаза и прикидывая, не начинается ли гроза.

Дрожь повторилась в полдень — Шрина уже работала в лаборатории. Вибрации были значительно сильнее: с полок попадали книги. Выскочив на балкон, она увидела, что улицу заполнили мечущиеся люди. Вблизи главной площади опрокинулась двенадцатифутовая статуя, но никто не пострадал. Земля перестала содрогаться.

В лабораторию, прихрамывая, вошел Ошир.

— Небольшое развлечение, — сказал он еще более невнятно, чем прежде.

— Да, — сказала Шрина. — Такие землетрясения случались и раньше?

— Было одно двенадцать лет назад, — ответил он. — Легкое. Хотя кое у кого из фермеров погиб скот, а потом многие коровы принесли мертвых телят. Как продвигается твоя работа?

— Я добьюсь своего, — ответила она, отводя глаза.

Он скорчился на мозаичном полу и поглядел на нее снизу вверх.

— Я все думаю, правильно ли мы подошли к решению задачи, — сказал он.

— Но выбора ведь нет. Если я сумею установить, что именно вызывает регрессирование генетической структуры, это, возможно, подскажет способ остановить его.

— Именно об этом я и говорю, Шрина. Ты сосредоточиваешься на одном условии задачи и не видишь картины в целом. Я проглядел истории тех, кто подвергся Перемене до меня. Только мужчины и только моложе двадцати пяти лет.

— Я знаю. Но чем это может помочь?

— Потерпи. Почти все они собирались вступить в брак. Этого ты ведь не знала?

— Нет, — согласилась она. — Но чем это важно?

Он улыбнулся, но она не заметила улыбки на его раздутом львином лице.

— По нашему обычаю жених удаляется со своей избранницей в южные горы, чтобы поклясться ей в любви под Мечом Единого. Так делают все.

— Но ведь туда отправляются и женщины, а с ними не происходит ничего.

— Да, — сказал он. — Над этим-то я и раздумывал. Я не понимаю твоей науки, Шрина, но я знаю, как решать задачи. Сначала установить суть отклонения и потом спросить не о том, в чем заключается проблема, а о том, чего она не затрагивает. Если все Меняющиеся совершают паломничество к Мечу, но на женщин оно не влияет, так что мужчины делают другого? Что делал Шэр-ран, пока вы были там?

— Ничего сверх того, что делала и я, — ответила она. — Мы ели, пили, мы спали, мы занимались любовью. Мы вернулись домой.

— Но разве он не поднялся на Пик Хаоса и не нырнул оттуда в воду с двухсотфутовой высоты?

— Да. Насколько я понимаю, обычай требует, чтобы мужчина омылся в Золотом озере. Перед произнесением клятвы. Но ведь это делают все мужчины, а перемена начинается не у всех.

— Верно, — согласился он. — Однако некоторые мужчины просто совершают омовение в наиболее доступной бухте озера. Другие ныряют с невысоких обрывов. Но только самые отчаянные взбираются на Пик Хаоса, чтобы нырнуть оттуда.

— Я все еще не понимаю. Куда ты клонишь?

— Пятеро из последних шести, подвергнувшихся Перемене, взобрались на Пик. Одиннадцать других, просто искупавшихся в бухте, ей не подверглись. Вот оно —

отклонение. Самый большой процент подвергающихся Перемене составляют те, кто взбирался на Пик.

— А как же ты? Ты не влюблен. Ты ни с кем не отправлялся к Мечу.

— Нет, Шрина. Я отправился один. Я поднялся на Пик и нырнул. Ошир взмыл в воздух и принес клятву.

— Кому?

— Любви. Я собирался попросить... одну женщину пойти туда со мной, но не знал, достанет ли у меня мужества нырнуть. И пошел один. А две недели спустя началась Перемена.

Шрина опустилась на стул, не спуская взгляда с человеко-зверя.

— Какой дурой я была! — прошептала она. — Ты можешь еще раз пойти к Мечу со мной?

— Я могу не дотянуть до конца пути человеком, — сказал он. — Громобой, с которым ты пришла к нам, еще у тебя?

— Да, — ответила она и, открыв ящик стола, достала адский пистолет.

— Лучше возьми его с собой, Шрина.

— Я никогда не смогу убить тебя, Ошир. Никогда!

— А я верю, что никогда не причиню тебе вреда. Но ни ты, ни я наверное этого не знаем, ведь правда?

Шэнноу натянул сапоги и надел пояс с кобурами. Он все еще чувствовал себя слабее, чем ему хотелось бы, но силы к нему почти вернулись. Бет Мак-Адам поглощала все его мысли с того часа, когда она разделила с ним постель. Шэнноу сел у окна и оживил в памяти радость того дня. Он не винил ее за то, что с тех пор она его избегала. Что он мог предложить? Какая женщина захотела бы связать свою судьбу с человеком его славы? Пока он выздоравливал, у него было много времени для раздумий. Его жизнь потрачена зря? Что он сделал такого, что осталось бы жить после него? Да, он убивал убийц и, следовательно, мог бы указать, что тем самым спасены жизни их будущих невинных жертв. Но у него не было ни сына, ни дочери, чтобы продолжить его род, и нигде в этом полудиком мире его не принимали надолго.

Иерусалимец. Убийца. Сокрушитель.

«Где же любовь, Шэнноу?» — спросил он себя.

Медленно спустившись по лестнице, он кивнул в ответ на приветственный жест Мейсона и вышел на солнечный свет. С ясного неба лились яркие лучи, и легкий ветер поднимал пыль с сухой дороги.

Шэнноу перешел через улицу и вошел в мастерскую оружейника. Грувса за прилавком не оказалось, он прошел в заднее помещение и увидел, что оружейник склонился над рабочим столом.

Грувс поднял голову и улыбнулся:

— Ну, задали вы мне задачку, менхир Иерусалимец. Эти патроны ведь не кругового воспламенения!

— Да. Центрального воспламенения.

— Тяжелый заряд! Таким надо стрелять точно в цель, не то случайная пуля пробьет стену дома и убьет старичка, дремлющего в кресле.

— Обычно я попадаю в цель, — сказал Шэнноу. — А мой заказ готов?

— А небо синего цвета? Конечно готов. Еще я сделал пятьсот штук для менхира Скейса по тем же образцам. Прибыли адские пистолеты, но без патронов.

Шэнноу уплатил оружейнику и вышел из мастерской. Острый камешек под подошвой напомнил ему, как истерлись его сапоги. В городской лавке напротив он купил новую пару сапог из мягкой кожи, две белые шерстяные рубахи и запас черного пороха.

Пока продавец складывал его покупки, внезапно пол заходил ходуном, и снаружи донеслись крики. Шэнноу ухватился за прилавок, чтобы устоять на ногах, а всюду вокруг него с полок сыпались товары — сковороды, кастрюли, ножи, мешки с мукой.

Столь же внезапно все прекратилось. Шэнноу снова вышел на солнечный свет.

— Нет, вы посмотрите! — завопил прохожий, указывая на небо. Солнце сияло прямо над головой, но ниже к югу на несколько секунд засияло второе солнце и тут же исчезло.

— Ты когда-нибудь видел такое, Шэнноу? — спросил, подходя, Клем Стейнер.

— Никогда.

— А что это было, как по-твоему?

— Может быть, мираж, — пожал плечами Шэнноу. — Я слыхал о таком.

— Просто мурашки по коже забегали! И что-то я не слышал о миражах, которые отбрасывают тени!

Лавочник вышел с покупками Шэнноу. Иерусалимец поблагодарил его, сунул пакет под мышку к пакету, который получил у Грувса.

— Думаешь нас покинуть? — спросил Стейнер.

— Да. Завтра.

— Так, может, нам пора завершить наше дельце? — сказал молодой пистолетчик.

— Стейнер, ты глупый мальчишка. И все-таки ты мне нравишься, и у меня нет желания схоронить тебя. Понимаешь, что я говорю? Держись от меня подальше, малый. Добывай себе славу другим способом.

Прежде чем Стейнер успел что-нибудь сказать, Шэнноу перешел улицу и поднялся по ступенькам «Отдыха путника». В дверях стояла молодая женщина, устремив взгляд на противоположный тротуар. Обходя ее, Шэнноу оглянулся и увидел, что она уставилась на чернобородого мужчину, сидящего на приступке «Веселого паломника». Тот поднял голову, увидел ее, побелел, вскочил и побежал в сторону шатрового поселка. Шэнноу с недоумением посмотрел на женщину внимательнее. Высокая, в удивительно красивой мерцающей золотисто-золотой юбке. Зеленая блуза небрежно заправлена за широкий кожаный пояс, сапоги для верховой езды из мягчайшей кожи лани. Светлые, отливающие золотом волосы, глаза цвета морской зелени.

Она обернулась, перехватила его взгляд, и он чуть не попятился, таким ледяным взглядом она ему ответила. Но он только улыбнулся и поклонился ей. Она вошла в дверь и подошла к Мейсону.

— Скейс здесь? — спросила она тихо, хрипловато, почти шепотом.

Мейсон прокашлялся.

— Еще нет, фрей Шаразад. Не обождете ли его в комнатах?

— Нет. Скажи ему, что мы встретимся в обычном месте. Сегодня вечером.

Она повернулась на каблуках и вышла из гостиницы.

— Красивая женщина, — заметил Шэнноу.

— У меня от нее волосы дыбом встают, — сказал Мейсон с ухмылкой. — Понять не могу, откуда она. Приехала вчера на жеребце восемнадцати ладоней в холке, не меньше. А одежда... юбка же просто чудо! Как они добиваются такого мерцания?

— Понятия не имею, — сказал Шэнноу. — Я уеду завтра. Сколько я вам должен?

— Я же сказал вам, Шэнноу, никакой платы. И так будет, если вы когда-нибудь вернетесь.

— Не думаю, что я вернусь. Но все равно спасибо.

— А вы слышали про целителя?

— Нет.

— Вроде бы караван поразила чума, а этот человек пришел из Пустоши с Камнем Даниила. И исцелил всех. Жаль, что я этого не видел. Про Камни Даниила я уже слышал, а вот видеть не видел. А вам доводилось?

— Да, я их видел, — ответил Шэнноу. — А как он выглядит, этот целитель?

— Высокий, широк в плечах и с бородой, черней которой и быть не может. Не руки — ручищи. Как у кулачного бойца.

Шэнноу вернулся в свою комнату и снова сел в кресло у окна. Золотоволосая женщина смотрела с неприкрытой ненавистью именно на такого человека. Он покачал головой.

«Тебе-то какое дело, Шэнноу?»

Завтра Долина Паломника останется далеко позади.

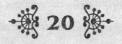

20

Шаразад сидела одна на плоском камне, залитом светом луны. День принес нечаянную радость: Нои-
Хазизатра здесь, в проклятом краю варваров. Его бегство
из Эда служило постоянным источником ярости, и царь остался крайне недоволен. Семь ее Кинжалов были посаже-
ны на кол после того, как с них содрали кожу, а она заметно
утратила благоволение царя. Но теперь — да славится
Велиал! — корабельный мастер вновь почти у нее в руках.
Ее мысли обратились к мужчине, который уставился на нее
в дверях лачуги, которая тут считается гостиницей. Что-то в
нем ее встревожило. Назвать его красивым было нельзя, но
и некрасивым тоже. И глаза! Давным-давно у нее был
любовник с такими же глазами. Гладиатор, непревзойден-
но владевший искусством убивать людей. Не в этом ли
дело? И варвар опасен?

Из-за деревьев донесся скрип колес, и, поднявшись на
гребень холма, она поглядела вниз на двух мужчин на коз-

лах фургона. Один был молод и красив, второй — в годах и лысоватый. Она подождала, чтобы они приблизились, а тогда вышла на тропу.

Лысоватый изо всей мочи натянул вожжи, поставил несуразный тормоз и спустился на тропу.

— Добрый вечер, фрей, — сказал он, разминая затекшую спину. — А вы точно хотите, чтобы мы разгрузились здесь?

— Да, — ответила она. — Именно здесь. А где Скейс?

— Он приехать не смог, — сказал молодой. — Я вместо него. Я Стейнер.

«К чему мне твое имя!» — подумала Шаразад, а вслух распорядилась:

— Разгрузите фургон и откройте первый ящик.

Стейнер отвязал оседланную лошадь от заднего бортика фургона и отвел ее на несколько шагов назад. Потом вместе с лысоватым начал стаскивать на землю тяжелые ящики. Лысоватый достал нож и отодрал крышку одного. Шаразад подошла ближе, наклонилась, сдернула промасленную обертку и вытащила короткоствольное ружье.

— Покажи мне, как оно действует! — потребовала она.

Лысоватый вскрыл пачку патронов и вложил два в патронное окно.

— Они входят вот сюда. До десяти штук. Их удерживает пружина. Беретесь вот тут, — сказал он, ухватывая выемку ложа под стволом, — и нажимаете разок. Теперь патрон занял свое место, курок взведен, и ружье готово к выстрелу. Нажимаете на спусковой крючок, производите выстрел, пустая гильза выбрасывается, и ее место занимает новый патрон.

— Хитроумно, — признала Шаразад. — Но, как ни грустно, это последняя партия. Больше ружей нам не требуется. Мы будем делать собственные.

— Мне-то что грустить! — сказал лысоватый. — Мне-то какая разница?

— А разница есть, — сказала она с улыбкой и взмахнула рукой. Из кустов вокруг них поднялись двенадцать Кинжалов с пистолетами.

— Господи Иисусе, — прошептал лысоватый. — Дьявол! Что это за твари?

Рептилии двинулись вперед. При виде демонических чудовищ Клем окаменел от ужаса позади фургона, потом попятился к своей лошади.

— Убейте их! — приказала Шаразад. Клем бросился ничком, перекатился и вскочил, уже стреляя. Две рептилии свалились на землю. Снова затрещали выстрелы, вокруг распростертого тела Клема взметывались облачка пыли. Его лошадь в ужасе рванулась с места, но Клем, когда она пробегала мимо, стремительно ухватился за луку седла и, полуповиснув, полуволочась по траве, оказался среди деревьев, а вокруг свистели пули.

— Найдите его! — распорядилась Шаразад, и шестеро рептилий неуклюжей рысью скрылись в темноте. Шаразад обернулась к лысоватому, который все эти минуты стоял

точно прикованный к месту. Ее рука нырнула в складки
золотистой юбки и извлекла маленький камень, темно-крас-
ный в черных прожилках.

— Ты знаешь, что это? — спросила она. Он покачал
головой. — Это Кровь-Камень. Он способен творить
чудеса, но его надо кормить. Ты накормишь мой Кровь-
Камень?

— Бог мой! — прошептал он, пятясь от серебряного
пистолета, который достала Шаразад, как зачарованный глядя
в черное дуло.

— Меня удивляет, почему величайшие умы Атлантиды
не изобрели подобной милой игрушки. Такая чистая, такая
смертоносная, такая бесповоротная!

— Прошу вас, фрей. У меня жена... дети. Я же никогда
не делал вам ничего плохого...

— Ты оскорбляешь меня, варвар, уже тем, что существу-
ешь. — Пистолет замер, и пуля пробила ему сердце. Он
упал на колени, потом вытянулся на земле лицом вниз.
Шаразад перевернула его на спину носком сапога и положила Кровь-Камень ему на грудь. Черные прожилки сузились и исчезли.

Она села возле трупа, закрыла глаза и сосредоточилась
на своей победе. В ее сознании сложился образ, и она
увидела Нои-Хазизатру — безоружного, словно просящего,
чтобы его схватили. Но между ней и желанной местью
возникла черная тень. Лицо было неясным пятном, но она
сосредоточилась еще больше и узнала человека из «Отдыха

путника», но только теперь глаза у него были языками пламени, а его руки держали змей с острыми клыками, несущими смерть. Удерживая этот образ, она воззвала к своему повелителю, и у нее в сознании появилось его лицо.

«Что тебя тревожит, Шаразад?»

«Взгляни, Владыка, на этот образ. Что он означает?»

«Огненные глаза показывают, что он беспощадный враг, змеи показывают, что в его руках есть сила. А позади него стоит отступник, посмевший пророчить?»

«Да, Владыка. Он здесь, в этом нелепом мире».

«Захвати его. Я хочу, чтобы он был у меня. Ты поняла, Шаразад?»

«Да, Владыка. Но скажи мне, почему мы не имеем больше дела со Скейсом? Я думала, их ружья будут нам полезны».

«Я открыл врата в другие миры, куда более могущественные. От твоего варварского царства очень мало толка. Если желаешь, возьми десять центурий Кинжалов и науськай их на кровь варваров. Да, Шаразад, сделай так, если это доставит тебе удовольствие».

Его лицо исчезло. Десять центурий Кинжалов! Никогда еще она не командовала таким их числом. О, и будет большим удовольствием составить план битвы, а потом насладиться громом выстрелов, воплями умирающих. Быть может, если она отличится, то получит командование над людьми, а не над этими мерзкими чешуйчатыми тварями из-за врат. Погрузившись в мечты, она не услышала дальние выстрелы.

* * *

Клем Стейнер получил две пули. На груди расплывалось красное пятно, а левая нога горела огнем — по краям рваной раны с кровью смешивался пот. Лошадь под ним убили, однако он сумел попасть по крайней мере в одну из преследовавших его тварей.

«Во имя дьявола, кто они?»

Укрываясь за большим камнем, Клем углубился в лес на склоне. Он было подумал, что это люди в масках, но теперь его разбирали сомнения. И они так стремительны! Мелькали перед ним с быстротой, на какую люди не способны. Облизнув губы, он затаил дыхание и прислушался. Услышал вздохи ветра в листве над головой, а слева — журчание ручья. Справа возникла черная тень, он перекатился через бок и выстрелил. Пуля вошла рептилии под нижнюю челюсть, пронизала череп насквозь, и тварь упала рядом с ним. Ее лапы судорожно дергались. Клем в ужасе уставился на серую чешую и панцирь из черной кожи. Рука твари завершалась четырьмя толстыми трехсуставными пальцами.

«Иисусе! Да это же демоны! — подумал он. — На меня охотятся демоны!»

Он с трудом подавил панику и заложил в пистолет последние патроны. Потом забрал оружие рептилии и привалился спиной к камню. Рана на груди была под самой ключицей, и он с надеждой подумал, что пуля, возможно, не задела легкого. «Конечно, не задела, дурень! Ты же не харкаешь кровью!»

Однако его одолевала слабость. Глаза у него закрылись, но он тут же открыл их. «Надо идти! Спастись!» И пополз. Но потеря крови совсем лишила его сил, и через несколько шагов он утратил способность двигаться. Позади послышался шорох, он попытался перекатиться, но нога в сапоге пнула его в бок, и поднятый пистолет вылетел из его руки. Потом он почувствовал, что его волокут вниз по склону. Тут боль исчезла, и он потерял сознание.

Боль заставила его очнуться, и он обнаружил, что раздет донага и привязан к дереву. Вокруг мертвой твари, которую он убил на склоне, сидели четыре рептилии. Он увидел, как одна взяла зазубренный нож, рассекла грудь трупа и вытащила сердце. Клема одолевала тошнота, но он не мог отвести глаз от происходящего. Рептилии запели — их свистящее шипение отдавалось эхом в деревьях. Затем первая разрезала сердце на четыре куска, остальные три взяли по куску сердца и съели их.

Потом опустились на колени возле трупа, и каждая прикоснулась к нему лбом. Наконец, они встали и повернулись к своему связанному пленнику. Клем посмотрел в их золотые глаза с узкими вертикальными зрачками, потом на зазубренные ножи в их руках.

Не видать Клему Стейнеру ни блеска славы, ни восхищенных взглядов! Не ждут его ни сокровища, ни влюбленные женщины. Его охватил гнев, и он забился в веревках, которые врезались ему в тело. Рептилии двинулись к нему.

— «*Вот*, — произнес голос, и, поглядев вправо, Клем увидел Йона Шэнноу. Солнце светило Иерусалимцу в спину, и виден был только его силуэт. Голос был низким, властным, и рептилии остановились, уставившись на пришельца. — *Вот идет буря Господня с яростью, буря грозная, и падет на главу нечестивых*».

Наступила тишина. Шэнноу стоял неподвижно, и утренний ветерок играл полами его длинной куртки.

Одна из рептилий опустила нож, шагнула вперед, и раздался ее шипящий голос:

— Ты приззззрак или сссмертный?

Шэнноу не ответил, и рептилии сбились в кружок, перешептываясь. Затем вожак направился к Иерусалимцу.

— Я чую зззапах твоей крови, — прошипел Кинжал. — Ты Сссмертный!

— Я смерть, — сказал Шэнноу.

— Твои ссслова иссстинны, — сказал вожак после паузы. — У нассс нет ссстраха, но мы понимаем много такого, чего люди не зззнают. Ты тот, как ты и сссказал, и твоя сссила коссснулась нассс. Этот день твой. Но будут другие дни. Ходи ссс оглядкой, Носсситель Сссмерти.

Вожак сделал знак остальным Кинжалам, потом повернулся на каблуках и удалился размашистым подпрыгивающим шагом.

Время для Клема остановилось, а Шэнноу словно бы превратился в статую.

— Помоги мне! — позвал раненый. Иерусалимец медленно подошел к дереву и присел на корточки. Клем поглядел ему в глаза. — Я обязан тебе жизнью, — прошептал он.

— Ты мне ничем не обязан, — сказал Шэнноу, разрезал веревки и заткнул раны в груди и ноге Клема. Потом помог ему одеться и подвел его к черному жеребцу.

— Их еще много, Шэнноу. И я не знаю, где они.

— Довлеет днева злоба его, — сказал Взыскующий Иерусалима, подсаживая Клема в седло, потом сел сам позади него и направил жеребца в холмы.

Когда Сзшарк и его три товарища выбежали на лужайку, Шаразад оглянулась, подняла руку и поманила высокого Кинжала к себе. Он подошел и слегка поклонился.

— Вы нашли его?

— Нашшшли.

— И убили?

— Нет. Другой потребовал его сссебе.

Шаразад подавила гнев. Сзшарк был вождем этих тварей, первым, кто из рептилий дал клятву верности царю.

— Объясни! — потребовала она.

— Мы взззяли его жжживым, как ты сссказзала. Потом явилась тень. Высссокий воин. Сссолнце сссветило ему в ссспину. Он сссказзал ссслова сссилы.

— Но это был человек, так?

— Человек, да.

— Он вступил в бой? Что произошло? Что?

— Беззз боя. Он Сссмерть, Зззлатовлассска. В нем сссила, мы почувсссствовали ее.

— Вы просто ушли и оставили его? Это трусость, Сзшарк!

Его клинообразная голова наклонилась набок, большие золотистые глаза впились в нее.

— Это ссслово для человеков. Мы не зззнаем ссстраха, Златоввлассска. Но умирать просссто так не подобает.

— Откуда вы знали, что умрете? Вы ведь не попытались сразиться с ним. У вас же есть пистолеты, верно?

— Писсстолеты! — брезгливо повторил Сзшарк. — Громкий шшшум. Убивают очень далеко. Где чессссть? Мы Кинжалы. Этот человек. Это сссила. На нем писсстолеты. Но он не берет их в руки. Понимаешшшь?

— Я все понимаю. Собери двадцать воинов и отыщи его. Он мне нужен. Возьми его. Ты понял это?

Сзшарк кивнул и отошел от нее. Она не поняла и никогда не поймет. Носитель Смерти мог бы выстрелить в них в любую минуту, а вместо этого только произнес слова силы. Он дал им выбор: жизнь или смерть. Вот так просто. Какое разумное существо не выбрало бы жизни? Сзшарк обвел взглядом стоянку. Его воины ждали его приказа.

Он отобрал двадцать и следил, как они побежали в лес.

Шаразад снова подозвала его к себе.

— Почему ты не с ними? — спросила она.

— Я дал ему этот день, — сказал он и отошел. Он чувствовал, как его хлещут волны ее гнева, ощущал ее желание всадить пулю ему в спину. И ушел к ручью, сел на землю, опустил голову в воду, наслаждаясь прохладным спокойствием Подповерхности.

Когда в джунгли явился со своими легионами царь Атлантиды, руазши сражались так, что остановили их наступление. Однако Сзшарк увидел неизбежный конец: руазшей было слишком мало, чтобы противостоять мощи Атлантиды. И он отправился один к царю.

«Зачем ты пришел?» — спросил царь, сидевший перед своим походным шатром.

«Убить тебя или ссслужить тебе», — ответил Сзшарк.

«Какой ты сделаешь выбор?» — спросил царь.

«Уже сссделал».

Царь кивнул, лицо у него растянулось, зубы оскалились.

«Так покажи мне», — сказал он.

Сзшарк опустился на колени и протянул царю свой кривой кинжал. Монарх взял его и прижал острие к горлу Сзшарка.

«Теперь как будто и я могу выбрать одно из двух».

«Нет, — сказал Сзшарк, — только одно».

Рот царя открылся, и рептилию ошеломили вырвавшиеся оттуда лающие звуки. В дальнейшем Сзшарку предстояло узнать, что эти звуки были смехом и что у людей они означают хорошее настроение. От Шаразад он их слышал очень редко. Только если кто-нибудь умирал.

Теперь, когда он вынул голову из воды, в его сознании заплескались волны тихой музыки. И он ответил на Зов:

«Говори, мой брат, мой сын», — отозвалось на музыку его сознание.

Из кустов вышел Кинжал и скорчился на земле, избегая взгляда Сзшарка. Музыка в сознании Сзшарка утратила мягкость, и туда проник язык руазшей.

— Златовласка хочет напасть на дома людей, обрабатывающих землю. Ее мысли легко читать. Но там почти нет воинов, Сзшарк! Зачем мы здесь? Или мы оскорбили царя?

— Царь — Великая Сила, мой сын. Но его люди боятся нас. А теперь мы... всего лишь игрушки делящей с ним ложе. Она жаждет крови. Но мы дали клятву царю и обязаны повиноваться. Люди, обрабатывающие землю, должны умереть.

— Это нехорошо, Сзшарк. — Музыка снова изменилась. — Почему Истинноговоривший не убил нас? Мы недостойны его умения?

— Ты прочел его мысли. У него не было нужды убивать нас.

— Мне не нравится этот мир, Сзшарк. Я хотел бы вернуться домой.

— Мы никогда не вернемся домой, мой сын. Но царь обещал никогда больше не открывать врата. И Семя в безопасности, пока мы остаемся заложниками.

— Златовласка нас ненавидит. Она постарается, чтобы мы все погибли. Съесть наши сердца и дать нам жизнь будет некому. И я уже больше не могу чувствовать души моих братьев по ту сторону врат.

— И я не могу. Но они там, и они носят наши души. Мы не можем умереть.

— Идет Златовласка! — Кинжал быстро вскочил и скрылся в кустах.

Сзщарк встал и поглядел на женщину. Ее уродливость вызывала тошноту, но он замкнул свое сознание, сосредоточился на грубой людской речи.

— Чего ты хочешшшь? — спросил он.

— Тут поблизости есть селение. Я хочу, чтобы оно было уничтожено.

— Как прикажешшшь, — сказал он.

❧ 21 ❧

Шэнноу ехал осторожно, поддерживая раненого, и часто останавливался, оглядывая свой след. Признаков погони пока не было никаких, и Иерусалимец, направив коня выше в холмы, проехал по каменной осыпи, на которой не оставалось никаких отпечатков. Рана в груди Стейнера перестала кровоточить, но левая штанина намокла от крови. Он впал в бредовое полузабытье, прислоняясь головой к плечу Шэнноу.

— Я же нечаянно, пап... — прошептал он. — Я не хотел... Не бей меня, пап! — Стейнер заплакал. Тило, ритмично, безнадежно всхлипывая.

Шэнноу остановил жеребца в неровном кольце валунов высоко на склоне, выходящем на Великую Стену. Поддерживая Стейнера, он спешился и положил молодого человека на землю. Стейнер был без сознания. Жеребец отошел в сторону и принялся щипать траву, а Шэнноу соорудил постель, накрыл Стейнера одеялом по пояс и, взяв нитку с иглой, зашил раны на ногах пистолетчика. Рваная дыра выходной раны встревожила его: пуля явно срикошетила от кости и разбилась. Шэнноу закрыл рану, как сумел, и оставил Стейнера лежать спокойно, а сам поднялся к гребню и оглядел местность внизу. Вдали он различил темные фигуры, рыскающие в поисках следа. Он знал, что опередил погоню на три часа, однако что толку, если на двоих только один конь, а один из двоих тяжело ранен?

Он прикинул, не повернуть ли назад в Долину Паломника, но отбросил эту мысль. Ему пришлось бы проскользнуть между рептилиями, и надеяться, что ему вновь повезет, было бы глупо.

Шэнноу уехал из городка на рассвете, но, услышав стрельбу, свернул на восток. Он увидел, как рептилии в черных панцирях подтащили бесчувственного Стейнера к дереву и раздели; он наблюдал, как они съели сердце своего мертвого товарища. Он никогда не видел ничего на них похожего и даже не слышал о подобных тварях. Странно, что они вот так внезапно появились в Долине Паломника. Местные легенды повествовали о чудовищных зверях За Стеной, которые ходят, как люди, но он ни разу не слышал упоминаний о чешуе или о том, что человеко-звери владеют оружием — а уж тем более примечательными адскими пистолетами.

Он перестал раздумывать над этой загадкой. Откуда они взялись, значения не имело. Они здесь, и встреча с ними неизбежна.

Стейнер снова заплакал во сне, Шэнноу подошел к нему и взял за руку.

— Все хорошо, малый. Ты в безопасности. Спи без тревог.

Но его слова не были услышаны, и Стейнер продолжал плакать.

— Не надо, пап! Не надо! Ну, прошу тебя! — По лицу Стейнера струился пот, оно стало землистым. Шэнноу накрыл раненого вторым одеялом и пощупал пульс. Пульс был неровным и слабым.

— У тебя две возможности, малый, — сказал Шэнноу, — жить или умереть. Выбор за тобой.

Он вернулся к гребню, тщательно следя, чтобы не показаться на фоне неба. Темные фигуры на востоке заметно приблизились, и Шэнноу насчитал их больше двадцати. Они медленно продвигались вперед врассыпную. Далеко на западе курился дымок — возможно, лагерного костра.

Стейнер не выдержал бы скачки, а остановить двадцать врагов Шэнноу никак не мог. Он почесал щетинистую щеку и попытался обдумать положение. Стейнер смолк, и он подошел к нему. Раненый спал, и пульс у него стал лучше. Шэнноу вернулся к гребню и начал ждать.

Сколько раз, подумалось ему, он вот так ждал, пока враги подбирались к нему? Разбойники, зачинатели войн, охотники за людьми, зелоты и другие исчадия Ада — все они пытались убить Взыскующего Иерусалима.

Он вспомнил зелотов, фанатичных убийц, которых их Кровь-Камни наделяли особыми способностями, позволявшими духу воспарять к небу, вселяться в тела зверей и подчинять их своей воле. Один раз на Шэнноу напал лев, одержимый зелотом. Он тогда сорвался с обрыва и чуть не утонул в бешеном потоке.

А еще Хранители с их жутким оружием, заимствованным из Межвременья — ружья, которые выпускали в минуту сотню пуль, разрывавших человека в клочья.

Но никто не взял верха над Взыскующим Иерусалима.

Пендаррик, призрачный царь Атлантиды, объяснил Шэнноу, что он ролинд, воин особого склада, которого Бог одарил шестым чувством, предупреждающим об опасности. Но даже с помощью Пендаррика он чуть не погиб, сражаясь с Саренто, вождем Хранителей.

Как долго еще будет сопутствовать ему удача?

«Удача ли, Шэнноу?» Он взглянул на небо, безмолвно испрашивая прощения. Давным-давно, когда он был ребенком, старый учитель рассказал ему притчу.

Некий человек, чьи дни подошли к концу, оглянулся на прожитую жизнь и увидел свой след в ее песках. А рядом тянулся другой след, и он понял, что это был след Бога. А вглядевшись внимательнее, он увидел, что в самые тяжкие для него дни второй след исчезал. Он поглядел на Бога и спросил: «Почему ты покидал меня, когда я нуждался в тебе больше всего?» А Бог ответил: «Я никогда тебя не покидал, сын мой». Когда же человек спросил: «Но почему я вижу только один след?», Бог улыбнулся и ответил: «Потому что это были дни, когда я нес тебя на руках».

Шэнноу широко улыбнулся, вспомнив это время в старой школе, где он учился вместе со своим братом Даниилом. Сколько всяких историй рассказывал мистер Хиллель! И все они возвышали дух.

Фигуры на равнине подошли еще ближе. Шэнноу уже различал черные панцири, серую чешуйчатую кожу их треугольных морд. Он осторожно спустился к жеребцу, привязал его к камню, достал из седельной сумки запасные пистолеты и засунул их за пояс. Поднявшись к гребню, он оглядел склон, оценивая расстояния до возможных укрытий и выбирая наилучшие места для ведения огня.

И пожалел, что с ним нет Бетика. Этот великан, исчадие Ада, был прирожденным воином, бесстрашным и смертоносным. Вместе они ворвались в огромную каменную крепость, чтобы выручить друга. Бетик отправился в Новый Вавилон спасать Донну Тейбард и сразился с самим Дьяволом. Как он был сейчас нужен Шэнноу!

Передний Кинжал учуял след и махнул остальным. Они собрались тесной группой шагах в двухстах от холма и побежали вверх по склону. Шэнноу достал адские пистолеты и взвел курки.

В эту минуту с запада появились четверо всадников. Увидев рептилий, они натянули поводья, больше из любопытства, чем из страха. Одна из рептилий выстрелила, и всадник покачнулся в седле. Остальные трое ответили залпом, и Шэнноу воспользовался случаем, чтобы перекатиться через гребень и добежать до большого валуна на середине склона. Стрельба продолжалась. И он увидел, как упала лошадь, а всадник распластался на земле позади нее и принялся хладнокровно посылать в рептилий пулю за пулей. Пять их валялось в траве, остальные побежали в поисках укрытия. Шэнноу вышел им навстречу, его пистолеты зарявкали, две рептилии опрокинулись, третья упала, хватаясь за горло. Это внезапное нападение ошеломило уцелевших: не выдержав, они обратились в бегство и помчались назад по равнине с неимоверной быстротой. Шэнноу выждал минуту, не спуская глаз с подстреленных рептилий. Внезапно одна приподнялась, поднимая пистолет... Шэнноу прострелил ей голову. Потом направился к всадникам. Двое были убиты, третий ранен. Четвертый стоял, прижимая ружье к груди. Светло-рыжий, широкое дружелюбное лицо, узкие глаза. Шэнноу узнал в нем одного из всадников, наблюдавших, как он вернул себе коня.

— Большое спасибо за помощь, Шэнноу, — сказал он, протягивая руку. — Друзья называют меня Быком.

— Рад познакомиться, Бык, — сказал Шэнноу, словно не заметив протянутой руки. — Вы подъехали как раз вовремя.

— Это как посмотреть, — заметил всадник, глядя на убитых товарищей. Раненый сидел на земле, прижимая ладонь к плечу и ругаясь.

— На холме еще один раненый, — сказал Шэнноу. — Может, поедешь в Долину Паломника, пришлешь фургон?

— Ладно. Но вроде бы гроза собирается. Так лучше бы ты его отвез в дом фрей Мак-Адам, мы как раз вчера его достроили. Все-таки у него будет крыша над головой и постель.

Бык объяснил Шэнноу, как ехать, а потом вместе с раненым товарищем направился на север. Шэнноу забрал оружие и патроны двух убитых, а потом вернулся к трупам рептилий и нагнулся, чтобы хорошенько их рассмотреть. Большие выпуклые глаза золотистого цвета, вертикальные овальные зрачки, как у кошек. Морды вытянуты, рты безгубые, усажены острыми зубами. Однако Шэнноу очень встревожило то, что на них всех были одинаковые панцири. Он вспомнил исчадий Ада. Нет, эти твари не хищники, убивающие каждый для себя. Они — часть войска, а это ничего хорошего не предвещало. Он забрал их оружие и спрятал за камнем. Вернувшись к гребню, он поднял Стейнера, водрузил его в седло, скатал одеяла, сел позади бесчувственного Стейнера и поехал к дому Бет Мак-Адам.

Когда Сэмюэль Мак-Адам вышел из нового дома и увидел, что у стены в тени сидит какой-то человек, он испугался и попятился, не спуская глаз с незнакомца. Очень высокий, широкоплечий. А такой черной бороды Сэмюэль еще никогда не видел! Он сидел и смотрел на стену вдали.

— День очень жаркий, — сказал чернобородый, не повернув головы.

Сэмюэль промолчал.

— Меня не надо бояться, дитя. У меня нет оружия, и я просто отдыхаю здесь в прохладной тени, прежде чем пойти дальше.

Говорил он негромко, красивым басом, внушавшим доверие, однако сыну Бет Мак-Адам было строго-настрого приказано остерегаться незнакомых людей.

«Некоторые, — втолковывала ему Бет, — с виду хорошие, а внутри злые. Другие с виду злые и внутри злые. Держись подальше от них от всех». Но как держаться подальше от человека, который сидит чуть не на пороге их дома? Ну, все-таки внутрь он не вошел, подумал Сэмюэль, и, значит, хотя бы умеет вести себя мирно. Бет с Мэри на лугу запрягали быков в плуг: пора было приступать к долгим и тяжким трудам пахарей. Сэмюэль подумал, не убежать ли ему назад в дом, а оттуда через черный ход — к матери.

— Я был бы очень благодарен, если бы мог напиться, — сказал чернобородый, кивая на колодец, который выкопали Бык и его товарищи. — Это дозволено?

— Пожалуйста, — сказал Сэмюэль, очень довольный, что может что-то разрешить взрослому мужчине, и наслаждаясь ощущением силы, которое возникает, когда делаешь кому-то одолжение.

Чернобородый встал и пошел к колодцу. Сэмюэль заметил, что руки у него длинные, а кулаки просто огромные.

Шел он, покачиваясь, словно не привык ступать по твердой земле, и все время ждал, что она вот-вот уйдет у него из-под ног. Он опустил ведро в колодец, вытащил его без малейших усилий, зачерпнул воду ковшом и напился, а потом медленно вернулся и сел, глядя на Сэмюэля.

— У меня есть сын, твой ровесник, — сказал он. — Зовут его Яфет. У него золотые волосы, и ему тоже не велят разговаривать с незнакомыми людьми. Твой отец дома?

— Он умер и ушел на Небеса, — объяснил Сэмюэль. — Он понадобился Богу.

— Значит, он счастлив. А меня зовут Нои. Твоя мать тут?

— Она работает и не обрадуется, если ей помешают, а тем более незнакомый человек. Она бывает очень сердитой, менхир Нои.

— Могу ее понять. За то короткое время, которое я провел здесь, мне уже пришлось убедиться, что этот мир полон насилия. Однако приятно повстречать много людей, знающих про Бога и его деяния.

— Вы проповедник? — спросил Сэмюэль, садясь на корточки и прислоняясь к стене.

— Да... в своем роде. Я корабельный мастер, но я и старейшина в Законе Единого, и проповедую в Храме. Вернее, проповедовал.

— И вы знаете про Небеса? — осведомился Сэмюэль, широко открыв глаза от удивления.

— Немножко. К счастью, я еще не был призван туда.

— Так откуда вы знаете, что моему папе там хорошо? Может, ему там не нравится? Может, он грустит без нас?

— Он ведь вас видит, — сказал Нои. — И знает, что Великий... что Бог заботится о вас.

— Он всегда хотел жить в хорошем доме, — сказал Сэмюэль. — Там есть хорошие дома?

Нои устроился поудобнее и не заметил световолосую женщину, которая тихо прошла через дом с большим пистолетом в руке. Она остановилась в тени у порога, слушая его.

— Когда я был маленьким, я тоже думал об этом и пошел к Храмовому Наставнику. Он объяснил мне, что дома на Небесах особые. Он сказал, что когда-то жила богатая женщина, очень благочестивая, но не очень любившая своих ближних. Она много молилась, но никогда не думала о том, чтобы сделать кому-нибудь добро. Она умерла и пошла в Рай, а когда пришла, ее встретил ангел и сказал, что проводит ее в предназначенный ей дом. Они подошли к большим дворцам из мрамора и золота. «Я буду жить здесь?» — спросила она. «Нет», — ответил ангел. Потом они вышли на улицу с прекрасными домами из камня и кедрового дерева. Однако прошли и мимо них. Наконец, они добрались до улицы с маленькими домиками. «Я буду жить здесь?» — спросила она. «Нет», — ответил ангел. Они шли и шли, пока не пришли к безобразному пустырю у реки. Там стояла лачужка — две стены, сколоченные из гнилых досок, с убогой кровлей и изъеденным молью одеялом на земляном полу. «Вот твой дом», — сказал ангел. «Но он никуда не годится! — сказала богатая женщина. — Я не могу в нем жить». Ангел улыбнулся и сказал: «Я очень сожалею, но это все, что мы могли построить из материала, который ты присылала сюда». — Нои улыбнулся недоумевающему мальчику. — Если твой отец был добрым человеком, то у него теперь чудесный дом, — добавил он.

Сэмюэль заулыбался:

— Он был добрый. Очень добрый.

— Ну а теперь тебе следует предупредить свою мать обо мне, — сказал Нои. — Чтобы она не испугалась, когда увидит меня.

— Она вас уже увидела, — сказала Бет Мак-Адам. — И еще не родился мужчина, которого я испугалась бы. Зачем вы здесь?

Нои встал и поклонился.

— Я ищу входа в Стене и остановился здесь, чтобы утолить жажду водой. Я сейчас же уйду.

— Где ваш пистолет?

— Я не ношу оружия.

— Неумно, — сказала Бет, — но дело ваше. Буду рада, если вы пообедаете с нами. Мне понравился ваш рассказ про Небеса. Пусть это и выдумки, но он мне понравился.

По равнине пробежала дрожь, и Бет швырнуло на косяк. Она уронила пистолет. Сэмюэль закричал, а Нои еле устоял на ногах. Но тут же все кончилось. Нои нагнулся за пистолетом, и взгляд Бет стал жестким, однако он просто подал ей его.

— Ты погляди, мам! — завопил Сэмюэль.

В небе пылали два солнца, и деревья вокруг хижины отбрасывали по две тени. Несколько секунд все вокруг заливал ослепительный свет, затем второе солнце побледнело и исчезло.

— Замечательно, правда? — спросил Сэмюэль. — Так жарко и так светло!

— Нет, не замечательно, — сказал Нои негромко. — Совсем не замечательно.

Из-за угла хижины выбежала Мэри.

— Вы видели?.. — закричала она и осеклась при виде незнакомца.

— Мы видели, — ответила Бет. — Вы с Сэмюэлем идите-ка накрывать к обеду. Поставьте тарелку для нашего гостя.

— Его зовут менхир Нои, — сообщил Сэмюэль, исчезая в доме.

Бет сделала знак Нои, и они вышли на солнечный свет.

— Что произошло? — спросила она. — Я чувствую, что вам эти жуткие знаки понятнее, чем мне.

— Есть то, чему быть не должно, — ответил Нои. — Есть силы, которыми Человеку не должно пользоваться. Врата, которые не должно открывать. Это время великой опасности и еще более великого безумия.

— Вы ведь тот, у кого был Камень Даниила, верно? Тот, кто исцелил чумных?

— Да.

— Говорят, что Камень полностью истощился.

— Да, это так. Но он послужил благой цели, Господней цели.

— Я слышала про них, но не верила. Как может Камень творить магию?

— Не знаю. Сипстрасси был даром Небес. Он упал с неба сотни лет назад. Однажды я разговаривал с ученым, и он сказал, что Камень — всего лишь усилитель, что с его помощью людские мечты могут стать явью. Он утверждал, что магия есть в каждом человеке, но она спрятана в нашем сознании очень глубоко. Сипстрасси высвобождает эту силу. Не берусь судить, так ли это, но я знаю, что магия реальна. Мы только что видели подтверждение этому в небе.

— Какая же это могучая магия, — сказала Бет, — если она способна создать другое солнце!

— Это не другое солнце, — сказал ей Нои. — В том-то и опасность.

22

—Ваше оружие поистине ужасно, — сказал Нои, осматривая рану в груди Клема Стейнера. — Меч убивает, но по крайней мере человек встречается с врагом лицом к лицу, рискуя жизнью. А эти громобои — варварство.

— Мы варвары, — ответил Шэнноу, прикладывая ладонь ко лбу Стейнера. Молодой человек спал, но его пульс оставался слабым.

— Вы сказали что-то про рептилий, Шэнноу, — напомнила Бет, когда они втроем вернулись в большую комнату. — Я ничего не поняла.

— Я никогда не видел ничего на них похожего. Они носят черные панцири и вооружены адскими пистолетами. По словам Стейнера, ими командует женщина. — Он посмотрел на Нои. — По-моему, вы что-то знаете о ней, Целитель.

— Я не целитель. У меня была... магия. Но она истощилась. И да, я многое о ней знаю. Шаразад. Одна из наложниц царя. Она кровожадна, а он исполняет ее желания. Рептилий называют Кинжалами. Они появились в царстве тому четыре года из врат, которые ведут в мир жарких влажных лесов. Они очень быстры и смертоносны. Царь использовал их в нескольких войнах. Во владении мечами и ножами с ними не сравнится никто. Но вот ваше оружие...

— Какой еще царь? — сердито спросила Бет. — Ни о каких царях я тут не слышала. Это что — За Стеной?

Нои покачал головой, но тут же улыбнулся.

— В определенном смысле, да. Там За Стеной — город, где я родился и вырос. И все же это не мой город. Мне трудно объяснить, дражайшая госпожа, так как я сам не все понимаю. Город называется... назывался... Эд. Один из семи великих городов Атлантиды. За мной охотились Кинжалы, и я использовал мой... Камень Даниила? Так?.. чтобы спастись. Я должен был перенестись в Балакрис, другой великий город на берегу океана. А вместо этого попал сюда, в будущее.

— То есть как так — в будущее? — переспросила Бет. — Вы говорите какую-то бессмыслицу.

— Я знаю, — ответил Нои. — Однако, когда я покинул Эд, город стоял у моря, и в порту было полно больших трирем. Здесь он со всех сторон окружен сушей, а статуи изъедены временем.

— Это случилось, — негромко сказал Шэнноу, — когда океан поглотил Атлантиду двенадцать тысяч лет назад.

Нои кивнул:

— Я так и думал. Единый ниспослал мне видение этой гибели. Но я рад, что память о нашем мире сохранилась. Как вы узнали про него?

— Я видел Балакрис, — сказал Шэнноу. — Это мертвый город, но здания уцелели. И еще я знавал человека, которого звали Сэмюэль Арчер, и он рассказал мне о первом Падении мира. Вы не знаете, много здесь Кинжалов?

— Точно не скажу, но, во всяком случае, несколько легионов. Может быть, пять тысяч, может быть, меньше.

Шэнноу отошел к окну и поглядел наружу в ночь.

— Не знаю, сколько их здесь, — сказал он, — но у меня скверное предчувствие. Я проведу ночь снаружи. Мне жаль, Бет, что я навлек беду на ваш дом, но думаю, со мной здесь вам будет безопаснее.

— Вы желанный гость здесь... Йон. Делайте то, что должны делать, а я пригляжу за Стейнером. Если он переживет эту ночь, то, может быть, и выкарабкается.

Шэнноу взял с собой немного вяленого мяса и сушеных фруктов, поднялся на склон позади дома, сел под развесистой сосной и оглядел темный горизонт. Где-то там собирались демоны, и золотоволосая женщина грезила о крови. Он вздрогнул и застегнул куртку.

В полночь к нему пришел Нои, и они сидели рядом под звездами в дружеском молчании.

— Почему они охотятся за вами? — наконец спросил Шэнноу.

— Я проповедовал против царя. Я предостерег людей... пытался предостеречь о близящейся роковой беде. Они не слушали. Завоевания царя безмерно пополнили казну. Никогда еще люди не были так богаты.

— И потому они хотели убить вас? Так всегда бывает с пророками, мой друг. Расскажите мне про вашего бога.

— Он не «мой» бог, Шэнноу. Просто Бог. Владыка Хронос, творец Неба и Земли. Единый Бог. А вы? Во что верите вы?

Более часа они говорили о своих религиях и очень обрадовались, обнаружив, что во многом их веры схожи. Шэнноу был симпатичен могучий корабельный мастер, и он с удовольствием слушал его рассказы про сыновей, милую жену Пашад, про корабли, которые он строил, о плаваниях, которые совершил. Однако, когда Нои задавал Иерусалимцу вопросы о его жизни, тот только улыбался и вновь возвращался к Атлантиде и далекому прошлому.

— Мне хотелось бы почитать вашу Библию, — сказал Нои. — Дозволено ли это?

— Конечно. Но меня удивляет, что древний народ Атлантиды говорил на нашем языке.

— Не думаю, что это так, Шэнноу. Когда я попал сюда, я не понимал ни слова. Но чуть я приложил Камень ко лбу женщины, нуждавшейся в исцелении, все слова обрели для меня смысл. — Он засмеялся. — Быть может, когда я вернусь, то не смогу говорить на языке моих отцов.

— Вернетесь? Вы же сказали, что ваш мир вот-вот погибнет. Зачем вам возвращаться?

— Там Пашад. Я не могу ее покинуть.

— Но вы ведь можете вернуться для того лишь, чтобы умереть с ней!

— Как поступили бы вы, Шэнноу?

— Я бы вернулся, — ответил он, не задумываясь. — Но ведь меня всегда считали немного тронутым.

Нои похлопал Шэнноу по плечу:

— Это не безумие, Шэнноу. Любовь — величайший дар Бога. Куда вы отправитесь отсюда?

— На юг За Стену. Там в небе есть знаменья, которые я хочу увидеть.

— Какие знаменья?

— В облаках парит Меч Божий. И, может быть, неподалеку оттуда находится Иерусалим.

Нои помолчал.

— Я поеду с вами, — сказал он затем. — Мне тоже надо увидеть эти знаменья.

— Край За Стеной называют гибельным. И чем это вам поможет вернуться домой?

— Не знаю, мой друг. Но Владыка повелел мне найти Меч, и его волю я исполняю без вопросов.

— Могу одолжить вам пистолет или два.

— Не нужно. Если Владыка назначил мне смерть, я умру. Ваши громобои ничего не изменят.

— Для меня это слишком уж фаталистично, Нои, — сказал Иерусалимец. — На Бога уповай, но курок держи взведенным. Я убедился, что Он предпочитает тех, кто всегда наготове.

— Он говорит с вами, Шэнноу? Вы слышите Его глас?

— Нет. Но я вижу Его в степях и на горах. Ощущаю Его присутствие в ночных ветерках. Я вижу Его славу в разгорающейся заре.

— Мы счастливцы — вы и я. Я потратил пятьдесят лет, чтобы выучить тысячу имен Бога, известных человеку, и еще тридцать, познавая девятьсот девяносто девять имен, открытых пророкам. Придет день, и я узнаю тысячное, которое звучит только в пении ангелов. Но все эти знания — ничто в сравнении с ощущением близости, которое вы описали. Немногим даровано испытать его. И я жалею тех, кому оно не дано.

В долине мелькнула тень, и Шэнноу предостерегающе поднял ладонь. Несколько минут он внимательно вглядывался в темноту, но больше ничего не заметил.

— Вам лучше вернуться в дом, Нои. Мне надо побыть одному.

— Я чем-то вам досадил?

— Вовсе нет. Но мне необходимо сосредоточиться... чтобы почувствовать приближение врагов. Мне необходимы все мои силы, Нои. А для этого я должен быть один. Если вы не можете уснуть, достаньте из моей седельной сумки одну из Библий. Увидимся на заре.

Когда Нои-Хазизатра ушел, Шэнноу встал и бесшумно углубился в деревья. Мелькнувшая тень могла быть волком или собакой, лисицей или барсуком.

Но точно так же она могла быть и Кинжалом.

Шэнноу расстегнул кобуры и начал ждать.

Шэнноу оставался начеку, пока не приблизился рассвет. А тогда внутренняя тревога исчезла, его мышцы расслабились, он прислонился спиной к толстому комлю сосны и заснул.

Бет Мак-Адам вышла навстречу свету ранней зари и поглядела на небо. Эти минуты всегда были для нее особыми — когда небо голубело, но в нем еще сияли звезды. Она посмотрела на лесистый склон и пошла к спящему Шэнноу. Он не услышал ее шагов, и несколько минут она сидела возле него, вглядываясь в его выдубленное ветром и солнцем лицо. Оно уже начинало обрастать бородой, серебрящейся у подбородка, однако во сне его черты выглядели странно молодыми.

Потом он проснулся и увидел ее. Но не вздрогнул, не вскочил, а только лениво улыбнулся.

— Они были там, — сказал он, — но прошли мимо нас.

Она кивнула.

— У вас отдохнувший вид. Долго вы спали?

— Меньше часа, — ответил он, взглянув на небо. — Мне больше и не требуется. Меня преследует непонятный сон. Я заключен под хрустальным куполом в огромном кресте, который висит в небе. На мне кожаный шлем, а в ушах раздается голос. Это кто-то по имени Контроль, и он дает мне указания. Но я не могу спастись или хотя бы пошевелиться. — Он глубоко вздохнул и потянулся. — Дети еще спят?

— Да. Крепко обнявшись.

— А Стейнер?

— Пульс стал сильнее, но он еще не проснулся. Вы верите Нои? Что он явился из прошлого?

— Я ему верю. Камни Даниила обладают неимоверной силой. Однажды я стоял на остове корабля высоко на горном склоне, но силой мощного Камня он вновь поплыл по океану. Они могут дать человеку бессмертие, исцелить любую болезнь. Мне довелось съесть медовый пирог, который перед этим был камнем. Камень Даниила изменил его природу. По-моему, располагая такой силой, возможно осуществить, что угодно.

— Расскажите мне обо всем этом!

И Шэнноу рассказал ей об исчадиях Ада и их сумасшедшем вожде Аваддоне. А потом о Хранителях Прошлого и возрождении «Титаника». И под конец о Материнском Камне — гигантском метеорите-Сипстрасси, силу которого извратили кровью и жертвоприношениями.

— Так значит, есть два вида Камней? — сказала она.

— Нет, всего один. Сипстрасси — просто сила в чистом виде, но чем чаще ею пользуются, тем быстрее он истощается. Если его подкормить кровью, сила возвращается, но она уже не способна ни исцелять, ни создавать пищу. И еще: она разъедает разум пользующегося таким Камнем, порождает жажду чужих страданий и насилия. У каждого исчадия Ада был свой Кровь-Камень, но сила их всех истощилась за время войны.

— Как же вы уцелели, Йон Шэнноу? В борьбе с врагами, настолько превосходившими вас?

Он улыбнулся и указал рукой на небо.

— Кто знает? Я часто сам задаю себе этот вопрос — и не просто о зелотах, но обо всех смертельных опасностях, выпавших на мою долю. Во многом дело решала сноровка, но куда больше — удача или же Божья воля. Хотя я навидался, как сильные люди гибли от рук врагов, от болезней или несчастных случаев. В юности я носил другое имя. Меня звали Йон Кейд. Я познакомился с Вири Шэнноу, блюстителем города, и он открыл мне глаза на людей, на повадки творящих зло. Он мог один выступить против вооруженной толпы, и она отступала перед его взглядом. Но однажды молодой человек — совсем еще мальчишка — подошел к нему, когда он завтракал. «Рад познакомиться», — сказал он, протягивая руку. Вири пожал ее, и в ту же самую секунду мальчишка левой рукой вытащил пистолет и выстрелил Вири в голову. Когда его потом спросили, зачем он это сделал, он ответил, что хотел, чтобы о нем вспоминали. С Вири можно было ходить по диким горам, он помогал людям укрощать наши дикие земли. Мальчишка? Ну, что же, о нем вспоминали. Его пове-

сили, а на его могиле установили камень с надписью: «Здесь
лежит убийца Вири Шэнноу».

— И вы взяли его фамилию. Почему?

Шэнноу пожал плечами.

— Мне не хотелось, чтобы она совсем исчезла. К тому
же мой брат Даниил стал разбойником и убийцей. Мне
было стыдно.

— Но разве Даниил не стал пророком? Разве он не
сражался с исчадиями Ада?

— Да. Это меня обрадовало.

— Значит, человек может измениться, Йон Шэнноу?
Может начать новую жизнь?

— Пожалуй... если у него достанет на то силы. Но не я.

Бет помолчала. Потом наклонилась и прикоснулась к
его локтю. Он не отдернул руки.

— Ты знаешь, почему я больше не приходила к тебе?

— Думаю, да.

— Но если бы ты решил изменить свою жизнь, мое
сердце открылось бы перед тобой.

Он поглядел на Стену вдали, на холмы за ней.

— Я знаю, — сказал он грустно. — Мне всегда сопут-
ствовало одиночество, Бет. С тех пор, как мои родители
были убиты, над моей жизнью тяготеет пустота. И посмотри
на Стейнера. До вчерашнего дня мальчик больше всего на
свете хотел убить меня — стать человеком, который взял
верх над Йоном Шэнноу. Сколько остается до того дня,
когда ко мне за завтраком подойдет незнакомый мальчик и

скажет: «Рад познакомиться с вами»? Сколько? И как могу я садиться вечером за твой стол и думать, что вот-вот твои дети получат пули, предназначенные мне? Нет у меня для этого сил, Бет.

— Измени имя, — сказала она. — Обрей голову. Придумай еще что-нибудь. Я поеду с тобой, и мы построим дом в каком-нибудь месте, где про тебя никто не слышал. — Он ничего не сказал, но она заглянула ему в глаза и прочла в них ответ. — Мне жаль тебя, Шэнноу, — прошептала она. — Ты не понимаешь, что теряешь. Но, я надеюсь, ты не обманываешь себя. Надеюсь, ты не влюблен в себя нынешнего — в Иерусалимца, гордого и одинокого, грозу злодеев. Это не так? И ты не боишься отказаться от своей славы и своего имени? Не боишься стать никем?

— Вы очень проницательная женщина, Бет Мак-Адам. Да, я боюсь этого.

— Значит, ты слабее, чем ты думаешь, — сказала она. — Большинство людей боятся умереть. А ты просто боишься жить.

Она встала и ушла назад в дом.

23

Джозия Брум закрыл входную дверь своего домика и пошел по улице в сторону «Веселого паломника». Солнце весело сияло, но Брум этого не замечал. Он все еще кипел из-за отъезда Бет Мак-Адам и язвящих несправедливых слов, которые она метала в него, словно ножи.

Ну, как она не видит? Люди вроде Йона Шэнноу не способствуют цивилизации. Убийства и отчаяние следуют за ним, порождая все новые и новые. Изменить мир способны только рассудительные люди. Но как жалили ее слова! Она назвала его дураком и трусом, она обвинила его в смерти Феннера!

Можно ли винить человека за летнюю бурю или зимнее наводнение? Это так несправедливо! Да, Феннер был бы еще жив, если бы они, войдя в заведение Веббера, тут же его застрелили бы. Но что это дало бы? Чему научило бы юное поколение общины? Что в определенных обстоятельствах убийство приемлемо?

Он подумал о человеке, которого Шэнноу застрелил на улице, сразу после того, как казнил Веббера. Звали его Ломакс. Он был грубым, необузданным, но он помогал Пастырю строить церковь и усердно работал на менхира Скейса, чтобы прокормить жену и двух детей. Эти дети теперь сироты и вырастут, помня, как их отца застрелили на улице в назидание всем другим. Кто будет их винить, если они пойдут дурной дорогой? Но Бет Мак-Адам не желает этого видеть!

Брум перешел улицу, и тут с запада донесся треск выстрелов. Новые нарушители спокойствия, подумал он и оглянулся, посмотреть, что происходит. У него отвисла челюсть: в городок ворвались воины в черных панцирях, паля из пистолетов. Люди заметались, отчаянно крича. Над ухом Брума провизжала пуля, он инстинктивно пригнулся и юркнул в проулок между двумя домами. Мимо пробежал человек... его грудь вдруг разорвалась, и он рухнул ничком в пыль.

Брум повернулся и, отчаянно работая локтями, кинулся дальше по проулку, перелез через изгородь и побежал через поля к новой церкви на высоком лугу.

В «Отдыхе паломника» Мейсон выглянул в окно и увидел, что рептилии наступают по главной улице, убивая всех, кто попадался им на глаза. Он выругался, сорвал свое адское ружье с крюка на стене, быстро вложил патроны в окно патронника и дослал один в ствол. Он услышал топот сапог на лестнице и, едва дверь слетела с петель, повернулся и выстрелил. Одна рептилия отлетела на крыльцо, но остальные вбежали внутрь. Ружье Мейсона подпрыгивало в его руках, пока он посылал в них пулю за пулей, но тут что-то ударило его в грудь, отшвырнуло к окну. Еще две пули распороли ему живот, и он свалился через окно на улицу.

Оружейник Грувс у себя в мастерской схватил два пистолета, но был убит прежде, чем успел выстрелить.

Сотни рептилий заполнили городок. Кое-где люди отвечали на их выстрелы, но нападение было столь внезапным, что организованного сопротивления они не встретили.

В церкви Пастырь произносил страстную проповедь против Вавилонской Блудницы и зверей За Стеной. Когда в церкви услышали выстрелы, прихожане хлынули наружу. Пастырь протолкался вперед и с ужасом уставился на языки пламени, уже лизавшие некоторые дома. К ошеломленной толпе, пошатываясь, подошел Джозия Брум.

— Адские звери! — закричал он. — Тысячи и тысячи!

Люди бросились бежать, но голос Пастыря заставил их окаменеть на месте.

— Братья! Бежать значит умереть! — Он оглядел толпу. Человек двести, но больше половины — женщины и дети. Мужчины оставили свои пистолеты и ружья на крыльце. — Берите ваше оружие, — приказал он. — Брум и Хендрикс, поведете женщин и детей на юг. Найдите в лесу надежное укрытие, а мы присоединимся к вам позднее. Уходите! — Он обернулся к вооружившимся мужчинам. — За мной! — скомандовал он и стремительно зашагал к городку.

Несколько секунд они колебались, потом один за другим присоединились к нему. Он остановился на краю луга, где была прокопана канава для стока воды.

— В нее! — скомандовал он. — И не стрелять, пока я не подам знак!

Пятьдесят шесть человек попрыгали в канаву и подняли пистолеты и ружья. Пастырь стоял и слушал крики, доносившиеся из городка. Как ему хотелось броситься в нападение, обрушить Божье мщение на убийц! Но он подавил этот порыв и стал ждать.

Из городка выбежала большая группа Кинжалов. При виде Пастыря они вскинули ружья, но не успели спустить курки, как он спрыгнул в канаву, и пули безобидно просвистели у него над головой. Двадцать рептилий побежали через поле.

— Пли! — завопил Пастырь.

Нестройный залп. И только одна рептилия осталась на ногах. Пастырь схватил пистолет и прострелил ей треугольную голову. Из проулков выбежали новые десятки рептилий. Оглянувшись, Пастырь увидел, что Брум и Хендрикс с женщинами и детьми отошли уже довольно далеко — но не настолько, чтобы их защитники могли отступить. Рептилии ринулись в атаку. Они не вопили, не испускали воинственные кличи, а просто бежали вперед с ужасающей быстротой и стреляли на бегу. Но три залпа скосили многих, заставили их остановиться.

— У меня патроны кончились! — крикнул кто-то. И еще кто-то передал ему горсть патронов. Пастырь посмотрел вправо и увидел, что сотня врагов заходит им во фланг.

В эту секунду с востока бешеным галопом появился Эдрик Скейс во главе тридцати всадников. Рептилии открыли огонь, кося людей и лошадей. Скейс ворвался в ряды врагов, хладнокровно расстреливая их из двух пистолетов. Уцелевшие всадники последовали за ним. Началась настоящая бойня, однако Скейс и еще семнадцать человек прорвались к канаве и попрыгали в нее.

— Добро пожаловать! — сказал Пастырь, хлопая Скейса по плечу.

— Откуда они взялись, во имя Дьявола? — крикнул Скейс.

— Из-за Стены... посланы Великой Блудницей, — ответил Пастырь.

— Я думаю, нам следует выбраться отсюда, — сказал Скейс.

— Нет. Мы должны прикрыть женщин и детей. Их больше ста. Мы должны остановить этих тварей хотя бы ненадолго.

— Здесь нам это не удастся, Пастырь. Им ничего не стоит просто обойти нас справа и слева. Предлагаю отступить к церкви и остановить их там.

Рептилии начали новую атаку. Пули изрешетили их ряды, но четыре успели спрыгнуть в канаву. Скейс обрушил пистолет на серую чешуйчатую голову, потом выстрелил в упор. Остальных закололи ножами, но не прежде, чем они убили троих защитников.

— Отступаем двумя шеренгами! — крикнул Пастырь. — Каждый второй отходит на тридцать шагов и прикрывает остальных.

Земля затряслась. Люди валились с ног, а луг разорвала огромная трещина с зазубренными краями и заземеилась поперек канавы, щерясь, будто челюсти колоссального хищника. В городе рушились дома, и тут землю снова встряхнуло. Кинжалы бежали, забыв о сражении.

— Пора! — сказал Скейс, и по команде Пастыря защитники повыскакивали из канавы и помчались через луг. Их скрыли клубы пыли. Земля снова разверзлась, и два человека свалились в глубокий провал. Остальные добрались до церкви, которая проседала в середине. Пастырь стоял и смотрел, как здание медленно разорвалось пополам.

— В лес! — сказал он. — Гнев Божий настиг нас.

Джозия Брум сидел и смотрел, как Пастырь указывает, где именно копать ров вдоль северной опушки леса. Землю ссыпали на внешнюю сторону, сооружая вал. Работали все в угрюмом молчании. Лопат не было, и работающие раскапывали мягкую почву голыми руками, со страхом поглядывая на север в ожидании нападения. Брум, белый как мел, замер в оцепенении среди суетящихся людей.

Все кончено! Городок лежит в развалинах, множество людей погибло, уцелевшие прячутся в лесу без провизии, без

крова и почти без патронов для последних ружей. Остается
только сидеть и ждать смерти от руки этих чудовищ. Брум
смигнул слезы.

Эдрик Скейс поймал трех лошадей и ускакал к себе на
ферму, где у него хранились запасные ружья. Двух своих
людей он отправил на окрестные фермы предупредить о
нападении. Но Брума уже ничто не заботило.

К нему подошла маленькая девочка, остановилась, откинула голову и уставилась на него. Он посмотрел на нее
сверху вниз.

— Чего тебе?

— Ты плачешь? — спросила она.

— Да, — сознался он.

— Почему?

Вопрос был таким нелепым, что Брум захихикал. Девочка засмеялась вслед за ним, но когда из его глаз хлынули
слезы и его худое тело затряслось от рыданий, она попятилась и побежала за Пастырем. Рыжий проповедник, весь
вымазанный в земле, подошел к Бруму.

— Нехорошо, менхир! — сказал он. — Вы пугаете
детей. Ну-ка встаньте и беритесь за дело, как мужчина.
Возьмите себя в руки.

— Мы все умрем, — прошептал Брум сквозь слезы. —
Я не хочу умирать.

— Смерть ждет всех людей, и тогда они предстают перед
Всемогущим. Не бойтесь, менхир Брум. Маловероятно, чтобы
человек, который кормил людей завтраками, чем-нибудь Его

прогневил. — Пастырь обнял Брума за плечи. — Мы
еще живы, Джозия. Иди помоги тем, кто копает ров.

Брум покорно пошел с ним к валу и уставился на долину.

— Как вы думаете, когда они опять нападут?

— Когда будут готовы, — мрачно ответил Пастырь.

Работа внезапно прекратилась — из леса позади них
раздался перестук копыт идущей шагом лошади, а потом
послышалось мычание. На поляну вышли три удойные коровы с телятами. К рву на вороном жеребце подъехал
Йон Шэнноу и спрыгнул с седла.

— Я подумал, что они придутся кстати, — сказал он. —
Если зарезать телят на мясо, детей можно будет поить молоком.

— Где вы их нашли? — спросил Пастырь.

— Утром я услышал выстрелы и следил за вашим боем.
А коров отбил от стада на чьей-то ферме. Хозяин убит. И
вся его семья тоже.

— Мы благодарны вам, Шэнноу, — сказал Пастырь. —
Но если бы вы могли раздобыть тысячу патронов и пару
сотен ружей, я целовал бы вам ноги!

Шэнноу усмехнулся и сунул руку в седельную сумку.

— Вот все патроны, которые у меня есть, — сказал он. —
Они подходят для адских пистолетов и ружей. И я потом
привезу вам кое-какое оружие. Я припрятал его вчера примерно в четырех милях отсюда.

— Пойдемте со мной, — сказал Пастырь и повел его
через лагерь. Они дошли до ручья и сели. — Сколько их
там? — спросил Пастырь.

— Насколько я мог судить, более тысячи. Ими командует женщина.

— Черная шлюха! — прошипел Пастырь.

— Она не черная. Волосы у нее золотые, и она похожа на ангела, — сообщил ему Шэнноу. — И они не из-за Стены.

— Откуда вы знаете?

— Знаю, и все. И кстати, о Стене. Последнее землетрясение оставило в ней дыру. Думаю, у нас будет больше шансов уцелеть, если мы сумеем добраться туда и уйти За Стену. Защищать пролом могут несколько человек, пока остальные отыщут безопасное место для лагеря.

— У нас здесь примерно триста человек, Шэнноу. Их лишили всего, что у них было. У нас нет провизии, запасной одежды, холста для шатров, лопат, топоров и молотков. Где мы можем обрести безопасный приют?

— Так каков же ваш план?

— Ждать здесь, нанести им удар потяжелее и молиться, чтобы это удалось.

— О том, чтобы молиться, это вы верно сказали, — заметил Шэнноу. — Послушайте, Пастырь, я мало что знаю о том, как ведутся настоящие войны, но я знаю, что мы не победим этих гадин, сидя сложа руки и ожидая, когда они явятся. Вы говорите, что мы нуждаемся в лопатах, топорах и прочем. Так раздобудем их. А заодно заберем и сколько-нибудь ружей.

— Где?

— Да в городке. Фургоны найдутся, а по лугам бродят волы и лошади. Не все дома разрушены, Пастырь. Я рассматривал город в зрительную трубку. Мастерская Грувса пока цела, а у него там хранились и порох, и свинец для пуль. А еще кузница. Да и весь шатровый поселок цел.

— А рептилии?

— Они разбили лагерь к югу от городка. Думается, опасаются нового землетрясения.

— Сколько людей вам понадобится?

— Скажем, десять—двенадцать. Мы двинемся на запад и ночью доберемся туда.

— И вы рассчитываете нагрузить фургоны и уехать с ними под носом врага?

— Не знаю, Пастырь. Но ведь это все-таки лучше, чем сидеть здесь сложа руки и ждать смерти.

Пастырь помолчал. Потом засмеялся и потряс головой:

— Вы когда-нибудь думаете о своем поражении, Шэнноу?

— Нет, если я еще дышу, — ответил Иерусалимец. — Ведите этих людей к пролому в Стене. Я привезу инструменты, которые вам нужны, и какие-нибудь съестные припасы. Могу я сам отобрать людей?

— Если они согласятся отправиться с вами.

Шэнноу вернулся с Пастырем в лагерь и подождал, пока Пастырь собирал мужчин. Когда он изложил план Шэнноу и вызвал добровольцев, вперед шагнули двадцать человек. Шэнноу отвел их на небольшую поляну в стороне от лагеря и сказал:

— Мне нужно только двенадцать. Кто из вас женат? Руки подняли пятнадцать человек.

— У кого есть дети? — спросил он у этих пятнадцати. Поднялись девять рук.

— Так вот, вы, девятеро, вернитесь в лагерь. Остальные подойдите поближе, и я объясню вам, что нам надо будет сделать.

Больше часа Шэнноу перечислял, какие припасы им понадобятся и где их надо искать. Некоторые предлагали дельные советы. Остальные молчали, хорошенько все запоминая. Под конец Шэнноу предостерег их:

— Никакого пустого геройства. Наша задача: вернуться с припасами. Если на вас нападут и вы увидите, что ваши друзья в опасности, ни в коем случае не поворачивайте назад, чтобы помочь. Меня с вами не будет, но я буду близко. Когда услышите шум во вражеском лагере, вот тогда приступайте.

— А что ты намерен сделать, Шэнноу? — спросил Бык.

— Я намерен почитать им Библию, — ответил Взыскующий Иерусалима.

24

Два дня Шрина изучала Озеро Клятв, делала анализы кристально-чистой воды, которая у подножия обрывов питала подземные ручьи и речки. Теперь она сидела в тени Пика Хаоса — высокой, прямой как копье башни из огромных камней и уступов, с которых ныряли самые смелые юноши из деенков.

Шэр-ран поднялся почти под самую вершину. Он взобрался бы и выше, если бы башню не завершал венец из скал — нависающий выступ, делавший вершину неприступной. Его прыжок в воду был безупречным, и Шрина вспомнила, как он вынырнул — мокрые черные волосы блестят, золотистые глаза сияют торжеством победы.

Она прогнала это воспоминание. В озере должно находиться что-то, что воздействовало на генетическую структуру Шэр-рана. Прыгнув с такой высоты, он должен был погрузиться очень глубоко... Может быть, разгадка в этом? Шрина закрыла глаза. Ее дух покинул каменный берег и начал погружаться все ниже, все ближе к темному дну. Она знала, что следует искать — какое-нибудь токсичное наследие Межвременья: канистры с химическими отходами, нервно-паралитическим газом, смертоносными микроорганизмами.

Межвременцы редко задумывались о будущем и топили свои жуткие, доведенные до совершенства, предназначенные для войны яды в глубинах океана. Среди ее бывших коллег бытовала теория, что межвременцы знали, как коротко отведенное им время. Иначе зачем бы им было отравлять свои реки и ручьи, сводить под корень леса, которые творили для них воздух, и загрязнять собственные тела токсическими веществами и канцерогенами? Но эта теория была скорее затравкой для школьных дебатов, чем предметом серьезного исследования.

Шрина очистила сознание от этих мыслей и извлекла из памяти все, что ей было известно о воде, эссенции жизни. В Межвременье вода покрывала 70,8% всей земной поверхности, а теперь эта цифра равнялась 71,3%. Вода составляет две трети массы человеческого тела. Человек способен прожить без пищи более месяца, но без воды лишь несколько дней... думай! Думай! Две части водорода на одну часть кислорода. Она усилила сосредоточенность, уточнила фокусировку, все более и более погружаясь в поисковый транс, анализируя микроэлементы на дне Озера. Один за другим она их отбрасывала. Реактивный кремний, магний, натрий, калий, железо, медь, цинк. Следы свинца в количестве, которое могло бы привести к отравлению, если бы человек выпивал ежедневно по шестьдесят галлонов этой воды на протяжении никому не известно скольких лет.

Она вернулась в свое тело и, обессилев, прислонилась к камню. Солнце вышло из-за Пика Хаоса и обжигало ее обнаженную кожу. Она отошла на несколько шагов влево и взглядом поискала Ошира. Он спал в тени. В нем не оставалось почти ничего человеческого, и говорил он теперь с неимоверным трудом.

Нет, не вода. Так что же? Она поглядела вверх. На грозный Меч Божий, указующий в небо. И вздрогнула. Только не это!

Ее взгляд скользнул по Пику. Что-нибудь там, наверху? Шрина встала, потянулась, потом торопливо оделась и подошла к его основанию. Выступы камней обросли ракушками, и было за что ухватиться. Она начала медленно взбираться по обрыву. И вспомнила тот последний раз, когда вот так же висела на каменной стене. Почти три года назад, когда «Титаник» разломился, и она унесла своего сына Люка с обреченного корабля-призрака и спустилась по почти отвесной крутизне горного склона над развалинами Балакриса.

Тогда она была Амазига Арчер, вдова Сэма Арчера и учительница детей Хранителей. Хранителей? Они сберегали все знания межвременцев для будущих поколений, но их труд был извращен, погублен одним человеком — Саренто. Он томился мечтой о Возрождении, о точном воссоздании былого мира. Его снедало нетерпение, и с помощью Материнского Камня он начал воздействовать на ход событий. Он снабдил Кровь-Камнями нарождающуюся нацию и сотворил из нее исчадий Ада. Он разжигал их воинственные стремления и открыл им тайну автоматического огнестрельного оружия. «Человек, — говаривал он, — особенно изобретателен, когда речь идет о войне. Все великие исторические сдвиги зачинались на полях сражений».

Энергией Материнского Камня он восстановил «Титаник», разбитый корпус которого покоился на горе над Атлантидой. Он превратил его в Ковчег, базу Хранителей. Но его судьба решилась, когда исчадия захватили Донну Тейбард для кровавого жертвоприношения, потому что только это привело Взыскующего Иерусалима в Балакрис и на «Титаник».

Амазига вспомнила страшную ночь, когда Саренто использовал Материнский Камень, чтобы воссоздать первое — оно же последнее — плавание «Титаника». Хотя корабль оставался на горе, люди на борту среди сияющих огней палуб и в роскошных салонах видели звездное небо над темным мерцающим океаном.

Но Шэнноу вступил в поединок с Саренто в подземной пещере Материнского Камня, убил его и закоротил энергию Камня. «Титаник» вновь наткнулся на айсберг, колдовской океан ворвался внутрь корабля и уничтожил

Хранителей, а вместе с ними и знания, накапливавшиеся тысячелетиями.

А Амазига спустилась с крутизны и ушла, не оглянувшись на остов корабля.

Иерусалимец нашел ее.

«Я сожалею, — сказал он. — Не знаю, правильно ли я поступал, но того требовала справедливость. Я провожу вас в безопасное место».

Они расстались в небольшом селении на севере, и Амазига отправилась с сыном в земли За Стеной.

Теперь она вскарабкалась повыше и посмотрела на сверкающее озеро внизу. Пальцы у нее заныли, и она решила передохнуть на широком карнизе. Ничего опасного она вокруг не ощущала. «Стареешь!» — сказала она себе. Прожила она больше столетия — молодость ей обеспечивали Сипстрасси, которые имели при себе все Хранители. Но теперь у нее не было Камня, и в ее курчавых волосах мерцали блестки седины. «Сколько тебе лет, Амазига, в биологическом измерении? — спросила она себя. — Тридцать пять? Сорок?»

Она перевела дух и полезла выше. Ей понадобился час, чтобы добраться до уступа под вершиной, и, влезая на него, она нажала ладонью на острый камешек, который рассек ей кожу. Она выругалась и села, прислонившись к скале. Сердце у нее отчаянно колотилось. Потратить столько времени, чтобы взобраться сюда — и только для того, чтобы предаться горьким воспоминаниям и поранить руку! Расслабившись перед спуском, она было подумала о том, чтобы нырнуть в озеро, поблескивавшее далеко внизу, но тотчас отказалась от этого намерения — в воде она всегда чувствовала себя неуютно. Солнечные лучи лились на нее, ей было тепло, и почему-то она почувствовала себя освеженной. Посмотрела на пораненную ладонь, прикидывая, как остановить кровь. Но не увидела царапины. Потерла пальцами — кожа везде была одинаково гладкой. Протянув руку, она подобрала камешек с острым краем. Он был в пятнах крови. Она осторожно привстала на колени и повернулась на узком уступе лицом к обрыву. Прямо над ней нависал карниз, опоясывавший вершину. А над ним висел Меч Божий и окружающие его крохотные кресты. Она закрыла глаза, и ее дух вошел в инкрустированный ракушками камень. Она продвигалась все глубже и наконец добралась до полированного мрамора, за которым оказалась сеть из золотой проволоки и прозрачных кристаллов. По сети она поднялась к серебряной чаше шести футов в диаметре. В центре чаши лежал большой Сипстрасси с золотыми прожилками в дюйм шириной.

Ее глаза широко раскрылись.

— О Господи! — прошептала она. — О Господи!

Пик Хаоса не был создан природой, а просто на дне океана мало-помалу оброс каменной корой. Это была башня, и Сипстрасси все еще пульсировал энергией двенадцать тысяч лет спустя после ее постройки. Амазига посмотрела вниз на спящего Ошира... И все поняла.

Целительная сила Сипстрасси!

Нет, Камень не был нацелен вредить деенкам! Его почти автоматическая магия обволакивала Шэр-рана и других ныряльщиков, возвращая их в исходное состояние, убирая чужеродные гены, тщательнейшее создание генной инженерии. Он вернул им биологическое совершенство.

— Боже мой!

Амазига встала, прижалась спиной к обрыву и посмотрела вниз на Ошира. Обычно необходимо было держать камень в руке, чтобы направлять его энергию... Но когда он такой величины? Она сосредоточилась еще больше, и далеко внизу Ошир заворочался во сне. Его пронизала боль, и он взревел, поворачивая огромную голову к невидимому врагу. По его телу побежали судороги, он вытянулся, а его шерсть редела, руки и ноги выпрямлялись. Амазига представила его себе таким, каким увидела впервые, и удерживала этот образ перед внутренним взглядом. Наконец она расслабилась и посмотрела вниз на спящего под солнцем нагого юношу.

Без малейшего колебания она сделала шаг вперед и прыгнула. Ее гибкое эбонитово-черное тело рассекло воду, точно копье. Она вынырнула, поплыла к берегу и выбралась на скалы рядом с Оширом. Сняв намокшую одежду, она предоставила солнечным лучам сушить ее кожу.

Ошир пошевелился и открыл глаза.

— Это сон? — спросил он.

— Нет. Это явь, из которой творятся сны.

— Ты выглядишь такой... такой юной и красивой.

— Как и ты, — сказала она ему, улыбаясь.

Он сел и с изумлением посмотрел на свое бронзовое от загара тело.

— Это правда не сон? Я стал прежним?

— Да.

— Расскажи мне. Расскажи мне все!

— Не сейчас, — прошептала она, поглаживая его по лицу. — Не сейчас, Ошир. Не сразу после того, как я нырнула для тебя!

Прижимая к груди Кровь-Камень, Шаразад вошла во врата. Ее сознание помутилось, глаза ослепли от невиданно ярких красок. Она заставила себя стоять неподвижно, пока кружение не остановилось. Из звездной ночи она перенеслась под золото ранней зари и несколько секунд не могла понять, где она.

Царь сидел у окна и смотрел на свои войска, проводящие учения на дальних полях.

— Добро пожаловать, — сказал он вполголоса, не оборачиваясь.

Шаразад опустилась на колени и склонила голову. Золотые волосы упали ей на лицо.

— Не могу выразить, какое чудо вновь находиться возле тебя, государь!

Царь обернулся с широкой улыбкой.

— Твоя лесть очень своевременна, — сказал он. — Я ведь тобой недоволен.

Она поглядела на его красивое лицо, на поблескивающие золотые кольца недавно завитой бороды, увидела ласковое, смешливое... почти нежное выражение в его глазах. И ее обуял страх. Ни его мягкие слова, ни словно бы веселое настроение ее не обманули.

— Что навлекло на меня твое неудовольствие, Величайший? — прошептала она, отведя глаза и уставив взгляд на хитрый узор ковра у своих колен.

— Твое нападение на варварское селение. Время для него было выбрано самое неудачное, а руководили им хуже некуда. Я считал тебя умной женщиной, Шаразад. А ты атаковала только с одной стороны, оставив врагам возможность отступить. Ты должна была нанести сокрушающий удар, а вместо этого дала им уйти в южные леса, чтобы обдумывать планы обороны и осуществлять их.

— Но они не способны защититься от нас, Величайший. Тупые варвары, необъединенные, почти без оружия, и никакой выучки!

— Возможно, — согласился он. — Но если у тебя так мало сообразительности, умения стратегически мыслить, а также выучки, зачем мне поручать тебе командование?

— Все это у меня есть, Владыка, но это же был мой первый бой. Все полководцы должны учиться. И я научусь. Я сделаю все, чтобы угодить тебе.

Он усмехнулся и встал. Высокий, прекрасно сложенный. Легким изящным движением он поднял ее с ковра.

— Я не сомневаюсь, что ты научишься. Для тебя не впервые постигать новое. Вот почему я разрешаю тебе твои... маленькие удовольствия. Но прежде, чем я возьму тебя, Шаразад, я хочу, чтобы ты кое-что посмотрела. Возможно, это поможет тебе постигать.

Из расшитой золотом сумки на поясе он вынул Камень Сипстрасси и высоко его поднял. Задняя стена исчезла, и Шаразад увидела лагерь Кинжалов — их низкие плоские кожаные шатры теснились на каменистом склоне над ручьем. Всюду вокруг лагеря были расставлены часовые, а вверху на обрыве стояли два дозорных.

— Я не вижу никаких упущений, — сказала она.

— Я знаю. Подожди и послушай.

В деревьях на склоне вздыхал ветер, и можно было уловить шорох летучих мышей. Потом ее слух различил коровье мычание.

— Ты все еще не улавливаешь? — сказал царь, кладя руку ей на плечо и расстегивая ремни ее золотого нагрудника.

— Нет. Обычные ночные звуки, верно?

— Неверно, — сказал он и снял с нее нагрудник, а потом пояс с кинжалом. — Да, обычные, кроме одного.

— Мычание?

— Конечно. Стада редко бродят по ночам, Шаразад. Следовательно, стадо гонят. И гонят в сторону Кинжалов. В подарок, ты думаешь? Умиротворяющее преподношение?

Она уже увидела стадо — колышущуюся темную массу, которая неумолимо приближалась к лагерю. Несколько часовых перестали расхаживать и следили за стадом. Внезапно позади стада раздался громкий крик, за которым последовали пронзительные душераздирающие вопли. Стадо ринулось вперед под громовой топот ног. Шаразад с возрастающим ужасом следила, как часовые открыли огонь по вожакам. Она увидела, как два-три быка упали, но стадо не замедлило бега. Кинжалы выползали из шатров и пускались наутек, бросались в ручей, мчались вверх по каменной осыпи. Затем взбесившееся стадо пронеслось через лагерь и скрылось. Когда осела пыль, Шаразад уставилась на поваленные шатры, между которыми валялось около тридцати затоптанных, изуродованных тел.

Руки царя скользнули по ее шелковой тунике, развязывая шнуровку, обнажая ее плечи, но она не могла оторвать взгляда от трупов.

— Смотри и учись, Шаразад, — прошептал царь, поглаживая пальцами ее бедра.

Теперь изображение сместилось шагов на триста от лагеря в лощину, где неподвижно стоял высокий черный конь. Всадник откинулся в седле и сдернул шляпу. Лунные лучи упали на его лицо, и она узнала того, кто поклонился ей в дверях «Отдыха путника».

— Один человек, Шаразад. Один необычный человек. Его зовут Шэнноу. Эти варвары уважают и боятся его. Они называют его Иерусалимец — Взыскующий Иерусалима, — потому что он ищет мифический город. Один-единственный человек.

— Лагерь — вздор, — сказала она. — И тридцать Кинжалов — потеря легковозместимая.

— Ты все еще не поняла. Почему он направил испуганный скот на лагерь? Мелкая месть? Он выше подобного.

— Но какая еще может быть причина?

— Ты выслала дозоры?

— Конечно.

— Где они сейчас?

Она оглядела равнину. Три дозора, каждый из тридцати воинов, бежали к разрушенному лагерю. Вновь изображение расплылось, и она уже смотрела на городок.

— Разумеется, ты обыскала город и уничтожила все, что могло бы оказаться полезным для врагов?

— Нет. Я... я не...

— Ты не подумала, Шаразад. В этом твоя величайшая вина.

Она увидела суетящихся людей. Они грузили в фургоны съестные припасы, инструменты, ружья из мастерской оружейника, пистолеты и ружья, все еще валявшиеся рядом с убитыми Кинжалами. Ее кровь закипела от ненависти, как лава.

— Можно мне получить охотников? — спросила она. — Мне нужен этот человек!

— Ты получишь все, что захочешь, — сказал царь, — потому что я тебя люблю.

Его плеть зазмеилась по ее ягодицам. Она вскрикнула, но осталась стоять.

И начался длинный день боли.

Царь посмотрел на спящую Шаразад. Она лежала ничком на белых шелковых простынях, поджав длинные ноги. Совсем младенец, подумал царь, такая чистота и невинность!

Он хлестал ее, пока она не упала без чувств. Ковер у нее под ногами был весь в пятнах крови. Потом он ее исцелил.

— Глупая, глупая женщина! — сказал он.

Земля под городом задрожала, но сила Материнского Сипстрасси под Храмом тут же убрала трещины в стенах и избавила горожан от вибраций, сотрясавших окрестности города.

Царь отошел к окну. Внизу, за высокими белыми стенами дворца жители Эда занимались своими обычными делами. Шестьсот тысяч, составивших величайшую нацию, какую когда-либо видела Земля... да и вряд ли когда-либо увидит, — подумал он. Благодаря энергии Небесного Камня царь завоевал весь цивилизованный мир и открыл врата чудес, превосходивших всякое воображение.

Новые завоевания его больше не влекли. Важно было то, что его имя будет оглашать все века истории звоном щита. Он улыбнулся. Почему бы и нет? С Сипстрасси он бессмертен, и потому сможет присутствовать при том, как барды будут воспевать его нескончаемую историю.

Земля вновь задрожала. Это его тревожило. Последнее время землетрясения повторялись все чаще. Сжав Камень, он закрыл глаза.

И исчез.

Открыв их, он увидел, что стоит в той же самой комнате и смотрит на ту же панораму. Вот мраморные стены, а за ними город и порт — безмолвный, ждущий. Пожалуй, это его величайшее деяние как художника: он создал точную копию Эда в мире, где нет людей. И нет землетрясений, а только изобилие оленей, лосей и всяческих других прекрасных созданий природы.

Скоро он перенесет сюда всех своих подданных и создаст новую Атлантиду там, где никогда никакие враги не возьмут верха над ними, потому что там не будет других наций.

Он вернулся в свою комнату, подумал, не разбудить ли Шаразад для часа любовных ласк, потом отказался от этой мысли, все еще сердясь на ее глупость. Гибель Кинжалов его не трогала — рептилии ведь были просто орудием, и, как сказала Шаразад, потеря была легковозместимая. Но он не терпел сумбурности в мыслях, не выносил тех, кто был не способен найти или постичь простейшие стратегические ходы. Многие его полководцы приводили его в отчаяние. Они словно не понимали, что цель войны — победа, а не великие дорогостоящие сражения с изобилием героических подвигов с обеих сторон. Добиться поражения врага изнутри. Сначала внушить ему, что его положение безнадежно, а затем нанести сокрушительный удар, пока он пребывает в растерянности. Однако, победив, будь великодушен с простым народом. Но разве полководцы это понимают?

Теперь для Атлантиды занималась новая заря. Царь увидел мир летающих машин и всяческих великих чудес. Пока связь остается зыбкой, но скоро он распахнет врата и пошлет лазутчиков вызнать все о новых врагах.

Его мысли вернулись к Шаразад. Мир, который открыла она, был недостоин внимания — за исключением оружия, называемого огнестрельным. Но теперь они ознакомились с пистолетами и ружьями, научились сами их изготовлять... и улучшать. Больше ничего интересного там нет. Тем не менее он разрешит Шаразад довести ее игру до конца. Еще остается слабая надежда, что она чему-то научится. А если нет, так остается плеть и ее восхитительно ублаготворяющие стоны.

Впрочем, этот человек, Шэнноу, мимолетно его заинтересовал. Разумеется, Охотники убьют Иерусалимца, однако охота будет очень занимательной. Сколько их послать? Пять обеспечат полный успех. Один оставит шанс для Шэнноу... Так пусть их будет трое, решил царь. Но кого выбрать?

Магеллас? Бесспорно. Надменный, самоуверенный, он нуждается в трудном поручении. Линдьян? Он хладнокровен и поражает без промаха. Не тот, кого можно допускать к себе с каким бы то ни было оружием. Ну, и для большей пикантности — Родьюл. Они с Магелласом ненавидят друг друга, постоянно стараются доказать свое превосходство. Для них это будет увлекательнейшее поручение. Огнестрельным оружием они научились владеть блистательно.

Вот и проверим, сумеют ли они воспользоваться своим новым умением против искусного врага.

Царь поднял свой Камень и сосредоточился на лице Шэнноу. Воздух перед ним разошелся, как занавес, и он увидел, что Иерусалимец взваливает мешок позади своего седла.

— Тебе угрожает большая опасность, Йон Шэнноу, — сказал царь. — Поберегись!

Шэнноу резко обернулся на призрачный голос, прозвучавший в его мыслях. Он выхватил пистолет, но стрелять было не в кого.

Прозвучал и замер эхом насмешливый смех.

Исход начался с рассветом. Пастырь и двадцать мужчин шли по сторонам людского потока, движущегося через долину к зияющему пролому, который землетрясение оставило в древней Стене. Пастырь держал короткоствольное ружье, а из-за пояса его черного облачения торчали пистолеты. В паре уцелевших фургонов ехали самые маленькие дети, но остальные триста с лишним человек, оставшиеся в живых после нападения и присоединившиеся к ним фермеры и поселенцы из окрестностей, шли пешком в молчании, нервно поглядывая по сторонам. Все ждали новой атаки рептилий, и Пастырю стоило большого труда убедить их в необходимости покинуть ненадежное убежище в лесу.

Эдрик Скейс вернулся ночью с двумя фургонами, нагруженными съестными припасами и запасными ружьями. И предложил с тридцатью другими добровольцами устроить засаду во рву на северной опушке леса.

«Отчасти это моя вина, — сказал он Пастырю, прежде чем беженцы двинулись в путь. — Оружием этих демонов снабдил я, да простит меня Бог!»

«Он привык прощать людей», — заверил его Пастырь.

И теперь Пастырь истово молился на ходу:

«Господи, как ты вырвал избранных своих из когтей египтян, пребудь так с нами, пока идем мы через долину тени. И пребудь с нами, когда войдем мы в царство Великой Блудницы, которую, с твоего соизволения, я поражу и уничтожу вместе со всеми адскими зверями, над которыми она властвует».

Фургоны поднимали клубы пыли, и Пастырь, подбежав к ним, поручил детям брызгать водой на землю под колеса. В отдалении высилась Стена, но если их настигнут здесь, обороняться они не смогут. Он побежал к дозорным по сторонам.

— Что-нибудь заметили? — спросил он у Быка.

— Ничегошеньки, Пастырь. Но у меня такое чувство, будто я сижу на наковальне, а надо мной заносят молот. Понимаете? Если и спасемся от гадин, так укрыться-то нам придется на землях людей-львов.

— Бог пребудет с нами! — сказал Пастырь, старательно придав искренность своему голосу.

— Разве что, — пробормотал Бык. — Помощь нам не помешала бы... Э-эй! Еще уцелевшие!

Пастырь проследил направление его взгляда и увидел подъезжающий фургон. Он узнал Бет Мак-Адам на козлах. Рядом с ней сидел чернобородый мужчина. Помахав, чтобы они присоединились к колонне, он быстро направился к ним.

— Рад видеть, Бет, что у вас все хорошо, — сказал он.

— Лучше некуда, Пастырь! Едва я построила себе дом, как меня из него выгнала кучка ящериц. Хуже того: у меня в фургоне раненый, а тряска ему совсем не полезна.

— Через два часа, даст Бог, мы будем За Стеной. И там сможем обороняться.

— Ну да. От ящериц. А как насчет других зверюг? Пастырь пожал плечами.

— На все воля Божья. Вы не познакомите меня с вашим другом?

— Это Нои, Пастырь. Он исцелил караван и тоже служитель Бога — ну, просто мне от них деваться некуда!

Нои слез с козел и потянулся. Пастырь протянул ему руку, Нои ее потряс, и они отошли вместе.

— Вы недавно в этих местах, менхир? — осведомился Пастырь.

— И да, и нет, — ответил Нои. — Я уже побывал тут... очень давно. И многое изменилось.

— Вы что-нибудь знаете про земли За Стеной?

— Боюсь, очень мало. Там есть город — очень древний город. Прежде он назывался Эд. И славился дворцами и храмами.

— Теперь там обитают адские звери и Дьявол, — сказал Пастырь. — Их зло поймало Меч Божий в ловушку на небе. Мое упование — уничтожить их зло и освободить Меч.

Нои промолчал. Когда его дух воспарил из его тела, он осмотрел и город, но не обнаружил никаких следов зверей или демонов.

Они присоединились к вооруженным дозорным сбоку от колонны, и вскоре Пастырь, устав молчать, отошел от Нои, который шагал, погруженный в свои мысли. Как может человек, дивился он, проповедующий веру во Всемогущего Бога, — как он может питать столь неколебимое убеждение, будто такая всепобеждающая сила нуждается в его помощи? Пойман в ловушку на небе? Каким же мелочным существом этот человек считает Бога?

Колонна медленно ползла через долину.

Сзади их галопом нагонял всадник. Пастырь и охрана кинулись ему наперерез. Оказалось, что его послал Скейс.

— Лучше поторопитесь, Пастырь, — сказал он, наклоняясь над взмыленной шеей своей лошади. — Их два отряда. Один наступает на менхира Скейса в лесу, а другой, побольше, движется вам наперехват. И опередил я их ненамного.

Пастырь обернулся и прикинул, какое расстояние остается до Стены. Не меньше мили.

— Поезжай к фургонам и скажи, чтобы гнали что есть мочи. А пешие пусть бегут изо всех сил.

Всадник ударил каблуками измученную лошадь и зарысил к головным фургонам. Защелкали кнуты, и быки
налегли на постромки.

Пастырь собрал вооруженных мужчин.

— Нам их не удержать, — сказал он. — Но пойдем
все вместе сзади. И когда увидим их, сможем хотя бы
выиграть немножко времени.

Утреннее солнце лило на них пылающие лучи, но они
скрылись в облаке пыли, поднятой громыхающими фургонами и бегущими людьми.

Когда насмешливый смех затих, Шэнноу вспрыгнул в
седло и обвел взглядом безмолвную улицу. У «Отдыха
путника» лежал в пыли Мейсон. Его тело было изрешече-
но пулями. В нескольких шагах слева распростерся Борис
Хеймут, которому уже никогда не узнать ответов на свои
вопросы. У конюшни окостенел в смерти хромой конюх,
сжимая в руках старый дробовик. И повсюду — тела мужчин, женщин и детей, которых прежде Шэнноу никогда не
видел. Но ведь все лелеяли свои мечты, строили свои планы. Он повернул жеребца и выехал из городка в долину.

В оружейной мастерской ему очень повезло. Как он и
надеялся, Грувс успел изготовить еще партию адских патронов, видимо рассчитывая на новые заказы Скейса. Теперь в запасе у Шэнноу их было больше сотни. Кроме того,

10*

он забрал короткоствольное ружье, три мешка черного пороха и еще много всякой всячины из городской лавки.

Когда городок остался позади, его мысли обратились к шепоту, прошелестевшему у него в голове: «Поберегись!» Но когда за последние два десятилетия он не берегся? Или не был в опасности? Ни голос, ни скрытая угроза его особенно не встревожили. Человек живет, человек умирает. Что может напугать того, кто понял эту истину?

Некоторое время Шэнноу следовал за фургонами, но никаких признаков погони не было, и, повернув под прямым углом, он направился к холмам на востоке. Если Пастырь послушал его совета и повел людей через долину, именно она станет самым опасным местом.

Шэнноу ехал осторожно, часто меняя направление, чтобы никакой дозорный не мог предсказать его путь. Он направил коня в лабиринт усеянных валунами холмов, спешился и стреножил его. Затем снял с седла мешок и разложил содержимое на земле перед собой. Семь глиняных кувшинов с узкими заткнутыми пробками горлышками, шесть пакетиков с гвоздями и моток огнепроводного шнура. В каждый кувшин он насыпал черного пороха, смешанного с гвоздями, плотно утрамбовав его. Длинным гвоздем продырявил каждую пробку и пропустил сквозь нее кусок шнура. Оставшись доволен своей работой, он сложил кувшины в мешок и сел в ожидании. В зрительную трубку он осматривал долину внизу. И увидел, как далеко-далеко фургоны достигли лесной опушки, а позднее наблюдал, как люди и фургоны начали свой медленный путь к Стене.

Он просидел так около часа, а затем увидел первый ряд Кинжалов, бегущих к лесу. Шэнноу сфокусировал трубку и смотрел, как враги приближаются к наспех сооруженному рву. Тут краем глаза он заметил еще какое-то движение. Несколько сотен рептилий бежали на юг. Дорогу им пересек скачущий карьером всадник и унесся вперед. Шэнноу встал и взвалил мешок поперек седла. Взяв поводья, он сел в седло и направил жеребца между деревьями к восточному склону. Укрытый холмами, он ехал быстрой рысью, не заботясь о ямах и камнях, усеивавших землю. Жеребец умел выбирать дорогу, был силен и любил быстрый бег. Дважды Шэнноу пришлось припасть к его шее, чтобы не удариться о низко нависающий сук, который вышиб бы его из седла, а один раз жеребец могучим прыжком перенесся через дерево, лежавшее на его пути. Когда холмы остались позади, Шэнноу повернул коня на запад в неглубокий овражек, который выводил на равнину. Вокруг него засвистели пули, и, спрыгнув с седла, он увидел стремительно приближающихся рептилий. Он молниеносно достал из мешка горшок. Чиркнул спичкой и поднес ее к шнуру, который зашипел и забрызгал огнем. Шэнноу выбросил его за край овражка и зажег второй шнур. Взрыв был оглушительным, раскаленные гвозди разлетелись во все стороны. Еще три горшка угодили в приближающиеся ряды Кинжалов, а Шэнноу ухватился за луку седла и взлетел на спину жеребца.

Ударом каблуков он перевел его в галоп и поскакал на запад. Оглянувшись, он увидел, что Кинжалы перестраиваются. В высокой траве всюду валялись тела, но оставшихся на ногах было гораздо больше.

Пули продолжали свистеть, но жеребец бешеным галопом вскоре унес Иерусалимца за пределы их досягаемости.

Эдрик Скейс перезарядил ружье. Рептилии было ринулись вверх по склону, но сокрушительный залп скосил многих из них. И теперь они стали осмотрительнее: тихо подкрадывались и выжидали, чтобы обороняющиеся неосторожно показались на фоне неба. Одиннадцать человек были убиты, и Скейс понимал, что их положение безнадежно.

Он злился на себя. Все его планы теперь рухнули — и все из-за золота этой женщины, Шаразад. Появилась она три месяца назад, будто бы приехала откуда-то с востока. Не мог бы он достать для нее оружия? Конечно, если цена будет подходящей. Золото было самое чистое. И вот теперь он окружен в лесу. Его серебряный рудник заброшен, его город уничтожен, люди, которые выбрали бы его своим главой, частью перебиты, частью бежали. Он вскочил, выпустил три пули по кустам ниже по склону, и тут же укрылся за валом.

Человек слева от него закричал и рухнул с зияющей раной в виске.

— Лучше бы нам убраться отсюда, — сказал кто-то рядом с ним.

— Пожалуй, самое время, — согласился Скейс. Шепот обежал ров, и восемнадцать уцелевших, покинув ров, бросились под защиту леса. Засвистели посланные из-за деревьев пули, и с головы Скейса упала простреленная шляпа. Он упал, перекатился в куст и помчался вправо. Вокруг него от древесных стволов рикошетом отлетали пули. Одна угодила в приклад ружья и вышибла его из онемевших пальцев. Скейс вытащил пистолет и побежал дальше. Внезапно перед ним возникла рептилия, блеснул зазубренный кинжал, но он выстрелил в упор, перепрыгнул через упавшее тело и продолжал бежать. Позади него слышались стоны умирающих. Он оглянулся, увидел темные силуэты бросившихся в погоню рептилий, дважды выстрелил в них, но промахнулся. Нырнув за дерево, он вложил патроны в цилиндр своего пистолета и застыл в ожидании.

— Ложись, Скейс! — раздался голос. — И заткни уши.

В воздух взвился глиняный кувшин и взорвался прямо перед охотниками. За ним еще один. Скейс покатился по земле под грохот взрыва, потом вскочил и кинулся бежать.

Его нагнал Шэнноу и протянул руку. Скейс вскочил на спину его коня за седлом, и жеребец размашистой рысью углубился в лес.

Они проехали две мили, прежде чем Шэнноу остановился, чтобы дать жеребцу отдохнуть: конь тяжело дышал, на боках выступила пена. Скейс спрыгнул на землю и похлопал жеребца по шее:

— Хорошая лошадка, Шэнноу. Захочешь продать, так я сразу куплю.

— Купишь? — повторил Шэнноу, сходя с седла. — На что? У тебя ведь осталось только то, что сейчас на тебе.

— Я все верну, Шэнноу! Уж я найду способ поквитаться с этими тварями и с проклятой бабой!

— Тебе следовало бы питать к ней благодарность, — заметил Шэнноу. — Она никудышный полководец. Будь у нас сотня вооруженных всадников, мы за один день разделались бы с ними со всеми. — Он взял жеребца под уздцы и пошел вперед.

— Может, и так, — согласился Скейс. — Но пока, мне кажется, верх за ней. Ты не согласен?

Шэнноу не ответил, и несколько минут они шли рядом в молчании. Потом Шэнноу свернул на узкую тропинку, которая привела их к пещере. Вход был чуть больше четырех футов в ширину, но внутри пещера оказалась просторной и почти круглой. Шэнноу расседлал жеребца и растер его.

— Мы останемся здесь часа на два, а потом надо будет поискать способ, как перебраться через Стену.

— Полегче, Шэнноу. Рептилии наверняка уже облепили ее, как мухи мед. Да, кстати, спасибо за своевременную выручку. Когда-нибудь я с тобой расплачусь.

— Интересная мысль, — сказал Шэнноу, взяв одеяла и расстилая их на полу. — Разбуди меня через час.

— Мы здесь как в ловушке. Не лучше ли отправиться дальше?

— Маловероятно, что они продолжат поиски. Разделавшись с твоим отрядом, они сосредоточатся у Стены.

— А если ты ошибаешься?

— Тогда мы оба уже покойники. Разбуди меня через час.

Землетрясение разбило великую Стену — пролом был двадцати с лишним футов в ширину. По обеим его сторонам торчали массивные каменные плиты, и, казалось, достаточно легкого дуновения ветра, чтобы они сорвались на громыхающие между ними фургоны.

Пастырь следил, как колонна медленно продвигается по усыпанному обломками опасному проходу. Взрывы вдали не возобновились — как и стремительное приближение врагов.

— Шэнноу? — спросил Бык, и Пастырь кивнул. — Никогда не сдается, а?

Когда последний фургон проехал пролом, Пастырь послал несколько человек взобраться на Стену и сбросить вниз еле держащиеся плиты. Они ударялись о землю, поднимая облака пыли.

— Тут их, пожалуй, можно задержать, — заключил Бык. — Хотя, думается, эти твари через что хочешь перелезут.

— Мы двинемся на юг, — сказал Пастырь. — Но надо, чтобы ты с десятком человек удерживал их тут до утра... если ты согласен.

Бык ухмыльнулся и запустил пятерню в длинные рыжие волосы.

— Коли бы выбирать между этим и чтобы мне нарыв проткнули, я бы, Пастырь, сам нарыв под нож подставил. Только сделать-то это надо. Ну и по-соседски будет подождать здесь менхира Скейса и тех, кто с ним.

— Ты хороший человек, Бык.

— Я-то знаю, Пастырь. А вот вы не позабудьте объяснить это Всемогущему.

Бык неторопливо прошелся между мужчинами, отбирая тех, на кого, по его мнению, можно было положиться в трудную минуту. Они взяли запас патронов, налили фляжки дополна из бочонка в фургоне и заняли позиции на Стене и за обломками.

С севера донеслись звуки выстрелов и еще два глухих взрыва.

— Всюду поспевает! — сказал Бык вслух Фэрду.

— Кто?

— Да Иерусалимец же! Уповаю на Бога, он выкарабкается.

— А я уповаю на Бога, что мы выкарабкаемся, — сказал Фэрд с чувством и вдруг охнул: — Дьявол! Опять второе солнце!

Сияние было слепящим, и Бык закрыл глаза ладонью. Он ощутил толчки под ногами.

— Быстрей со Стены! — взревел он.

Люди кинулись бежать, но тут земля содрогнулась, и они попадали с ног. По Стене зазмеились трещины, плиты смещались, рушились. Поперек долины разверзся провал, и из него с ревом вырвался огненный столп.

— У-ух ты! — прошептал Бык, когда в ноздри ему ударил запах серы. Он привстал на колени. Рухнул еще один большой кусок Стены, и из густой тучи пыли вышла высокая рептилия, вытянув вперед правую руку. Фэрд прицелился.

— Погоди! — приказал Бык, встал, пошел навстречу твари и остановился в трех шагах перед ней.

Чешуйчатый выдул пыль из ноздревых щелей и устремил на Быка пристальный взгляд золотистых глаз.

— Скажи, с чем пришел? — потребовал Бык, положив руку на пистолет.

— Сссскажу. Это ссскверная война, человек. Много сссмерти. Нет сссмысссла.

— Ее вы начали.

— Да. Большшшая глупоссть. Мы ввссего лишшшь сссолдаты. Понимаешшшь? Ничего не решшшаем. Теперь Зззлатовлассска велит: говорите. Мы говорим.

— Что еще за Златовлаека?

— Шшшаразад. Вождь. Она говорит: отдайте нам человека Нои, и мы оссставим васс в покое.

— А почему мы должны ей верить?

— Я ей не верю, — отозвалась рептилия. — Коварная женщщщина. Но она говорит: «Говори», и я говорю.

— Ты говоришь, чтобы я не доверял вашей начальнице? — в изумлении переспросил Бык. — Так какого дьявола вы вообще сюда заявились?

— Мы руазззшшш-Па. Воины. Мы сссражаемсссс хорошшшо. Мы лжем плохххо. Она говорит, чтобы я шшшел, говорил, говорил вам ссслова. Я говорю вам ссслова. Что ответите вы?

— А что бы ответил ты?

Рептилия взмахнула рукой:

— Не мне решшшать. — Она снова фыркнула и закашлялась.

— Воды хочешь? — спросил Бык и подозвал Фэрда.

— Хочу.

Фэрд подошел с фляжкой и опасливо протянул ее рептилии. Тварь запрокинула фляжку и облила холодной влагой свою морду. Сразу же чешуйчатая сухая кожа обрела здоровый цвет. Рептилия вернула фляжку, даже не взглянув на Фэрда.

— Очень сссильно сссскверная эта война, — сказала она Быку. — И эти, — она погладила пистолеты у себя на боку, — очень сссскверные. Сссражатьссся надо кинжалами и мечами. Изззздали душшши не победишшшь. Я, Сссзззшшшарк, убил двадцать шшшесссть врагов кинжалом: лицо к лицу, коссснулссся их глазз яззыком. Теперь... бах!.. враг падает. Очень сссильно сссскверно.

— Ты вроде приличный парень, — сказал Бык, заметив, что остальные рептилии подходят все ближе. — Я... мы...

никогда таких, как вы, не видели. Просто стыд, что мы должны убивать друг друга.

— Убивать не ссстыдно, — прошипела тварь, — но лишщщшь сссоглассно ссс обычаем. Какой твой ответ коварной женщщщщине?

— Скажи ей, что нам нужно время подумать.

— Зззачем?

— Чтобы посоветоваться друг с другом.

— У вассс нет вождя? А красссноголовый в черном? Вссссадник-Сссмерть?

— Трудно объяснить. Нашим вождям нужно время, чтобы все обсудить. А тогда они, может, скажут «да», может, «нет».

— Ссследует ссссказать «нет», — заметил Сзшарк. — Будет бессссчесссстно. Лучшшше умереть, чем предать друга. Но я передам твои ссслова Зззлатовласссске. Вода была хорошшша. Зззза этот дар я убью тебя, как подобает. Кинжалом.

— Спасибо, — поблагодарил Бык, ухмыляясь. — Очень радостно знать об этом.

Сзшарк слегка поклонился и побежал назад к Стене. Одним прыжком он перелетел через десятифутовую плиту и исчез из вида.

— Дьявол! Как ты все это понимаешь? — спросил Фэрд.

— Будь я проклят, не знаю! — ответил Бык. — А он вроде бы ничего... тварь, верно?

— Очень даже, — согласился Фэрд. — Надо пойти сказать Пастырю про то, что они предлагают.

— Не нравится мне это, как ни кинь, — сказал Бык.

— Мне тоже. Но тут моя жена и ребятишки, и если придется выбирать между ними и чужаком, я знаю, за что проголосую.

— Он спас тебя и твою жену от чумы, Фэрд. Видно, у вас в семье с благодарностью туговато.

— Так то было тогда, — огрызнулся Фэрд, отворачиваясь, — а это теперь.

26

Тела трех жертв унесли с алтаря. Верховный жрец поднял три сверкающих Кровь-Камня и положил их в золотую чашу.

— Властью Духа Велиала, крови невинных, закона царя, — произнес он нараспев, — пусть Сильные приведут вас к победе.

Трое мужчин преклонили колени, и верховный жрец встал перед ними с чашей. С высокого осыпанного драгоценными камнями трона царь следил за обрядом без всякого интереса. Он взглянул на великана Магелласа и понял, что воин чувствует себя на коленях очень неловко. Царь улыбнулся. На лице худощавого Линьяна справа от Магелласа не было никакого выражения — серые глаза полуприкрыты тяжелыми веками, лицо как застывшая маска. Родьюл, крайний справа, ждал с закрытыми глазами, погрузившись в молитву. Все трое были похожи, как братья: одинаковые снежно-белые волосы и бледные лица. Верховный жрец вручил каждому его Камень, потом благословил их Рогами Велиала. Они плавно поднялись с колен и поклонились царю.

Он ответил на их поклон, сделал им знак следовать за собой и быстро направился в свои покои. Там он встал у окна и подождал, пока три воина вошли. Магеллас был огромен. Могучие мышцы плеч и предплечий туго натягивали серебряно-черную тунику. Линдьян рядом с ним выглядел тростинкой. Родьюл держался несколько правее.

— Подойдите, — сказал царь. — Познакомьтесь со своим врагом. — Он поднял Сипстрасси, стена замерцала, исчезла, и они увидели человека, стоящего рядом с высоким черным конем. Поблизости сидел еще один мужчина.

— Вот ваша жертва, — сказал царь. — Его имя Шэнноу.

— Он же старик, государь! — сказал Магеллас. — Зачем понадобились охотники?

— Найдите его и узнаете, — ответил царь. — Но я не желаю, чтобы он был убит из засады или издалека. Вы должны встретиться с ним лицом к лицу.

— Значит, это испытание, отец? — спросил Родьюл.

— Да, испытание, — подтвердил царь. — Он воин, и, подозреваю, что он, как и вы, — ролинд. Его слабость в том, что в утробе матери его не подкармливали силой Сипстрасси и не обучали, как вас, лучшие убийцы Империи. Тем не менее он воин.

— Но почему мы трое, Владыка? — спросил Линдьян. — Разве не достаточно одного?

— Очень вероятно. Но ваш враг — великий мастер в обращении с нашим новым оружием, и, может быть, вы переймете его мастерство. И ради такой цели я назначаю большую награду. Тот Охотник, который его убьет, станет сатрапом Аккадии, Северной провинции, его спутники получат по шесть талантов.

Все трое молчали, но царь видел ход их мыслей. Объединения ради общей цели не будет. Ни общего плана действий. Каждый уже обдумывал, как взять верх не только над Шэнноу, но и над остальными двумя.

— Больше у вас нет вопросов, дети мои?

— Нет, отец, никаких, — ответил Магеллас за всех троих, не дожидаясь их согласия.

— Я буду с интересом следить за вашей охотой.

Охотники поклонились и вышли. Царь, запечатав покой своим Камнем, откинулся на шелковом диване. Стена вновь замерцала, и он поглядел вниз, на земли за Стеной. Наконец-то Шаразад начала думать: она посеяла семя раздора между своими противниками и теперь окружает их своими центуриями. Он поглядел дальше в густые леса на холмах к западу от беженцев. И засмеялся:

— Ах, Шаразад, если бы я только пресытился твоей красотой! Вновь ты прилагаешь все силы, чтобы вырвать поражение из пасти победы.

Он прикоснулся к Камню, оглядел земли к югу и резко выпрямился, увидев дальний город. Он вскочил, его светлые глаза широко раскрылись, во рту у него пересохло, и впервые за долгие десятилетия его поразило копье страха.

— Что это за демонская игра? — прошептал он.

Оставив изображение мерцать, он приказал позвать астрологов. Их было четверо, и всем на вид можно было дать лет двадцать пять, не больше.

— Поглядите и скажите мне, что вы видите, — приказал царь.

— Это город Эд, — ответил Араксис, их глава. — Приблизь его, великий государь... Да, это Эд. Но статуи изъедены ветрами, мостовые разбиты. Сдвинь южнее, государь. Найди Башню.

Но Башни на месте не было. Только одинокая, облепленная ракушками скала. Некоторое время атланты как зачарованные смотрели на Меч Божий.

— Непонятно, государь, — сказал наконец Араксис. — Разве что кто-то скопировал наш город или...

— Говори! — приказал царь.

— Может быть, мы видим город, каким он когда-нибудь станет.

— Где море? Где корабли?

Астрологи переглянулись.

— Покажи нам ночь в этом мире, государь.

Царь прикоснулся к Камню, и астрологи сгрудились в середине покоя, всматриваясь в усыпанное звездами небо.

— Мы вернемся в Башню, государь, — сказал Араксис. — Изучим подробнее и доложим тебе.

— Не позже вечера, Араксис. А пока пришли ко мне Серпьята.

Царь погрузился в размышления, глядя на видение, и не заметил, как вошел полководец Серпьят. Могучего сложения, невысокий, в вызолоченном панцире и черном как ночь плаще.

— Негоже, государь, — сказал он скрипучим, грубым голосом, — позволять вооруженному человеку свободно входить в твои покои!

— Что? А, да-да, ты прав, мой друг. Но мои мысли были заняты вот этим, — сказал царь, указывая на город.

Серпьят снял шлем с черным плюмажем и приблизился к видению. Он почесал в бороде.

— Это так и есть?

— Так и есть. И хуже. Араксис вернется сюда до вечера, но когда он уходил, лицо у него было белым, глаза полнились страха. Страшно и мне. Башенным Камнем мы открыли врата в другие миры — и завоевали их. Но это... Это не другой мир, Серпьят. Что мы натворили?

— Не понимаю, государь. Чего ты страшишься?

— Вот этого! — крикнул царь. — Мой город. Я его построил. Но где океан? И где я?

— Ты? Ты здесь. Ты царь.

— Да-да. Прости меня, Серпьят. Собери десять легионов. Я хочу, чтобы этот город был окружен и взят — со всеми его летописями. Со всеми записями. Захвати жителей. Допроси их.

— Но этот мир должен был стать владением Шаразад, ведь так? Я буду под ее началом?

— Шаразад — прошлое. Играм пришел конец. Сделай то, что я прошу, и приготовь свое войско. Через три дня я широко открою врата.

Пастырь выслушал своих разведчиков. Южные земли очень обширны, и их легко обозревать. Есть свидетельства о том, что прежде земля тут обрабатывалась, а еще на равнине перед городом они видели множество львиных следов. И в отдалении заметили несколько прайдов. На востоке, узнал он, есть и другие следы, еще больше. С отпечатками огромных когтей.

— А каких-нибудь чудовищных зверей ты видел? — спросил он всадника.

— Нет, менхир. То есть никаких мне незнакомых. Но я видел несколько огромных медведей, каких прежде не встречал. Высоко в холмах, где начинаются леса. Очень-то близко я к ним не подбирался.

Они разбили лагерь у озера. Пастырь велел повалить и подтащить к озеру деревья, и из их стволов соорудили три стены. Внутри этого простейшего укрепления он разрешил поставить шатры и разжечь костры для стряпни. Беглецы выполняли привычные работы точно во сне. Многие женщины во время нападения на город лишились мужей. А немало мужчин из тех, кто в то роковое утро решил сходить в церковь, знали, что их жен и детей безжалостно умертвили. Все было потеряно. Для кого — дом, шатер, фургон, для кого — близкие и любимые. Уцелевшие душевно оцепенели. Пастырь собрал их вместе и помолился за души усопших. А потом указал, что должны делать живые, распределив обязанности, — собирать топливо для костров, помогать ставить шатры, искать в лесу съедобные коренья, клубни, дикий лук.

Вдали он видел сверкающие башни города Блудницы и прикидывал, сколько у них остается времени до того, как ее сатанинские легионы явятся учинить над ними расправу.

Появление Быка с Фэрдом было приятной неожиданностью, но еще более неожиданным оказался рассказ быка о встрече с Сзшарком.

— Ты говорил с одним из приспешников дьявола? — сказал Пастырь с ужасом. — Уповаю, твою душу не спалил адский огонь.

— Он казался... — Бык пожал плечами, — ...во всяком случае, честным, Пастырь. Он предостерег нас против этой женщины.

— Не будь глупцом, Бык. Он исчадие тьмы и не знает, что есть правда. Его пути — пути обмана. Если эта женщина предлагает нам мир, мы должны считать ее предложение честным — хотя бы потому, что демон утверждает обратное.

— Погоди-ка, Пастырь. Ты с ним не говорил. А я так да. И в общем-то доверяю тому, что он сказал.

— Значит, дьявол коснулся тебя, Бык. И больше на тебя полагаться нельзя.

— Строговато, Пастырь. Так что же, ты хочешь выдать Целителя этим тварям?

— Что мы знаем о нем и о его связи с ними? Возможно, он убийца. Возможно, эту погибель навлек на нас он. Я помолюсь, потом люди проголосуют. А ты поезжай назад, следи за врагом.

— А я, значит, не голосую, Пастырь?

— Я подам голос за тебя, Бык. Как я понял, ты против любой... сделки?

— Вернее ты сказать не мог бы, будь я проклят!

— Я слышу тебя. А теперь отправляйся.

Пастырь позвал к себе Нои, и они начали прохаживаться по берегу озера.

— Почему эти твари охотятся на вас, менхир? — спросил Пастырь.

— Я говорил против царя в храме. Я предупреждал людей о надвигающихся бедствиях.

— И потому они считают вас изменником? Неудивительно, менхир Нои. Разве Библия не велит нам почитать власть царей, ибо они помазанники Божьи?

— Я не осведомлен в вашей Библии, Пастырь. Я следую Закону Единого. Бог говорил со мной и велел мне пророчествовать.

— Будь Он истинно с вами, менхир, то оградил бы вас от бед. А так вы бежали от закона своего царя. Ни один истинный пророк не страшится гнева царей. Илия противостоял Ахаву, Моисей — фараонам, Иисус — римлянам.

— Про Иисуса я не знаю, но я читал в Библии Шэнноу про Моисея, и разве он не бежал в пустыню, прежде чем вернулся спасти свой народ?

— Я не стану препираться с вами, менхир. Нынче вечером люди решат вашу судьбу.

— Моя судьба в руках Бога, Пастырь. Не в ваших.

— Неужто? Но какого Бога? Вы ничего не знаете об Иисусе, Сыне Божьем. Вы не знаете Библии. Так как же вы можете быть Божьим человеком? Ваш обман искусен, но меня вы не провели, ибо Господь наделил меня даром проницательности. Вы не покинете пределов лагеря. Я отдам распоряжение заковать вас в цепи, если вы попытаетесь бежать. Вы поняли?

— Понял даже лучше, чем вы полагаете, — ответил Нои.

Когда солнце закатилось, Пастырь созвал мужчин и обратился к ним с речью. Но тут в их круг вошла Бет Мак-Адам.

— Что вам тут нужно, Бет? — спросил Пастырь.

— Я хочу выслушать каждый довод, Пастырь. Как и все женщины тут. Или вы не хотите допустить нас на ваше собрание?

— Написано, что женщины должны молчать на собраниях верующих, и вам не подобает подвергать сомнению святой закон.

— Я не подвергаю сомнению святой закон, чем бы, во имя дьявола, он ни был. Но две трети людей в лагере — женщины, и нам есть что сказать. Никто не живет за меня моей жизнью и не принимает решений за меня. А души тех мужчин, которые покусятся на это, я отправлю в ад. Сейчас вы решаете судьбу моего друга, и, клянусь Богом, я приму в этом участие. Мы все его примем.

Женщины толпой вошли в круг, и вперед выступила Марта. В сгущающихся сумерках ее волосы отливали серебром.

— Вас не было в караване, Пастырь, — сказала она, — когда менхир Нои исцелил там всех. У него был Камень Даниила, а кому не известно, какую цену можно за него взять? Менхир Нои мог бы разбогатеть, этот Камень мог бы подарить ему беспечную жизнь. Но он истратил всю его силу на людей, которых никогда прежде не видел. Не по-христиански будет выдать его убийцам.

— Довольно! — загремел Пастырь. — Призываю мужчин проголосовать. Нет сомнений, что Дьявол, Сатана вновь оплел сердце Женщины, как в тот злополучный день, когда Мужчина был изгнан из земного Рая. Голосуйте, говорю вам!

— Нет, Пастырь, — начал Джозия Брум, вставая и откашливаясь. — Не думаю, что нам следует голосовать.

Думаю, это принижает нас. Я человек мирный, и я страшусь за всех нас, но дело обстоит просто. Менхир Нои, по вашим словам, не истинно Божий человек. Однако в Библии сказано: «По делам их будете судить их». Ну, и я его сужу по его делам. Он исцелил наших людей, он не носит оружия, он не говорит худого. Эта женщина, Шаразад, которой вы уговариваете нас поверить, покупала оружие у менхира Скейса, а потом натравила демонов на нашу общину. По ее делам сужу я ее. Голосовать о подобной сделке — позор, который я не хочу брать на себя.

— Ты говорил, как трус, каков ты и есть! — закричал Пастырь. — Так не голосуй, Брум. Уходи. Повернись спиной к исполнению долга. Погляди вокруг. Посмотри на детей и женщин, которые умрут. И ради чего? Чтобы один человек — чужой нам — мог избегнуть кары за свою измену?

— Как вы смеете называть его трусом! — вспылила Бет. — Если вы правы, то вот сейчас он предпочел смерть позору. У меня двое детей, и я жизнь отдам, лишь бы они были здоровы и счастливы. Но отдать чужую жизнь? Да будь я проклята — нет и нет!

— Очень хорошо, — сказал Пастырь, стараясь подавить гнев. — Пусть голосуют все. И пусть Господь умудрит ваши сердца. Пусть все, кто за то, чтобы этот человек, Нои, был возвращен соплеменникам, подойдут сюда и станут позади меня.

Медленно некоторые мужчины начали переходить к нему. Встал и Фэрд.

— Пойдешь к нему, Эзра Фэрд, так ко мне не возвращайся! — выкрикнул женский голос. Фэрд неловко потоптался на месте и снова сел. Всего за Пастырем встали двадцать семь мужчин и три женщины.

— Похоже, с этим покончено, — сказала Бет. — А теперь пора разжигать костры и готовить ужин.

Она повернулась, чтобы уйти, но вдруг остановилась и медленно направилась к Джозии Бруму.

— Мы не во всем согласны, менхир, но, как ни мало это стоит, я сожалею о том, что наговорила вам. И слушать вас нынче было честью.

Он ответил ей поклоном и нервной улыбкой:

— Я не человек действия, Бет. Но и я горжусь тем, как повели себя здесь люди. Вероятно, в конечном счете их решение ничему не поможет, но это показывает, на какое величие способен род человеческий.

— Вы не поужинаете со мной и моими детьми?

— Буду очень рад.

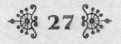

27

Шэнноу и Скейс поднялись на гребень последнего холма и увидели внизу озеро темной красоты. Между двумя дальними пиками в небе висела луна, и вода отливала серебром. Лагерь на берегу был освещен кострами, фургоны, точно нанизанные на нить жемчужины, окаймляли изнутри бревенчатую ограду как дополнительное укрепление. С того места, где они стояли, все выглядело спокойно и мирно.

— Красивый край, — сказал Скейс. — Забытый Богом, но красивый.

Шэнноу промолчал. Он оглядывал горизонт, высматривая какие-нибудь признаки присутствия рептилий. Они со Скейсом прошли через пролом в стене и видели множество следов, но ничто не наводило на мысль о близости врагов. Шэнноу это тревожило. Зная, где находится его противник, он мог обдумать, как взять над ним верх или скрыться от него. Но Кинжалы исчезли, хотя следы словно бы указывали, что они направились в леса к западу от лагеря.

— Ты не слишком разговорчив, Шэнноу, — заметил Скейс.

— Когда мне нечего сказать, Скейс. Там как будто устроили собрание. — Он указал на середину лагеря.

— Так идем туда. Я не хочу, чтобы какие-то решения принимались без меня.

Шэнноу пошел впереди, ведя жеребца на поводу. Их заметил дозорный, узнал Скейса и быстро проводил через проем в ограде. К ним широким шагом поспешил Пастырь, и Шэнноу увидел, что лицо у него багровое, а глаза пылают гневом.

— Какая-нибудь беда, Пастырь? — спросил он.

— Не бывает пророк без чести, разве что в краю своем, — яростно объявил Пастырь. — А где остальные?

— Все убиты, — ответил Скейс. — Но что происходит?

Пастырь коротко рассказал им о собрании и, как он выразился, его сатанинском результате.

— Будь тут вы, все могло бы обернуться по-другому, — сказал он Шэнноу, но Иерусалимец не ответил, а повел жеребца к коновязи, расседлал и несколько минут чистил его шерсть. Потом задал ему зерна, позволил напиться из озера, после чего привязал и пошел через лагерь в поисках Бет Мак-Адам. Она сидела у костра возле своего фургона с Джозией Брумом и Нои. Тут же, завернувшись в одеяла, спали ее дети.

— Можно мне посидеть с вами? — спросил Взыскующий Иерусалима.

Бет подвинулась, освобождая ему место рядом с собой, а Брум тут же встал.

— Благодарю вас, Бет, за приятную беседу. Но теперь я вас оставлю.

— Зачем торопиться, Джозия, куда здесь можно пойти?

— Я, пожалуй, попробую уснуть. — Он кивнул Шэнноу и удалился.

— Он меня не терпит, — сказал Шэнноу, принимая из рук Бет кружку баркеровки.

— Что так, то так. Но вы слышали, что произошло?

— Да. Как вы, Нои?

Корабельный мастер пожал плечами:

— Хорошо, Шэнноу. Но ваш Пастырь удручен. Он верит, что я приспешник какого-то дьявола. Мне жаль его. Ему приходится очень тяжело, и все-таки он творит чудеса, объединяя людей. Хороший вождь, но, подобно всем вождям, убежден, что прав всегда он, и только он.

Из западного леса донесся треск выстрелов — более чем в миле от озера. Шэнноу встал и обозрел открытую равнину, но ничего не увидел, а выстрелы оборвались.

Снова сев, он допил кружку.

— Мне кажется, я знаю, как я могу попасть домой, — сказал Нои. — В Храме Эда было внутреннее святилище, где раз в году старейшины исцеляли болящих. У них были Сипстрасси. Если конец наступил внезапно, возможно, хранившиеся там Камни еще целы.

— Отличная мысль, — сказал Шэнноу. — Я как раз направляюсь туда. Поезжайте со мной.

— А что вы намерены делать там? — спросила Бет.

— Говорят — Пастырь и не только он, — что это город, где черная царица властвует над чудовищными зверями. Я пойду к ней, расскажу про рептилий и нападении на город.

— Но ведь она исчадие зла, — возразила Бет. — Вас убьют.

— Кто может это утверждать? — сказал Шэнноу. — Пастырь никогда ее не видел. Никто уже много лет не бывал За Стеной. Я верю только собственным глазам, Бет Мак-Адам.

— Но тот зверь в городе? Этот полулев. Вы же его видели. Ничего страшнее не придумаешь!

— Я встретил такого же полульва, когда был в беде, Бет. Он исцелил мои раны и выходил меня. Он рассказывал мне о Черной Госпоже. Он говорил, что она — наставница и помогает людям Льва, Медведя и Волка. Я не полагаюсь на слухи. Я не выношу суждений.

— Но если вы ошибаетесь...

— Будет то, что будет.

— Я отправлюсь с вами, Шэнноу, — сказал Нои. — Мне необходим Камень. Мне необходимо вернуться домой. Мой мир на краю гибели, и я должен быть там.

Шэнноу кивнул:

— Погуляем у озера. Нам надо многое обсудить.

Они неторопливо направились к озеру и сели у воды.

— Когда мы беседовали на холмах, — сказал Шэнноу, — вы говорили мне о царе и творимом им зле. Но не назвали его имени. Скажите, его зовут Пендаррик?

— Да. Царь царей. Но что за важность в его имени?

— Этому человеку я обязан жизнью. Он дважды меня спасал. Три года назад он явился мне во сне и показал свой меч, объяснив, что если я увижу этот меч наяву и у меня будет в нем нужда, я должен протянуть руку, и он станет моим. Сражаясь с Саренто в пещере Материнского Камня, я увидел изображение этого меча на алтаре. Я протянул руку, и клинок оказался в ней. А позже, когда океан затопил пещеру и я уже умирал, передо мной возникло лицо Пендаррика, и он вывел меня в безопасное место.

— Ничего не понимаю, Шэнноу. Что вы пытаетесь мне втолковать?

— Я у него в долгу. И не могу выступить против него.

Нои поднял плоский камешек и пустил его прыгать по воде.

— Прежде Пендаррик был хорошим царем. Даже великим. Но к нему пришли сыны Велиала и показали ему силу Сипстрасси, накормленного кровью. Он изменился, Шэнноу. Зло овладело им. Я видел, как тела детей с перерезанным горлом волокли за ноги с алтарей Молеха-Велиала. Я видел сотни безжалостно зарезанных молодых женщин.

— Вы, но не я. Хотя я знаю, что вы говорите правду. Ведь Пендаррик сказал мне, что был царем, погубившим мир. И мир падет, что бы я ни делал — или не делал.

Нои пустил по воде второй камешек.

— Я строю корабли, Шэнноу. Придаю необходимую форму килям. Я работаю с деревом. Все на своем месте и в положенном порядке. Нельзя начать с палубы и прибавлять к ней борта и днище. То же и с Пендарриком. Вы и я — слуги Творца, а Он тоже верит в порядок. Он сотворил Вселенную, солнца и луны и звезды. Потом мир. Потом морских животных. И, наконец, Он поместил на землю человека. Все по порядку.

— Но при чем тут Пендаррик?

— Очень при чем. Он изменил порядок Вселенной, Атлантида погибла, Шэнноу. Погибла двенадцать тысяч лет назад. И все же она здесь, ее солнце сияет рядом с нынешним. Дух Пендаррика, который спас вас, пока еще не существует. Царь там — еще не он. Вы понимаете? Правитель, служитель зла, который пытается завоевать миры, превосходящие воображение, еще не встречался с вами. Только после гибели Атлантиды он появится в вашей жизни. А потому вы ничем ему не обязаны. И вот что еще, Шэнноу. Вы уже выступали против него, и, быть может, теперь он знает про вас. Быть может, потому он и явился вам три года назад. Он уже знал вас, хотя вы о нем ничего не знали.

— Мой ум — точно котенок, который гоняется за своим хвостом, — сказал Шэнноу с улыбкой, — хотя, мне кажется, я понимаю. Но даже и так, я прямо против него не выступлю.

— Возможно, вы будете вынуждены, — сказал Нои. — Если два корабля связаны друг с другом в бурю и один получает пробоину, что происходит со вторым?

— Не знаю. Оба пойдут ко дну?

— Вот именно. Так подумайте вот о чем, мой друг. Пендаррик связал наши два мира. Есть врата, ведущие в прошлое. Что произойдет, когда океан вздыбится?

Шэнноу вздрогнул и посмотрел на звезды.

— В Балакрисе, — сказал он, — у меня было видение. Я увидел, как огромная волна катилась к городу. Я видел, как она бушевала. Это было страшное зрелище. Вы думаете, что она ворвется через врата?

— А что ее остановит?

Они помолчали. Потом Шэнноу вынул из кармана золотую монету, которую нашел в пещере Шэр-рана. Он вгляделся в изображение на одной ее стороне.

— Что это? — спросил Нои.

— Меч Божий, — прошептал Шэнноу.

Бык натянул поводья и прислушался к внезапно раздавшимся выстрелам. Он следил за Кинжалами с почтительного расстояния, видел, как они, добравшись до нижней опушки леса, скрылись среди деревьев, и разгадал их намерение обойти лагерь и напасть под покровом темноты. Он как раз думал повернуть назад и предостеречь Пастыря, когда тишину разорвали выстрелы. Он оглянулся на дальний лагерь, на мерцающие костры. Вернуться сейчас? Но ведь сообщить ему почти нечего. Он вытащил пистолет, проверил, как он заряжен, а затем, держа пистолет наготове, направил лошадь в лес.

Он медленно ехал по оленьей тропе, часто останавливаясь, чтобы прислушаться. Под ночным ветром ветки над его головой шуршали и постукивали, но время от времени ветер стихал, и тогда Быку казалось, будто он слышит звериный рев. У него вспотел лоб.

Он стащил шляпу с головы и утер лицо рукавом рубахи. «Никак ты в уме помутился, малый!» — сказал он себе, слегка ударив кобылку каблуками. Она была сложена, как выносливый горный пони, и короткие расстояния пробегала с большой резвостью, но теперь она прижимала уши и шла неохотно, словно запахи, приносимые ночным ветром, ее пугали. Ветер совсем стих, и Бык услышал впереди жуткое рычание. Он натянул поводья и вновь подумал, не повернуть ли назад, однако спешился, обмотал поводьями сук и прокрался вперед.

Он раздвинул ветки большого куста, и перед ним предстало кровавое зрелище. Поляну за кустом усеивали трупы рептилий, и их рвали на куски гигантские медведи. На середине поляны блеснули золотые волосы — и труп женщины Шаразад был утащен в лесной мрак. Он быстро пересчитал медведей. Великанов тут было свыше сорока, и повсюду вокруг него слышалось урчание и рычание. Он попятился, взводя курок.

Внезапно рядом с ним вздыбился мохнатый гигант. Бык перекатился через плечо и всадил пулю в нависавшую над ним разинутую пасть, но массивная когтистая лапа опустилась, вбивая его в землю. Он тяжело ударился о камень, но сумел выстрелить еще раз. Из пасти хлынула кровь, и все-таки зверь нагнулся над ним. Из кустов выскочил Сзшарк с зазубренным кинжалом в руке, прыгнул на спину медведя и вонзил ему кинжал в правый глаз. Под треск ломающихся веток зверь рухнул. Бык вскочил и побежал к своей лошадке. Сзшарк бежал рядом. Вспрыгнув в седло, Бык высвободил поводья. Повсюду вокруг хрустели кусты, проламываемые огромными тушами. Сзшарк зашипел и поднял кинжал. Инстинктивно Бык протянул к нему руку.

— Нам лучше поскорее выбраться отсюда, — крикнул он, и Сзшарк, ухватившись за его запястье, вскочил в седло позади него. Лошадка помчалась по оленьей тропе, словно ей подожгли хвост. Они выехали на опушку и галопом помчались все дальше от леса.

— Много хорошшших сссхваток, — сказал Сзшарк. — много душшш.

Бык натянул поводья и оглянулся. Медведи остановились на опушке и смотрели им вслед. Он дал кобылке передохнуть, а потом направил ее шагом к лагерю.

— Уж не знаю, как тебя встретят, Сзшарк, — сказал он. — Как бы Пастырь тебя в масле заживо не сварил! — Сзшарк ничего не ответил. Его треугольная голова легла на плечо Быка. — Ты мсня слышишь?

Ни ответа, ни движения. Бык выругался и поехал дальше. Дозорные пропустили его и лишь тогда заметили, кого он везет. Весть облетела лагерь быстрее степного пожара. Бык слез с седла и извернулся, чтобы поймать падающее тело Сзшарка. Он положил рептилию на траву и увидел жуткую рану, которую оставили на чешуйчатом плече грозные когти. Кровь стекала на землю. Золотистые глаза Сзшарка открылись.

— Много душшш, — прошипел он, замигал и посмотрел на склоненные над ним лица. Его глаза затуманились, чешуйчатая рука протянулась и схватила Быка за локоть.

— Вырежи мое сссердце, — сказал Сзшарк. — Ты... — Золотистые глаза закрылись.

— Зачем ты привез сюда этого демона? — спросил Пастырь.

Бык выпрямился.

— Они все убиты, Пастырь, благодарение Богу. А это Сзшарк. Он спас меня в лесу. Там звери — дьявольски большие — десять футов высотой, а то и все двенадцать. Они уничтожили рептилий. Женщина тоже убита.

— Значит, мы можем вернуться в Долину Паломника! — воскликнула Бет Мак-Адам. — Вот это чудо так чудо!

— Нет, — сказал Пастырь. — Как вы не понимаете? Мы приведены сюда, как дети Израиля. Но наш труд еще впереди. Надо уничтожить Великую Блудницу и освободить Меч Божий. Вот тогда Бог истинно благословит нас, волк и ягненок будут пастись вместе, и лев, как вол, будет есть солому. Как вы не видите?

— С меня хватит сражений! — объявила Бет. — Завтра я вернусь домой. — Раздались одобрительные возгласы. — Послушайте, Пастырь, вы нас спасли, что и говорить. Если бы не вы, нас бы всех перебили. Я благодарна вам — и это не пустые слова. Вы всегда будете желанным гостем в моем доме. Но я возвращаюсь туда. Домой! Про эту вашу Блудницу я ничего не знаю, и мне нет дела до какого-то там меча.

— Что же, я отправлюсь один, — сказал Пастырь. — Я не сверну с Божьего пути!

Он направился к коновязи и оседлал лошадь. К нему подошел Шэнноу.

— Сначала удостоверьтесь, что путь — Божий, Пастырь, а уж потом следуйте ему.

— Мне ниспослан Дар, Шэнноу. Ничего плохого со мной не случится. А вы не поедете со мной? Вы ведь Божий человек.

— У меня другие планы, Пастырь. Будьте осторожны.

— Моя судьба неотделима от Меча, Шэнноу. Я это знаю. Он заполняет мои мысли, он укрепляет мое сердце.

— Да будет с вами Бог, Пастырь.

— Да будет воля Его, — ответил Пастырь, садясь в седло.

28

раксис отодвинул листы с вычислениями и уставился на полуденное солнце. Его томил страх. Когда Пендаррик в первый раз призвал его в зимний дворец в Балакрисе, ему было уже четыреста двадцать семь лет, и болезнь грозила вот-вот унести его в могилу. И Сипстрасси изменил его жизнь. Царь исцелил его, вернул ему давно забытую юность. Однако с тех пор появилось много астрологов, и семнадцать из них были преданы смерти, потому что не угодили царю. Не то чтобы Пендаррик не желал слушать про зловещие предзнаменования, но он требовал от астрологов точности в предсказаниях. Однако, как знают все посвященные, постижение воли Судеб — не наука, а искусство. И теперь Араксис оказался в той же ловушке, в какую попадали многие его предшественники. Он вздохнул и встал, собирая листы пергамента.

В стене возникла дверь, и он вошел в нее, держа голову высоко, расправив худые плечи.

— Ну? — спросил царь.

Араксис разложил листы на столе перед Пендарриком.

— Звезды сдвинулись, государь... а вернее, сдвинулся мир. Очень трудно установить, как это произошло. Некоторые из моих собратьев полагают, что мир — который, как нам известно, обращается вокруг солнца — постепенно сместился. Сам я склонен считать, что какая-то катастрофа изменила наклон земной оси. Мы истощили два Камня, пытаясь найти истину. Но точно нам удалось установить лишь то, что область, которую ты показал нам, прежде находилась под океаном.

— Тебе известны пророчества этого Нои-Хазизатры? — спросил царь.

— Да, государь. И я много думал, прежде чем прийти к тебе с этим выводом.

— Он говорит, что Земля опрокинется из-за творимого мною зла. Ты хочешь сказать, что соглашаешься с его богохульством?

— Величайший, я не сановник и не философ, а лишь изучаю Звездную Магию. И на заданный тобой вопрос я могу ответить одно: согласно всем вычислениям Атлантида тысячи лет покоилась на дне океана. Как это произойдет, я установить не могу. Но если Нои-Хазизатра прав, случится это скоро. Он сказал, что конец года увидит гибель Атлантиды, а до этого срока остается шесть дней.

— Жил ли когда-нибудь царь, более могущественный, чем я, Араксис?

— Нет, государь. На протяжении всей истории такого не было.

— И все-таки эта катастрофа мне неподвластна?

— Кажется, так, государь. Мы видели будущий город Эд и нашу Звездную Башню в коросте морских раковин и окаменелого океанского ила.

— Через три дня Серпьят введет свои легионы в тот мир. И тогда посмотрим, можем ли мы учиться у будущего и изменять настоящее.

— В этом одном вопросе, государь, заключено множество их. Будущее поведает о том, что уже произошло. Но можем ли мы изменить случившееся? В открывшемся нам будущем катастрофа давно произошла. Если мы отвратим ее, то изменим будущее, и, следовательно, то, что мы видели, существовать не может. Но мы же видели это.

— Что ты посоветуешь?

— Закрыть все врата и держать все Материнские Камни города наготове, если земная ось начнет смещаться. Сосредоточить всю энергию Сипстрасси на том, чтобы удерживать мир в равновесии.

— Весь мир? Это полностью истощит имеющуюся у нас энергию. А что мы без Сипстрасси? Всего лишь люди... люди, которые одряхлеют и умрут. Должен быть другой выход. Я подожду доклада Серпьята.

— А Шаразад, государь?

— Мертва... убита собственной глупостью. Будем надеяться, что это не знамение. Что показывают мои звезды?

Араксис откашлялся.

— Я не могу сказать ничего, сверх того, что уже очевидно, государь. Сейчас время великой неустойчивости, чреватой грозной опасностью. Есть указания на путешествие, из которого нет возврата.

— Ты говоришь о моей смерти? — загремел Царь, выхватывая инкрустированный золотом кинжал, и прижал острие к горлу астролога.

— Я не умру, — прошипел он. — Я останусь жить, и мой народ тоже. В мире нет иного закона, кроме моего! Нет иного Бога, кроме Пендаррика!

Клем Стейнер сел на постели в глубине фургона и надел рубаху. Швы, стягивавшие рану на груди, ныли, а нога словно онемела, однако дело шло на поправку. Медленно одевшись, он взобрался на козлы. Бет запрягла быков, но, увидев его, бросила возиться с постромками и в бешенстве закричала:

— Дьявол! Ты даже дурее, чем кажешься. Лезь обратно и ложись! Попробуй только сорвать швы! Новых я накладывать не буду!

Сэмюэль захихикал, и Стейнер улыбнулся белобрысому мальчугану.

— Ее легко разозлить, верно? — подмигнул Сэмюэль, стрельнув глазами в сторону матери.

— Ну да, как хочешь, — сказала Бет. — А если уж тебе приспичило встать, так помоги Мэри с завтраком. Мы отправляемся через час.

Когда раненый начал неуклюже и осторожно слезать с козел, подошел Шэнноу. Наконец, добравшись до земли, Клем совсем ослабел и уцепился за тормоз, чтобы отдышаться. Шэнноу взял его под руку и довел до костра.

— Всегда на месте, если надо меня спасать, а, Шэнноу? Ты для меня скоро станешь как мать родная.

— Меня удивляет, что ты еще жив, Стейнер. Выходит, ты покрепче, чем я думал.

Клем сумел улыбнуться, а потом откинулся на спину. Шэнноу сел рядом.

— Надеюсь, ты освободился от желания убить меня?

— Да уж! — ответил Стейнер. — Это же было бы верхом неучтивости. А что за шум был ночью?

— Все рептилии перебиты. Подробности можешь узнать от своего приятеля Быка.

Дозорный испустил предупреждающий крик, и, оставив Стейнера, Шэнноу побежал к ограде. По открытой равнине к лагерю медленно двигалась сотня медведей. Дозорный прицелился, но Шэнноу крикнул «не стрелять!», и он с неохотой опустил ружье. Звери были гигантских размеров. Массивные плечи, безволосые морды. Их руки выглядели непропорционально длинными и свисали почти до самой

земли. Почти все время они шли на задних ногах, но время
от времени опускались на четвереньки. Шэнноу перелез через ограду и пошел им навстречу.

— Ты свихнулся? — крикнул Скейс ему вслед, но
Шэнноу махнул рукой, чтобы он замолчал, и продолжал
неторопливо идти вперед. Потом остановился, заложив руки
за пояс.

Вблизи звери чем-то напомнили ему Шэр-рана. Хотя
туловища были медвежьими и горбатыми, морды еще хра-
нили сходство с человеческими лицами.

— Я Шэнноу, — сказал он.

Звери остановились и сели на землю, не спуская с него
глаз. Один, самый крупный среди них, встал на четвереньки и направился к нему. У Шэнноу зачесались руки схва-
тить пистолеты... но он не шевельнулся. Зверь подошел
почти вплотную к нему, встал на задние лапы, а когтистые
руки взметнулись у самых его глаз и опустились ему на
плечи. Оголенная морда почти касалась его лица.

— Шэ-нноу? — сказал он.

— Да. Это мое имя. Вы убили наших врагов, и мы
благодарны вам.

Коготь коснулся щеки Шэнноу, огромная голова кач-
нулась.

— Не врагов, Шэ-нноу. Всадник увез одного к вам в
лагерь.

— Он мертв, — сказал Шэнноу.

— Что вам надо на землях деенков?

— Нас загнали сюда рептилии. Теперь фургоны вернутся в долину По Ту Сторону Стены. Мы не замышляем ничего против тебя и твоих людей.

— Людей, Шэнноу? Не людей. Животных. Зверей. — Он зарычал, снял когти с плечей Шэнноу и скорчился на земле. Шэнноу сел рядом.

— Мое имя Керрил... и я чую их страх, — сказал человеко-зверь, мотнув головой в сторону лагеря.

— Да, они боятся. Как и я. Страх — это дар, Керрил. Он сохраняет человеку жизнь.

— Когда-то и я знал страх, — сказал Керрил. — Страх стать зверем. Ужас перед такой судьбой. Теперь я силен и ничего не боюсь... кроме зеркал и неподвижной воды заводей и озер. Но пить я могу, закрыв глаза. А сны я еще вижу, как человек, Шэ-нноу.

— Зачем вы пришли сюда, Керрил?

— Убить вас всех.

— И убьете?

— Я еще не решил. У вас очень сильное оружие. Многие из моих будут сражены, может быть, все. Но ведь тем лучше! Ответ на молитвы!

— Если хочешь умереть, Керрил, скажи только слово. Я тебе услужу.

Зверь перекатился на спину, почесывая плечи о траву. Потом вздыбился, и когти вновь прикоснулись к щекам

Шэнноу, но на этот раз он ощутил под челюстью холодный металл пистолета.

Из клыкастой пасти Керрила вырвалось что-то похожее на смех.

— Ты мне нравишься, Шэ-нноу. Забирайте свои фургоны и уезжайте с нашей земли. Нам не нравится, когда на нас смотрят. Нам не нравится копаться в земле в поисках насекомых. Мы хотим остаться одни.

Керрил встал, повернулся и вразвалку направился к дальнему лесу. Его собратья последовали за ним.

Магеллас, лежа на животе, следил за разговором Шэнноу и Керрила.

Кровь-Камень многократно усиливал его зрение и слух. Линдьян рядом с ним также не спускал холодного взгляда с Взыскующего Иерусалима.

— Он отлично справился, — сказал Магеллас. — А ты заметил, с какой молниеносностью его пистолет вступил в игру?

— Да, — ответил Линдьян. — Но как он мог знать, что зверь его не убьет? Он умеет читать мысли? Он ясновидящий?

Магеллас отполз от гребня и встал.

— Не знаю, но сомневаюсь. Владыка, наш отец, предупредил бы нас.

— Разве? — с иронией спросил Линдьян. — Он же сказал, что это — испытание.

— Узнаем в ближайшие три дня. — Магеллас пожал плечами. — А почему ты остался со мной, Линдьян? Почему не уехал, как Родьюл?

— Может быть, мне нравится твое общество, брат. — Стройный воин улыбнулся и направился к своей лошади, ощущая спиной взгляд Магелласа.

Он с некоторым удивлением понял, что сказал правду: Магеллас ему действительно нравился. Великан много раз помогал ему в дни, когда они вместе росли в военных стойлах и он был мал ростом и слаб. К тому же с Магелласом всегда было легко. Не то что с надменным Родьюлом, слишком уж уверенным в своей непременной победе. Он вспрыгнул в седло и улыбнулся Магелласу.

«Убить тебя не будет радостью», — подумал Линдьян.

Но в этом-то и заключалась суть испытания. Линдьян, все еще более слабый, чем другие Охотники, невысокий, развил в себе способности духа. Он наблюдал, изучал и теперь умел отгадывать тайные замыслы людей. Пендаррик не терпел Родьюла и недолюбливал Магелласа. Однако оба они, каждый по-своему, обладали способностями стать преемниками царя Атлантиды. В этом и заключалась их гибель. Ведь с Сипстрасси царь не нуждался в наследниках, и в присутствии Пендаррика отнюдь не следовало показывать свою способность стать харизматическим вождем.

«Нет, — подумал Линдьян, — лучше быть таким, как я. Умелым, осторожным и неоспоримо преданным. Из меня выйдет отличный сатрап Аккадии». Два охотника ездили вместе почти все утро. В отдалении они видели львов и выехали к покинутому селению — скоплению крохотных хижин, — которое вызвало у Магелласа интерес. Он спешился и пригнулся, чтобы пройти в дверь. Несколько секунд спустя он возвратился.

— Наверное, они увидели нас и убежали под деревья. Поразительно!

Они поехали дальше вверх по крутому склону и остановились на гребне. Перед ними лежал город.

Линдьян скрыл шок, который испытал, но из горла Магелласа вырвался шипящий вздох, перешедший в грязнейшее ругательство. Он оглядывал Стену, очертания порта, дальние шпили Храма.

— Где море? — прошептал он.

Линдьян поворачивался в седле, осматривая горы и долины.

— Все иное... Все!

— Значит, это не Атлантида... а только жуткая копия Эда. Но зачем кому-то понадобилось ее строить? Взгляни на порт. Ну, зачем?

— Понятия не имею, брат, — ответил Линдьян. — Предлагаю завершить порученное нам и вернуться домой. Мы миновали не менее десятка мест, где могли бы подстеречь Шэнноу.

Магеллас не мог оторвать глаз от города.

— Зачем? — спросил он еще раз.

— Я не ясновидящий, — огрызнулся Линдьян. — Может, царь создал его, чтобы сбить нас с толку. Может, тут какая-то темная игра? Мне все равно, Магеллас. Я хочу лишь убить Шэнноу и вернуться домой... то есть если Родьюл не опередит нас.

Услышав имя своего врага, Магеллас отвернулся от города.

— Да-да, ты прав, брат. Однако мне кажется, что на этот раз надменность Родьюла окажет ему плохую услугу. Помнишь наставления Лократиса? Сначала изучи врага, узнай его получше, определи, каковы его силы, и тогда ты узнаешь его слабости. А Родьюл заранее ждет победы.

— Только потому, что он искусен, — указал Линдьян.

— И все-таки он становится неосторожным. А виновато в этом новое оружие. Человек хотя бы может увидеть стрелу в полете или услышать свист воздуха, который она пронизывает. А с ними все по-другому, — добавил он, вытаскивая пистолеты. — Не нравятся они мне.

— А Родьюлу, наоборот, очень нравятся.

— Вот именно. Но когда ему приходилось встречаться с врагом, который владел бы ими так искусно, как этот Шэнноу?

— Ты идешь на очень большой риск, позволяя Родьюлу сделать первый ход. Как ты будешь чувствовать себя, если он явится и убьет Иерусалимца?

Магеллас усмехнулся:

— Любяще попрощаюсь с ним перед его отъездом в Аккадию. Однако, охотясь на льва, разумнее обдумывать, как его убить, а не где повесить его шкуру. Вот там ручей. По-моему, пора найти нашего брата и понаблюдать за ним.

29

Нои-Хазизатра чувствовал себя очень неловко на лошади, которую одолжил ему Скейс. Он никогда не любил ездить верхом и, трясясь в седле на каждом склоне, закрывал глаза и молился, а́к горлу ему подступала тошнота.

— Нет, я предпочту корабль в бурю этому... этой твари.

Шэнноу засмеялся:

— Я видывал мешки с морковью, у которых посадка была много лучше. Не сжимай ей бока икрами, только коленями, а ниже но́ги пусть висят свободно. И, спускаясь с холма, держи ее голову повыше.

— У меня хребет вот-вот рассыплется, — проворчал Нои.

— Расслабься! Сиди в седле свободнее. Клянусь Небом, я еще не видел наездника хуже! Ты внушаешь страх кобыле.

— А она мне, — сказал Нои.

Они ехали по широкой равнине, оставив фургоны далеко позади. Солнце было затянуто тучами, и впереди висели косые полосы дождя.

Перед полуднем Шэнноу увидел одинокого всадника, ехавшего к ним навстречу. Он остановил коня и достал зрительную трубку. Сначала он решил, что это старик — волосы у него были совсем белыми, но когда он навел трубку поточнее, то убедился в своей ошибке. Всадник был молод. Его одежда состояла из серебряно-черной туники, темных гетр и высоких сапог для верховой езды. Шэнноу передал трубку Нои, и корабельный мастер выругался:

— Один из вышколенных убийц Пендаррика. Их называют Охотниками. Он ищет меня, Шэнноу. Лучше уезжай подальше.

— От одного человека, Нои?

— Пусть так, но с такими, как он, не стоит встречаться даже с глазу на глаз. Их растят в военных стойлах. Они дерутся и убивают друг друга с самого нежного возраста. В них развивают силу, быстроту и выносливость, и не существует воинов, равных им. Поверь мне, Шэнноу, и уезжай, пока еще есть время! Прошу тебя! Я не хочу, чтобы с тобой что-нибудь случилось.

— Разделяю твое желание, мой друг, — кивнул Шэнноу, не спуская глаз с приближающегося всадника.

Родьюл улыбнулся, разглядев поджидающих его людей. Да, награда его будет велика! Ведь второй всадник — предатель Нои-Хазизатра, пророк Единого Бога, человек, осуждающий насилие. Вот только одно: убить его прямо тут или доставить на суд Пендаррика?

Он остановился шагах в двадцати от них.

— Йон Шэнноу, царь царей отдал повеление о твоей смерти. Я — Родьюл, Охотник. Хочешь ли сказать что-либо, прежде чем умрешь?

— Нет, — сказал Шэнноу, плавным движением достал пистолет и выстрелом вышиб Родьюла из седла. Атлант тяжело ударился о землю. Грудь ему разрывала страшная боль. Он попытался вытащить пистолет, но Шэнноу подъехал ближе, и вторая пуля разнесла его череп.

— Хронос! — воскликнул Нои. — Не могу поверить!

— Вот и он не мог, — сказал Шэнноу. — Едем.

— Но... как же труп?

— Именно для этого Бог и создал стервятников, — ответил Шэнноу, пуская жеребца рысцой.

В двух милях оттуда Магеллас открыл глаза и испустил басистый смешок.

— О радость! — сказал он. Линдьян убрал свой Камень в кисет и покачал головой, но Магеллас снова весело рассмеялся. — Чего бы я не отдал, лишь бы увидеть то, что произошло! Титул сатрапа Аккадии? И его, и еще десяток сатрапий. Ты разглядел выражение лица Родьюла, когда Шэнноу выстрелил? Что могло быть чудеснее? Шэнноу, я у тебя в долгу. Я буду зажигать свечи твоей душе в течение тысячи лет. О Велиал! Как я хотел бы увидеть это еще раз!

— Твое горе о погибшем брате очень трогательно, — сказал Линдьян, — но я все-таки не понимаю, как это произошло.

— Потому что ты смотрел на Родьюла. А я его не перевариваю... не переваривал. Поэтому следил за Шэнноу. Он вытащил пистолет, еще не договорив, и так плавно, что Родьюл слишком поздно понял, какая опасность ему угрожает.

— Но ведь Родьюл должен был знать, что Шэнноу будет сопротивляться?

— Разумеется. Но тут всего важнее поймать момент. Он задал Шэнноу вопрос и ждал ответа. Сколько раз и ты и я поступали так же? Это не играло роли, потому что нашим оружием были мечи и кинжалы. Но эти пистолеты... они допускают внезапность. Родьюл ждал переговоров, тревоги, страха... даже просьб о пощаде или попытки бежать. А Шэнноу всего лишь убил его.

Линдьян кивнул:

— Ты это предвидел, верно? Ты именно этого и ожидал?

— Да, но результат превзошел самые радужные мои надежды. Все дело в пистолетах, Линдьян. Мы можем без труда освоиться с их употреблением, но не с теми переменами, которые они вносят один на один. Вот это-то я и пытался сказать раньше. Меч, копье или булава превращают бой в своего рода ритуал. Противники примериваются друг к другу, ищут слабины в защите, рискуют жизнью, прибегая к хитрым приемам. И все это требует времени. А пистолет? Достаточно одного биения сердца, чтобы человек превратился в труп. Шэнноу понимает это. Он всю свою жизнь имел дело с таким оружием. Оно не требует ни ритуалов, ни понятий о чести. Враг существует для того, чтобы застрелить его и забыть. Он не будет зажигать свечей душе Родьюла.

— Так как же мы сразимся с ним? Убивать его из засады нам запрещено. Нам придется сойтись с ним лицом к лицу.

— Он выдаст нам свои слабости, Линдьян. Сегодня ночью мы войдем в его сны, и они дадут нам ключ к нему.

Шэнноу и Нои устроились на ночлег с подветренной стороны холма. Иерусалимец все время молчал, а потом отошел и сел в стороне от своего спутника, глядя на город, который им предстояло посетить утром. Настроение у него было мрачным и печальным. Давным-давно он сказал Донне Тейбард: «Каждая смерть умаляет меня, госпожа». Но остается ли это правдой и сейчас? Казнь Веббера была первой — невооруженного человека он заставил встать, унизил перед всеми и пристрелил. Ну а человек в толпе ничего не сделал, только возразил — и за это тоже упал мертвым.

Чем ты теперь отличаешься от разбойника, Шэнноу?

Ответа не было. Он старел, стал медлительней и больше полагался на опыт, чем на быстроту. Хуже того: он подогнал себя под славу, которая шла о нем, и допустил, чтобы ужас перед легендой вынуждал более робких людей уступать его воле

— Ради чего? — прошептал он. — Разве мир стал лучше? Разве Иерусалим стал ближе?

Он подумал о беловолосом молодом человеке, который встретился с ними. Был ли это поединок? Нет, это было убийство. Молодому воину не оставалось ни единого шанса. Можно было бы подождать и встретиться с ним на равных... Но зачем? Благородство? Честная игра?

«А почему бы и нет? Прежде ты верил в такие добродетели».

Он протер усталые глаза, и тут к нему подошел Нои.

— Вам хочется побыть одному?

— Я буду один, останетесь вы со мной или нет. Но садитесь.

— Говорите, Шэнноу. Пусть слова очистят душу от желчи.

— Желчи во мне нет. Я думал об Охотнике.

— Понимаю. Его звали Родьюл, и он убил очень многих. Меня удивила легкость, с какой вы отправили его в могилу.

— Да, это было легко. С ними со всеми легко.

— И все-таки это вас тревожит?

— Иногда. По ночам. Когда-то я убил ребенка, оборвал его жизнь по ошибке. Он тревожит меня. Он преследует меня в моих снах. Я убил столько людей, и это становится таким легким!

— Бог создал человека не для одиночества. Подумайте над этим, Шэнноу.

— По-вашему, я не думал? Один раз я попытался, но еще до того, как я ее потерял, мне стало ясно, что это не для меня. Я не создан для счастья. Меня терзает неискупимая вина перед этим ребенком, Нои!

— Это не вина, мой друг. А горе. И тут есть разница. Я не хотел бы обладать вашим искусством, но тем не менее оно необходимо. В моем собственном времени у границ моей страны обитали дикие племена. Они устраивали набеги и убивали. Пендаррик их уничтожил, и мы все начали спать спокойнее. До тех пор, пока человек остается охотником-убийцей, будет существовать нужда в воинах вроде вас. Я могу носить свои белые одежды и молиться без тревог. Зло облекается в черное. Но всегда нужны серые всадники, чтобы охранять границу между добром и злом.

— Мы играем словами, Нои. Серый цвет лишь более светлый оттенок черного.

— Или более темный оттенок белого. Вы чужды злу, Шэнноу. Вас томят сомнения в себе. И это вас спасает. Вот в чем опасность для Пастыря. У него нет сомнений — поэтому он способен сотворить страшное зло. Вот что стало причиной падения Пендаррика. Нет, вы в полной безопасности, Серый Всадник.

— В безопасности? Кто может надеяться на безопасность?

— Тот, кто ходит с Богом. Давно ли вы искали Его слово в вашей Библии?

— Слишком давно.

Нои протянул Шэнноу его Библию в кожаном переплете.

— Божьему человеку не может угрожать одиночество.

Шэнноу взял Библию.

— Возможно, мне следовало посвятить свою жизнь молитвам.

— Вы пошли по уготованному вам пути. Бог использует и воинов, и священнослужителей. Не нам судить о его помыслах. Почитайте, а потом усните. Я помолюсь о вас, Шэнноу.

— Помолитесь о мертвых, мой друг.

Когда конь взвился на дыбы и был убит, Шэнноу спрыгнул с седла, больно ударился о землю, перекатился и встал на колени с пистолетами в руках. Грохот выстрелов, вопли напавших на него замерли. Шорох сзади! Шэнноу извернулся и спустил курок. Мальчика швырнуло в траву. Затявкал щенок, подбежал к мальчику и облизал его мертвое лицо.

— Какой ты мерзкий человек! — раздался голос. Шэнноу заморгал и обернулся. Совсем рядом стояли два молодых человека. Белые волосы, холодные глаза.

— Это была случайность, — сказал Шэнноу. — На меня напали... Я не понял.

— Убийца детей, Линдьян. Как нам с ним поступить?

— Он заслуживает смерти, — ответил боле щуплый из двоих. — Тут и вопроса быть не может.

— Я не хотел убивать этого ребенка, — повторил Шэнноу.

Высокий в серебряно-черной тунике шагнул вперед. Его рука замерла над рукояткой пистолета.

— Царь царей отдал повеление о твоей смерти, Йон Шэнноу. Хочешь ли сказать что-либо прежде, чем умрешь?

— Нет, — сказал Шэнноу, плавным движением доставая пистолет.

Пуля ударила его в грудь. Немыслимая боль, пистолет выпал из подергивающихся пальцев. Он рухнул на колени.

— Не следует дважды прибегать к одной и той же хитрости, старик, — прошептал его убийца.

Шэнноу умер...

И проснулся рядом с костром на склоне холма. Рядом с ним крепко спал Нои. Дул холодный ночной ветер. Шэнноу подбросил хвороста в костер и снова завернулся в одеяла.

Он стоял на середине арены. А вокруг сидели убитые им люди: Саренто, Веббер, Томас, Ломакс и много-много других, чьи имена он не помнил. На золотом троне сидел, откинувшись, ребенок, по белой тунике на груди расплывалось кровавое пятно.

— Вот твои судьи, Йон Шэнноу, — произнес голос, и вперед выступил высокий беловолосый воин. — Вот души убиенных.

— Они были плохими людьми, — заявил Шэнноу. — Почему им дано право судить меня?

— А что дает тебе право судить их?

— По делам их, — ответил Взыскующий Иерусалима.

— А какое преступление совершил он? — загремел его обвинитель, показывая на залитого кровью ребенка.

— Это была неосторожность! Ошибка!

— И какую цену ты заплатил за свою ошибку, Йон Шэнноу?

— Каждый день я уплачиваю ее огнем, жгущим мне душу.

— А какую цену за этих? — крикнул воин, кивая на детей, идущих по центральному проходу. Их было больше двадцати — черных и белых, ковыляющих карапузов и младенцев, девочек и мальчиков.

— Я их не знаю. Это обман! — сказал Шэнноу.

— Они были детьми Хранителей и утонули, когда ты утопил «Титаник». Какова цена за них, Шэнноу?

— Я не плохой человек! — закричал Взыскующий Иерусалима.

— По твоим делам мы судим тебя.

Шэнноу увидел, что воин протянул руку к пистолету.

Рявкнул его собственный пистолет, но в тот же миг воин исчез, и пуля пронзила грудь мальчика на троне.

— О Господи, только не во второй раз! — простонал Взыскующий Иерусалима.

Его тело дернулось, и он мгновенно пробудился. По ту сторону костра сидела львица со львятами. Едва он приподнялся и сел, как львица зарычала, встала и направилась в темноту. Львята неуклюже побежали за ней. Шэнноу развел костер поярче. Проснувшийся Нои потянулся и зевнул.

— Вы хорошо поспали? — спросил он.

— Давайте свернем одеяла и поедем дальше, — ответил Шэнноу.

Как всегда, когда Пастырь хотел помолиться в одиночестве, он пошел на гору, уходящую под облака. Его путь вел через Медвежий лес, но опасности его не устрашали. Когда человек идет говорить со своим Творцом, никто и ничто не может преградить ему дорогу.

На душе у него было тяжело, ибо люди отвергли его. Именно этого и следовало ожидать — ведь такова всегда судьба пророков. Разве не были отвергнуты людьми Илия, Елисей, Самуил? Разве не отреклись они от самого сына Божьего?

Люди слабы и думают только о том, как набить живот, да о своих ничтожных нуждах.

Точь-в-точь как в монастыре, где все время молятся, а дела не делают.

«Мир полон зла, — сказал ему настоятель. — Мы должны отвратить от него наши лица и молитвами славить Господа».

«Но мир создан Богом, настоятель, и сам Иисус просил нас быть для людей тем же, чем закваска для теста».

«Нет, нас Он не просил, — ответил настоятель. — А только Своих учеников. Но сейчас Армагеддон, настали последние времена. Спасать людей поздно. Они сделали свой выбор».

Он покинул монастырь, взял бедный приход в шахтерском поселке и проповедовал в шатре-колоколе. Но там его нашел дьявол, был он взвешен на весах и найден легким. Люцифер привел на его проповедь девицу, и Люцифер вложил ей в мысли плотское желание. О, он старался побороть власть плоти. Но как слаб человек!

Прихожане — не понимая ни искушений, каким он подвергался, ни внутренних его борений — изгнали его из поселка. Но он же не был ни в чем виновен! Это была Божья кара ей — то, что девица повесилась.

Пастырь покачал головой и осмотрелся, внезапно осознав, как далеко он углубился в лес. Он заметил растерзанный труп рептилии. Потом еще один. Остановив лошадь, он поглядел по сторонам. Трупы валялись повсюду. Он спешился и увидел возле куста Шаразад — ее тело было втиснуто под торчащие корни старого дуба. Оно было все в оставленных когтями рваных ранах, однако лицо ее чудом осталось нетронутым.

— Шэнноу был прав, — сказал Пастырь. — Ты правда схожа с ангелом.

Рядом с ее рукой лежал камень, весь в алых прожилках. Он поднял его — такой теплый и гладкий на ощупь! Положил в карман своего черного одеяния и сел в седло. Однако его ладони словно не хватало теплоты камня, и он опять взял его в руку.

Он ехал все вверх и вверх, пока не оказался на поляне у вершины кряжа. Там было холодно, но воздух был удивительно свежим и чистым, а небо — нестерпимо голубым. Снова спешившись, он преклонил колени в молитве.

— Отче дражайший, — начал он, — веди меня путями праведности. Возьми мое тело и душу. Покажи мне дорогу, которую мне должно пройти в трудах во имя Твое и по слову Твоему.

Камень в его руке стал горячим, его мысли затуманились.

Перед ним возникло золотое лицо, обрамленное бородой, суровое, с глазами светлыми, дышащее царственностью. Сердце Пастыря отчаянно забилось.

«Кто взывает ко мне?» — прозвучал голос в голове Пастыря.

— Я, Господи, смиреннейший из твоих слуг, — прошептал Пастырь, падая ниц и прижимая лицо к земле. Но —

диво дивное! — лицо осталось перед ним, словно его глаза все еще были открыты.

«Открой передо мной свой разум», — произнес голос.

— Я не знаю как?

«Прижми Камень к груди».

Пастырь послушался. Его обволокло блаженное тепло и несколько минут убаюкивал безмятежный покой; затем теплота исчезла, и он вновь почувствовал себя одиноким.

«Ты тяжко грешил, сын мой, — сказал Пендаррик. — Как ты думаешь очиститься?»

— Я сделаю все, Господи!

«Садись на свою лошадь и поезжай на восток. Вскоре ты найдешь уцелевших... рептилий. Ты поднимешь Камень и скажешь им «Пендаррик». Тогда они будут следовать за тобой и исполнять твои приказания».

— Но они творения дьявола, Господи!

«Да, но я дам им случай спасти их души. Отправляйся в город, войди в Храм и вновь призови меня, и я укажу тебе, что делать».

— А как же Великая Блудница? Ее необходимо уничтожить!

«Не пытайся спорить со мной! — загремел Пендаррик. — В свой час я сокрушу ее. Иди в Храм, Никодим. Найди Золотые Свитки, спрятанные под алтарем».

— Но если Блудница попробует воспрепятствовать мне?

«Тогда убей ее и всех ее присных».

— Да, Господи. Как повелишь. А Меч?

«Мы поговорим снова, когда ты исполнишь порученное тебе».

Лицо стало прозрачным и исчезло. Пастырь поднялся с колен.

На душе у него было легко.

Наконец-то он обрел своего Бога!

❊ 30 ❊

Вернувшись в новый дом, Бет, к великой своей радости, не нашла там никаких повреждений, оставленных землетрясением. Поля ниже все еще зияли трещинами и провалами, и упало несколько деревьев, но склон холма, который Бык выбрал для постройки ее дома, остался цел и невредим.

Рыжий всадник ухмыльнулся Бет.

— Если ты скажешь: «Я же говорил!» — я проломлю тебе голову, Бык! — пригрозила Бет.

— Да чтоб я? Даже в голову не приходило! — Он привязал лошадь и помог Бет внести в дом раненого Стейнера.

— Я и сам дойду! — пробурчал Стейнер.

— Чтобы швы еще раз лопнули? Нет уж! — отрезала Бет. — А теперь придержи язык!

Бык с детьми переносили вещи с фургона, а Бет затопила железную печку и поставила томиться кастрюлю с баркеровкой. Когда небо потемнело, Бык встал.

— Пора вернуться к менхиру Скейсу, — сказал он. — Уж конечно, там дела невпроворот. Может, вам что-нибудь привезти завтра?

— Если в городе что-то осталось, я бы не отказалась от мешочка соли.

— Привезу. И вяленого мяса тоже. Припасов, как погляжу, у вас маловато.

— У меня маловато обменной монеты, Бык. Придется взять у тебя в долг.

— Да вы не стесняйтесь, — ответил он.

Она смотрела, как он вскочил на лошадь и ускакал. Потом покачала головой и позволила себе улыбнуться. Вот из него вышел бы неплохой муж, подумала она. Он заботливый, сильный и к детям привязался. Но перед улыбающимся лицом Быка возникло лицо Йона Шэнноу.

— Дурак ты, Шэнноу, дьявол тебя возьми, — прошептала Бет.

Мэри с Сэмюэлем сидели у печки. Голова Сэмюэля прижималась к стене. Глаза у него были закрыты. Бет взяла его на руки, он открыл глаза и уронил голову ей на плечо.

— Спать пора, паршивец, — сказала она, отнесла его в заднюю комнату и положила на кровать. Раздевать не стала, а только сняла с него башмаки и укутала одеялом.

Мэри вошла следом за ней.

— Я не хочу спать, мам. Можно я посижу еще немножко?

Бет посмотрела на припухшие глаза девочки.

— Можешь лечь рядом с братом, а если через час еще не уснешь, то приходи посидеть со мной.

Мэри смущенно улыбнулась, забралась под одеяло и тут же уснула крепким сном.

Бет вернулась в большую комнату, подложила дров в печку и вышла на крыльцо, где Бык соорудил скамью из обтесанной до гладкости половины расколотого вдоль бревна. Она откинулась на спинку, глядя на залитую лунным светом долину. Стена рухнула почти целиком, хотя отдельные ее куски все еще торчали, точно щербатые зубы. Она вздрогнула.

— Приятная ночка, — сказал Стейнер, подходя, и сел рядом. Лицо у него было бледным, только под глазами чернели круги.

— Дурень ты! — сказала Бет.

— А вы при луне красивы, как картинка, — ответил он.

— Если не считать носа, — отрезала она. — И нечего ко мне подлизываться, Клем Стейнер. Даже позволь я, тебя это наверняка убьет.

— Пожалуй, — согласился он. Бет продолжала всматриваться в далекий горизонт, и Стейнер спросил: — О чем вы думаете?

— О Шэнноу. Хотя тебя это никак не касается.

— Влюбились в него?

— Какой же ты настырный, Стейнер!

— Значит, да. Могли бы сделать выбор и похуже, хотя как-то не верится, что вы будете разъезжать по белу свету, ища неведомый город, которого не существует.

— Ты прав. Может, мне за тебя выйти?

— А что? Неплохая мысль, фрей Мак-Адам, — отозвался он с улыбкой. — Я ведь очень даже хороший.

— Что-то ты всегда прятал этот свет под спудом! — заметила она сердито.

Он засмеялся:

— Как посмотрю, нос и вправду великоват!

Бет засмеялась и расслабилась. Клем вытянул раненую ногу и начал ее растирать.

— А Шэнноу про ваше чувство знает? — спросил он негромко и очень серьезно.

Бет проглотила злобную отповедь.

— Я ему дала понять. Но он не способен измениться. Вот как ты.

— Я-то изменился, — сказал Клем. — И больше не хочу быть пистолетчиком. На дьявола мне такая слава! У меня был отец, который бил меня чем ни попадя и приговаривал, что из меня ничего путного не получится. Так, наверное, я только и делал, что старался доказать, как он ошибался. А теперь мне все равно.

— Ну, и что ты будешь делать?

— Найду хорошую жену. Буду растить детей и кукурузу.

— Значит, для тебя еще есть надежда, Клем Стейнер.

Он собирался ответить, как вдруг заметил двух всадников, направляющихся к дому.

— Странная парочка! — сказала Бет. — Взгляни-ка, в лунном свете их волосы выглядят совсем белыми.

Шэнноу не оставляла тревога. Сны расстроили его, но хуже того: с той минуты, как они поехали дальше, его не оставляло ощущение, что за ним следят. Снова и снова он поворачивался в седле и оглядывал горизонт или менял направление, спешиваясь перед гребнем каждого холма.

Теперь город был уже совсем близко, и все-таки тревожное ощущение не исчезало.

— Что вас беспокоит? — спросил Нои. — Ведь мы могли бы добраться до города уже давно.

— Сам не знаю, — признался Шэнноу. — Почему-то мне не по себе.

— Не больше, чем мне на спине этой лошади, — отозвался Нои.

Из куста впереди выскочил кролик, и пистолеты Шэнноу уже нацелились на него. Иерусалимец выругался и ударил жеребца каблуками.

Город был окружен высокой стеной, но недавние землетрясения испещрили трещинами и ее. Ворот не оказалось, но когда они въезжали в проем, Шэнноу заметил в плитах глубокие выемки, в которые некогда были вделаны петли.

— Ворота, — сообщил ему Нои, — были из дерева и бронзы с изображением львиной головы на каждой створке. А за ними начиналась улица Златокузнецов, которая вела в квартал Ваятелей. Мой дом был совсем рядом.

Прохожие на улицах останавливались и смотрели на всадников. Но без враждебности, а только с любопытством. Женщин, заметил Шэнноу, было гораздо больше, чем мужчин. Все высокие и статные. Одежда на них почти вся была из кожи, богато вышитая.

Он остановил коня.

— Я ищу Черную Госпожу, — сказал он с поклоном, снимая шляпу.

Женщина, стоявшая ближе всех к нему, улыбнулась и указала на восток:

— Она в Высокой башне с Оширом.

— Да пребудет с вами мир Божий, — сказал ей Шэнноу.

— Закон Единого да будет вам покровом, — отозвалась она.

Копыта их лошадей цокали по каменной мостовой.

— В мое время в этот квартал никакие животные не допускались. Запах навоза не очень тешил ноздри живших тут, — сообщил Нои.

Перед ними возникло согбенное искалеченное существо, и в памяти Шэнноу молниеносно возник Шэр-ран. Его жеребец встал на дыбы, но он его успокоил ласковыми словами.

— Бедняга, — сказал Нои, когда они пустили своих лошадей дальше шагом.

Улица расширилась, превратилась в величественную, окаймленную статуями перспективу, которая, прямая как стрела, вела к высокому дворцу из белого мрамора.

— Летний дом Пендаррика, — объяснил Нои. — В него включен и Храм.

Они подъехали к колоссальной лестнице, более чем в сто шагов шириной, полого поднимающейся к гигантской арке.

— Царские ступени, — сказал Нои.

Как и перспективу, лестницу обрамляли статуи, изваянные из мрамора, — каждая с мечом и скипетром в руках. Шэнноу ударил жеребца каблуками и въехал на лестницу. Нои спешился и пошел за ним, ведя кобылу на поводу. Когда Иерусалимец поднялся к арке, из тени навстречу ему вышла стройная темнокожая женщина. И Шэнноу вспомнил минуту, когда увидел ее в первый раз — когда она уносила своего сына с остова воскрешенного и вновь погибшего «Титаника».

— Амазига? Вы — Черная Госпожа? — сказал он, сходя с седла.

— Она самая, Шэнноу. Что вы здесь делаете? — Он заметил напряжение в ее голосе. Отсутствие теплоты в ее взгляде.

— Я такой нежеланный гость?

— Здесь нет носителей зла, чтобы вы могли с ними разделаться, даю вам слово.

— Я здесь не за тем, чтобы убивать. Или вы считаете меня отпетым злодеем?

— Тогда скажите, зачем вы здесь?

Шэнноу заметил в густой тени арки у нее за спиной какое-то движение. Оттуда вышел молодой человек. Когда-то он, видимо, был удивительно красив, но теперь его лицо словно опухло, а плечи горбились. Шэнноу виновато отвел глаза от уродства юноши.

— Я задала вам вопрос, Йон Шэнноу! — сказала Амазига Арчер.

— Я приехал предупредить вас о надвигающейся опасности и еще поглядеть на Меч Божий. Но было бы приятнее поговорить не на улице, а в доме.

К арке приблизился Нои, увидел Амазигу и низко поклонился.

— Это мой спутник Нои-Хазизатра. Он из Атлантиды, Амазига, и, думаю, вам следует его выслушать.

— Идите за мной, — сказала она, повернулась на каблуках и широким шагом исчезла под аркой. Искалеченный юноша молча последовал за ней, Шэнноу и Нои шли сзади. Они оказались в большом квадратном дворе. Амазига пересекла его, обойдя круглый фонтан, и направилась дальше в огромный вестибюль. Шэнноу привязал лошадей во дворе и вошел во дворец. Там стояла мертвая тишина, и их шаги будили жутковатое эхо.

Поднявшись по высокой винтовой лестнице, они очутились в комнате, где Амазига уже сидела за столом из красного дерева, заваленным бумагами, свитками и книгами. Она выглядела моложе, чем помнилось Шэнноу, но ее глаза, казалось, были исполнены невыразимой печали.

— Говорите, Иерусалимец, а затем оставьте нас в том недолгом покое, на какой мы еще можем надеяться.

Шэнноу глубоко вздохнул, подавляя гнев. Не торопясь он рассказал ей про нападение на городок в Долине Паломника, об их бегстве за разрушившуюся стену. Он описал женщину Шаразад, рассказал о Пастыре и о том, что ее со страхом считают злой богиней. И он рассказал ей про Пендаррика. Она слушала не перебивая, но ее интерес пробудился только, когда заговорил Нои. Она задавала ему резкие вопросы, но его кроткие ответы как будто ее удовлетворили. Наконец, когда оба они умолкли, она попросила урода принести вина. Ни Шэнноу, ни Нои не посмотрели в его сторону. Едва он ушел, как Амазига впилась глазами во Взыскующего Иерусалима.

— Вы знаете, что с ним происходит?

— Он превращается во льва, — ответил Шэнноу, глядя ей прямо в глаза.

— Откуда вам это известно?

— Я повстречал человека, которого звали Шэр-ран, и с ним происходило такое же ужасное преображение. Он спас меня, оказал мне помощь, когда я в ней нуждался, исцелил мои раны.

— Что с ним случилось?

— Он умер.

— Я спросила, что с ним случилось? — гневно повторила Амазига.

— Я его убил, — ответил Шэнноу.

Ее глаза стали ледяными, и Нои похолодел от ее улыбки.

— Знакомая история, Шэнноу! В конце-то концов, много ли наберется рассказов о Иерусалимце, в которых он не убивает кого-нибудь? Сколько общин вы уничтожили за последнее время?

— Не я уничтожил вашу общину. Это сделал Саренто, когда отправил «Титаник» в плавание. Я же просто замкнул энергию Материнского Камня. Но я не стану спорить с вами, госпожа, или обсуждать мои поступки. Я продолжу поиски Меча.

— Ни в коем случае, Шэнноу! Вы не должны к нему приближаться! — Она просто шипела. — Вы не понимаете!

— Я понимаю, что врата между прошлым и настоящим должны быть закрыты. Быть может, их закроет Меч Божий. Если нет, в катастрофе, которая постигнет Атлантиду, погибнем и мы.

— Меч Божий — не спасение, которого вы ищете. Поверьте мне!

— Я уверюсь в этом только, когда увижу его, — решительно ответил Шэнноу.

Амазига подняла руку из-под стола. Она держала адский пистолет. И, взведя курок, прицелилась в Шэнноу.

— Обещайте мне не приближаться к Мечу или умрите! — крикнула она.

— Шрина! — донесся голос от двери. — Довольно! Убери пистолет.

— Ты не понимаешь, Ошир. Не вмешивайся!

— Понимаю достаточно, — ответил человеко-зверь, неуклюже подходя к столу и ставя на него серебряный поднос. Его изуродованная рука сомкнулась на пистолете и осторожно вынула оружие из ее пальцев. — Ничто из твоих рассказов об этом человеке не указывает, что он — носитель зла. Почему ты хочешь убить его?

— Куда бы он ни ехал, за ним следует Смерть. Гибель! Я это чувствую, Ошир.

Она вскочила и выбежала из комнаты. Ошир положил пистолет на стол, Шэнноу наклонился и снял затвор со взвода. Ошир с трудом опустился в кресло, в котором только что сидела Амазига. Он не спускал взгляда с Иерусалимца.

— Она измучена, Шэнноу, — сказал он. — Ей казалось, что она нашла способ исцелить меня, но это оказалось лишь временным улучшением. И теперь она должна страдать заново. Она любила моего брата Шэр-рана, а он стал зверем. Теперь... — он пожал плечами, — теперь настал мой черед. Ваш приезд привел ее в полное отчаяние. Но она соберется с силами и обдумает все, что вы ей говорили. Выпейте вина и отдохните. Я пригляжу, чтобы ваших лошадей пустили пастись на ближнем лугу, где хорошая трава. За этой дверью вы найдете кровати и одеяла.

— Времени для отдыха не осталось, — возразил Нои. — Конец близок, я чувствую это.

Шэнноу устало поднялся на ноги.

— Я надеялся на помощь. Я думал, Черная Госпожа сильна.

— Так и есть, Шэнноу, — заверил его Ошир. — Она обладает великими знаниями. Дайте ей время.

— Вы слышали, что сказал Нои? Времени у нас нет. Мы поедем дальше к Мечу, но сначала Нои надо обыскать храмовое святилище.

— Зачем? — спросил Ошир.

— Чтобы найти то, что поможет мне вернуться домой, — ответил Нои.

Вблизи прогремел выстрел, и раздался вопль ужаса.

— Вот видишь! — крикнула Амазига из двери, указывая на Шэнноу. — Где бы он ни ездил, Смерть всегда следует за ним!

🎇 31 🎇

Пастырь смело выехал на поляну, где собрались двадцать три уцелевших Кинжала. Некоторые были ранены, их чешуйчатые руки и ноги были забинтованы. Остальные держали ружья наготове, на случай, если на них нападут медведи. Высоко подняв Кровь-Камень, Пастырь направил лошадь прямо в толпу врагов и громко произнес единственное слово, открытое ему Богом.

— Пендаррик! — провозгласил он, и ружья, уже прицеленные в него, тотчас опустились. — Следуйте за мной, — приказал Пастырь, выезжая с поляны. Рептилии взяли свое оружие, построились в две колонны и последовали за ним. Пастырь пришел в экстаз.

— Как таинственны пути Господа, — сообщил он утреннему воздуху. — И сколь дивны Его чудеса!

На равнине перед городом собралось много львов, и они преградили дорогу Пастырю. Он поднял свой Камень и рявкнул:

— Расступитесь!

Черногривый великан вздыбился от боли и побежал влево. Остальные пошли за ним, образовав коридор, в который Пастырь направил свою лошадь.

Он повел рептилий к северным воротам и там обернулся к ним.

— Все противящиеся воле Бога должны умереть! — объявил он и, не сомневаясь, что ему сопутствует необоримая сила Творца, въехал в ворота. За ними он увидел множество людей. Никто не встал у него на пути. Горожане с откровенным любопытством смотрели на строй рептилий, следующих за Пастырем по улицам между белых стен. Да и на самого Пастыря тоже.

Он спросил у женщины, державшей за руку малыша:

— Храм! Как к нему проехать?

Женщина указала на высокое здание с куполом, и он поехал туда. Массивные колонны Храма были расположены совсем близко друг к другу. Он спешился и зашагал вверх по лестнице. Рептилии следовали за ним.

Навстречу ему вышел старец.

— Кто ищет мудрость закона Единого? — спросил он.

— Дорогу воину Господа! — ответил Пастырь.

— Вы не можете войти, — мягко объяснил старец. — Сейчас жрецы творят молитву. Вот когда солнце коснется западной стены, ваше прошение будет услышано.

— Прочь, старик! — приказал Пастырь, доставая пистолет.

— Разве ты не понял? — спросил Верховный Жрец. — Это не дозволено!

По коридорам Храма раскатилось эхо выстрела. Верховный Жрец без стона упал навзничь. Из раны во лбу хлынула кровь. Пастырь вбежал в Храм, рептилии толпой ринулись за ним. Взяв пример со своего нового начальника, они начали стрелять по жрецам, которые заметались, ища, где бы укрыться. Не обращая внимания на начатую им бойню, Пастырь оглядывался в поисках входа в Святая Святых. В конце длинной колоннады он увидел узкую дверь, побежал к ней и распахнул ее ударом ноги. Внутри находился алтарь, и другой старец торопливо собирал свитки золотой фольги. Он поднял голову, попытался подняться, но пистолет в руке Пастыря подпрыгнул, и старец упал. Пастырь встал на колени над свитками и поднял Камень.

— Услышь меня, Господи! Я исполнил твое повеление!

Перед ним замерцало лицо Пендаррика.

— Свитки! — сказал он. — Прочти их.

Пастырь взял свиток и развернул полосу золотой фольги.

— Я не умею читать эти знаки, — сказал он.

— Но я умею. Отложи этот, возьми другой.

Один за другим Пастырь разворачивал свитки, с любопытством вглядываясь в знаки, слагавшиеся из палочек. Наконец, положив последний, он посмотрел в глаза Бога и увидел в них тревогу.

— Что я должен сделать, Господи? — прошептал он.

— Сведи на землю Меч Божий, — ответил Пендаррик. — Сегодня же. На юге увидишь пик. Поднимись на
него... но прежде положи свой Камень на грудь жреца
возле тебя. Положи его в кровь. Камень наберется силы.
Когда поднимешься на пик, подними Камень и призови
Меч. Притяни его к себе. Ты понял?

— Да, — ответил Пастырь. — О да! Мои сны сбы-
лись. Благодарю тебя, Господи. А что я должен буду сделать тогда?

— Когда ты выполнишь порученное, мы снова поговорим. — Лицо исчезло.

Пастырь положил Камень на окровавленную грудь жреца
и смотрел, как кровь словно втекала в него, расширяя алые
прожилки. Потом взял его и встал.

Снаружи вновь донесся треск выстрелов. Он пробежал
через колоннаду, вниз по лестнице и вскочил на свою лошадь. Забыв про рептилий, он помчался галопом к главным воротам и дальше — выполнять повеления Бога.

Шэнноу, едва раздались первые выстрелы, оттолкнул
Амазигу, выбежал из комнаты и бросился вниз по лестнице,
перепрыгивая через две ступеньки. Двор был пуст, если
не считать привязанных там двух лошадей. Из здания
Храма донеслись новые выстрелы, и Шэнноу, выхватив
пистолеты, пошел через двор. Из двери выскочила рептилия с ружьем в руках. Шэнноу поднял пистолет, и тут

рептилия, заметив его, вскинула ружье. Шэнноу выстрелил, пуля отшвырнула рептилию к стене, и она упала ничком на каменные плиты.

Взыскующий Иерусалима выждал несколько секунд, не спуская глаз с дверей, но ни одна рептилия больше не появилась. Пригнувшись, он обежал фонтан и кинулся через открытое пространство за Храм. Там он увидел деревянную дверь. Она была заперта, и он ударил ногой в филенку у замка. Дверь опрокинулась внутрь. Едва Шэнноу проскочил в проем, в косяк впилась пуля, и он перекатился влево. Вокруг него свистели и визжали пули, рикошетом отлетая от мозаичного пола. Укрывшись за колонной, он поднялся на колени и услышал справа топот бегущих ног. Извернуться, вскинуть пистолеты... И три рептилии упали мертвыми. Он увидел, как Пастырь выбежал в дверь слева, как два Кинжала расступились, давая ему дорогу, и убил их. Пуля прошла воротник его куртки, он выстрелил в ответ, но промахнулся, вскочил и под визг пуль перебежал ко второй колонне. Наперерез ему бросилась рептилия, занося кинжал. Шэнноу всадил ей в грудь две пули и увидел, что повсюду вокруг Кинжалы бегут к главным дверям.

Внутри Храма воцарилась тишина. Шэнноу перезарядил пистолеты и выпрямился. В дверях появилась Амазига с Нои и Оширом. Они бросились к двери, из которой, как вспомнил Шэнноу, появился Пастырь. Иерусалимец убрал пистолеты в кобуры и последовал за ними. Внутри небольшого помещения Нои и Амазига стояли на коленях над умирающим жрецом, очень старым, седобородым. Грудь у него была вся в крови.

— Я есть лист, — прошептал жрец, когда Нои осторожно приподнял его голову.

— Бог есть древо, — тихо ответил Нои.

— Завершается круг, — прошептал жрец. — Сейчас я познаю Закон Единого, Круг Бога.

— Да, ты его познаешь, — ответил Нои. — Ручьи — в реки. Реки — в море, море — в облака, облака — в ручьи. Плодородная почва — в дерево, дерево — в лист, лист — в землю. Вся жизнь слагается в Круг Бога.

Умирающий улыбнулся.

— Ты истинно верующий. Я рад. Твой Круг продолжается.

— Что им было нужно? — спросила Амазига. — Что они забрали?

— Ничего, — ответил жрец. — Он прочитал священные свитки и призвал демона. Демон повелел ему свести на землю Меч Божий.

— Нет! Только не это! — прошептала Амазига.

— Это не важно, Шрина...

Голос жреца замер, голова тяжело легла на ладони Нои. Корабельный мастер бережно опустил усопшего на пол и встал.

— Это были прекрасные слова, — сказал ему Шэнноу.

— Они из заветов Единого. Совершенство достигается только в круге, Шэнноу, и постижение этого равносильно постижению Бога.

Нои улыбнулся и начал обходить помещения, всматриваясь в резьбу на стенах, ощупывая каждый выступ. Шэнноу спросил:

— Что вы ищете?

— Сам не знаю. Камни могли храниться только тут, но где именно, мне неизвестно. Знал об этом только Верховный Жрец и не открывал тайну никому, кроме своего преемника.

Помещение было квадратным, но алтарь имел форму круга. Известняковые стены украшали чудесные барельефы — грациозные фигуры с подрисованными краской глазами простирали к небу изящные руки с длинными тонкими пальцами. Шэнноу подошел к алтарю и устремил взгляд на его гладкую ошлифованную поверхность. В ней было вырезано и выложено золотой фольгой сказочное дерево с золотыми листьями. Узор был гармоничен и ласкал взгляд. Шэнноу начал легонько обводить пальцами очертания ветвей. По краю алтаря были вырезаны птицы — в полете, в гнезде, кормящие птенцов. Тут тоже провозглашался принцип круга: от яйца — в небо. Его пальцы скользили и скользили по узору, пока не остановились на гнезде с единственным яйцом. От прикосновения оно качнулось. Он покрепче сжал пальцы и извлек его из углубления. Оно было маленьким и белоснежно-белым. Но едва оказалось на его ладони, как потеплело, а белизна приобрела кремовый оттенок, который перешел в желтый и, наконец, стал золотым.

— Я нашел то, что вы ищете, — сказал он.

Нои подошел к нему и взял с его ладони золотое яйцо.

— Да, — согласился он тихо. — Вы его нашли.

— Камень с Небес, — сказал Ошир. — Чудо! Что вы будете делать теперь?

— Он не мой, — ответил Нои, — и я не могу его взять. Иначе я вернулся бы в свою страну и попытался бы спасти жену и детей от неминуемой гибели.

— Так возьмите его, — сказал Ошир.

— Нет! — закричала Амазига. — Он нужен мне! Он нужен тебе. Я не могу смотреть, как ты снова преображаешься!

Ошир отвернулся от нее.

— Я... хочу, чтобы Камень принадлежал вам, Нои-Хазизатра. Я князь деенков. Верховный жрец погиб, и право распоряжаться Камнем перешло ко мне. Возьмите его. Употребите во благо.

— Позволь мне воспользоваться им один раз, — умоляюще воскликнула Амазига. — Дай мне исцелить Ошира!

— Нет! — закричал Ошир. — Сипстрасси не действует против самого себя, ты же видела! Таким меня сделал Сипстрасси. Сила слишком драгоценна, чтобы тратить ее на существо вроде меня. Как ты не понимаешь, Шрина?

Я лев, который ходит как человек. Даже магия не может изменить этого... Помешать мне стать, чем я стану. Не важно, Шрина. Ты и я — мы увидим океан, и это все, чего я хочу.

— Ну а то, чего хочу я? — спросила она. — Я люблю тебя, Ошир.

— И я люблю тебя, Черная Госпожа... больше жизни. Но ничто не вечно. Даже любовь. — Он обернулся к Нои. — Как вы найдете путь домой?

— За тем, что некогда было царскими садами, есть кольцо стоячих камней. Я пойду туда.

— Я пойду с вами, — сказал Ошир, и вместе с Шэнноу они вышли из комнаты. Амазига осталась сидеть рядом с убитым жрецом, глядя на золотые свитки.

Протекшие столетия почти не тронули кольцо камней. Только один растрескался и упал. Нои вошел в кольцо, остановился на середине и протянул руку Шэнноу.

— Я многое узнал здесь, мой друг, — сказал он. — Однако не нашел Меча Божьего, как мне было повелено.

— Я найду его, Нои... и сделаю то, что нужно сделать. А вы позаботьтесь о своей семье.

— Прощайте, Шэнноу, да пребудет с вами любовь Божия.

Шэнноу и Ошир вышли из кольца, Нои поднял Камень и крикнул что-то на языке, неизвестном Шэнноу. Не было ни ослепительной вспышки света, ни удара грома. Просто одну секунду он стоял там, а в следующую его уже там не было.

Шэнноу ощутил невосполнимую утрату. Он обернулся к Оширу.

— Вы человек великого мужества.

— Нет, Шэнноу. Если бы! Тем, что я есть, меня сделал Сипстрасси. Шрина прибегла к магии Камней, чтобы вернуть мне человеческий облик, но почти сразу же я вновь начал меняться. Она упряма и израсходовала бы все Камни в мире, чтобы сохранить меня. Но такой дар Бога не следует тратить понапрасну на подобную цель.

Они медленно пошли назад в Храм. Там уже собралась большая толпа, и из дверей выносили убитых жрецов.

— Почему они не защищались? — спросил Шэнноу. — Ведь тех было так мало!

— Мы не воины, Шэнноу. Мы не верим в убийства.

В Храме их встретила Амазига, лицо у нее было суровым и непреклонным.

— Нам надо поговорить, Шэнноу. Ошир, извини нас! — И она увела Иерусалимца назад в Святая Святых. Хотя тело старого жреца унесли, его кровь по-прежнему пятнала пол.

Амазига резко обернулась к Шэнноу:

— Вы должны нагнать убийцу и остановить его. Вопрос жизни и смерти.

— Почему? Какой вред он может причинить?

— Меч надо оставить там, где он находится.

— Все еще не понимаю почему. Если он служит Божьему Промыслу...

— Божьему, Шэнноу? Бог не имеет никакого отношения к Мечу. Мечу? Что я такое говорю! Это не Меч, Шэнноу, это ракета, ядерная ракета. Летающая бомба.

— Ну, в таком случае Пастырь быстренько спровадит себя в ад. Почему вас это так пугает?

— Он спровадит в ад нас всех. Вы понятия не имеете о мощи этой ракеты, Шэнноу! Она уничтожит все, что вы можете увидеть с Башни. На двести миль земля будет испепелена и станет бесплодной. Вы способны осознать это?

— Объясните мне.

Амазига глубоко вздохнула, подыскивая нужные слова. Ее память Хранителя и наставницы была подкреплена Сипстрасси, и она могла перечислить все данные этой ракеты, но они только еще больше запутали бы Шэнноу. Сказать ему, что это — MX (missile experimental — ракета экспериментальная). Длина — 34,3 метра. Диаметр — 225 сантиметров первая ступень. Скорость — 18 000 миль в час в момент взрыва. Радиус действия —14 000 километров. Мощность — 10×350 килотонн. Десять боеголовок, каждая способна полностью уничтожить большой город. Но как объяснить армагеддонскому варвару, что именно стоит за этими словами?

— В Межвременье, Шэнноу, царили великий страх и ненависть. Люди создавали сокрушающее оружие, и одно в дни ужасной войны было применено против большого

города. Оно полностью уничтожило город. Этот единствен-
ный взрыв убил сотни тысяч людей. Но вскоре были со-
зданы еще более мощные бомбы и сконструированы ракеты,
которые могли доставлять их через океаны.

— Так как же нации выжили?

— Они не выжили, Шэнноу, — ответила она просто.

— И эти бомбы опрокинули землю?

— Не совсем. Но это не важно. Этому... как его?
Пастырю?.. нельзя позволить как-либо воздействовать на
ракету.

— Но почему она висит в небе? Почему окружена крестами, если не ниспослана Богом.

— Вернемся в мои комнаты, и я постараюсь объяснить,
как смогу. На все вопросы у меня ответов нет. Но обещайте, Шэнноу, отправиться за ним во весь опор, когда я объясню вам, в чем суть.

— Я решу, как поступить, после того, как вы объясните все.

Он последовал за ней в ее комнату и сел напротив
письменного стола.

— Вам известно, — сказала она, — что одно время все
эти земли находились на дне океана? Место, где мы находимся сейчас, тогда было частью моря, носившей название
«Дьявольский Треугольник». Название это оно получило
из-за необъяснимых исчезновений кораблей и самолетов...
Про самолеты вам понятно?

— Нет.

— Люди тогда... было установлено, что машины способны взмывать в небо. Эти машины назвали самолетами. У них были широкие крылья и двигатели, которые на больших скоростях удерживали их в воздухе. И то, что вы видите в небе вокруг... э... Меча, это вовсе не распятия и не кресты, а самолеты. Они оказались в поле полной статики. Боже мой, Шэнноу! Это невозможно! — Она наполнила кубок вином из кувшина на столе и выпила больше половины, а затем наклонилась вперед. — Атланты использовали энергию большого Сипстрасси и нацелили ее в небо. Зачем и почему, я не знаю, но они это сделали. Когда Атлантиду поглотил океан, сила Камня сохранилась. Она сковала более ста самолетов и кораблей. И могла бы захватить их еще больше, но поле очень узко, а энергия с годами слабела, и корабли попадали на землю. Их остовы все еще попадаются в пустыне за Пиком Хаоса. Каким образом поле втянуло ракету, я могу только догадываться. Когда Земля опрокинулась вторично, происходили гигантские землетрясения. К тому времени ядерные установки полностью контролировались компьютерами, и очень вероятно, что компьютеры определили необычной силы землетрясения, как ядерные взрывы, и среагировали соответственно. Вот почему почти везде теперь уровень радиации столь высок. Земля опрокинулась, ракеты были выпущены, и всякой надежде на сохранение цивилизации пришел конец. Эта ракета была скорее всего выпущена откуда-то из страны, называвшейся «Америка». Она попала в поле полной статики и остается в нем вот уже триста лет.

— Но ведь в Межвременье должны были видеть — вот, как видим мы, — что самолеты висят в воздухе? Если у них в распоряжении было такое ужасающее оружие, почему они не уничтожили Камень?

— Не думаю, что они могли видеть эти самолеты. Полагаю, Сипстрасси изначально был запрограммирован удерживать предметы в другом измерении, недоступном нашему зрению. И видимыми они стали только, когда его энергия начала истощаться.

Шэнноу покачал головой:

— Я ничего не понял, Амазига. Все это мне недоступно. Самолеты? Поля полной статики? Компьютеры? Тем не менее меня последнее время преследуют странные сны. Я сижу в хрустальном шаре внутри гигантского креста в небе. В уши мне бормочет голос. Чей-то, кого называют Контроль, и он указывает мне курс прямо на запад. Мой голос — и все-таки не мой — отвечает, что мы не знаем, где запад. Все не такое... непонятное. Даже океан выглядит иначе.

— Хрустальный шар, Шэнноу, это кабина самолета. И голос, который вы слышали, был не голос человека по имени Контроль, а голос диспетчера командно-диспетчерского пункта в месте, называвшемся Форт Лодердейл. Ваш — не ваш голос принадлежал лейтенанту Чарльзу Тейлору, пилотировавшему один из пяти бомбардировщиков-торпедоносцев на учениях. И видите вы их все пять в боевом строю возле ракеты. Поверьте мне, Шэнноу, и помешайте Пастырю!

Шэнноу встал.

— Не знаю, сумею ли. Но попытаюсь, — сказал он ей.

32

Б ет Мак-Адам очнулась. Голова гудела, все тело ныло. Она села — и увидела двух мужчин, которые вытащили ее из дома. Схватив камень, она принудила себя встать.

— Стервецы поганые! — прошипела она.

Тот, кто был выше, плавным движением поднялся с земли и шагнул к ней. Ее рука взвилась, целясь размозжить ему висок, но он легко помешал ей и повалил на землю.

— Не испытывай моего терпения, — сказал он. Белые как мел волосы, юное, без единой морщинки лицо. Он опустился на колени рядом с ней. — С тобой ничего плохого не случится, слово Магелласа. Нам просто нужна твоя помощь, чтобы выполнить возложенное на нас поручение.

— А мои дети?

— Целы и невредимы. А мужчина, которого ударил Линдьян, просто потерял сознание и очнется таким, каким был.

— А что за поручение? — спросила она, готовясь снова броситься на него.

— Не делай глупостей, — посоветовал он. — Если станешь мне докучать, я сломаю тебе обе руки. — Бет выпустила камень из пальцев. — Ты спросила про данное нам поручение, — продолжал он с улыбкой. — Мы присланы убрать Йона Шэнноу. Ты для него что-то значишь, и он сдастся нам, чтобы спасти тебя.

— Ждите! — отрезала она. — Он убьет вас обоих.

— Не думаю. Я успел узнать Йона Шэнноу очень близко. Он внушает мне уважение и даже нравится. Он сдастся!

— Но если он тебе нравится, так почему ты хочешь убить его?

— Какое отношение чувства имеют к выполнению долга? Царь, мой отец, говорит, что Шэнноу должен умереть. И значит, он умрет.

— Но почему вы просто не встретитесь с ним? Как настоящие мужчины?

Магеллас рассмеялся.

— Мы палачи, а не бретеры. Получи я приказ встретиться с ним на равных, я повиновался бы. Как и мой брат Линдьян. Но это не диктуется необходимостью, а потому было бы глупым риском. Теперь мы продолжим — с твоей помощью... или без нее. Но мне не хотелось бы сломать тебе руки. Ты поможешь нам? Ты нужна своим детям, Бет Мак-Адам.

— И какого ответа ты от меня ждешь?

— Что ты останешься с нами и оставишь камни в покое.

— Выбор у меня не слишком большой, так?

— Все-таки скажи это вслух. Это меня слегка успокоит.

— Я буду делать то, что вы скажете. Тебе этого достаточно?

— Более или менее. Мы приготовили еду и будем рады, если ты разделишь ее с нами.

— Где мы? — спросила Бет.

— Мы, если не ошибаюсь, сидим в одном из ваших святых мест.

Магеллас указал на усыпанное звездами небо. Высоко над ними, серебрясь в лунном свете, висел Меч Божий.

Шэнноу ушел, и Амазига Арчер сидела одна. На ее письменном столе теперь лежали Священные Свитки, хранимые деенками. Ее муж, Сэмюэль, четыре года обучал ее знакам клинописи древней Месопотамии. Большую часть золотых полос занимали астрологические заметки и карты созвездий. Но последних три свитка, включая еще один, который Пастырь не нашел, содержали мысли и рассуждения астролога Араксиса.

Амазига прочла первые два, и ее пробрала холодная дрожь.

Многое осталось ей непонятным, но все согласовывалось с древними легендами о гибели Атлантиды. Атланты обнаружили колоссальный источник энергии, но злоупотребили им, океан вздыбился и затопил сушу. Теперь Амазиге все стало ясно. Отворив Врата Времени, они изменили хрупкое равновесие всемирного тяготения. Вместо того, чтобы спокойно обращаться вокруг Солнца, Земля подверглась воздействию силы притяжения второго солнца, а возможно, и нескольких. Землетрясения и извержения вулканов, описанные Араксисом, были лишь симптомами того, что планета во власти двух противоположно направленных сил покачивалась на своей оси. И нынешние землетрясения носили точно тот же характер. Когда в небе появлялись два колоссальных солнца, сила тяготения заставляла планету содрогаться.

Шэнноу был прав: надвигающаяся гибель Атлантиды представляла смертельную угрозу для нового мира. Одна из великих тайн, которую так и не удалось раскрыть Хранителям, касалась рассказа очевидцев Второго Падения, когда десять тысяч лет назад цивилизации были смыты с поверхности планеты. Эти очевидцы сообщали о двух солнцах в небе. Амазигу учили, что вторым «солнцем» был ядерный взрыв. Теперь она усомнилась в этой теории. В золотых свитках говорилось о вратах в мир летающих машин и страшного оружия. Круг истории? Когда Атлантида погибла, она увлекла с собой и двадцать первый век? А как с двадцать четвертым? Что теперь, Господи? Неужели Земля и правда опрокинется?

Поднявшийся в сумерках ветер холодил ей кожу. Она встала, задернула тяжелые занавески и зажгла фонари по стенам. «Что такое заложено в нашей расе, что всегда увлекает нас на путь разрушения и гибели?»

Вернувшись к столу, Амазига взяла последний список и в смутном золотистом свете фонарей начала разбирать слова. Глаза у нее расширились.

— Господи Иисусе! — прошептала она, схватила пистолет, выскочила из комнаты и сбежала по лестнице во двор. Там все еще стояла кобыла Нои. Амазига забралась в седло и поскакала через город. За главными воротами у трупов рептилий пировали львы. Они словно не заметили ее, и она погнала кобылу галопом.

Шэнноу поехал вслед за Пастырем, но медленно. Жеребец был измучен и нуждался в отдыхе. Кроме того, сгущались сумерки, а он знал, что наверняка не успеет, если его конь неудачно оступится. Взыскующий Иерусалима покачивался в седле. Он тоже устал, и голова у него шла кругом из-за всего, что он услышал от Амазиги. А ведь так недавно — и так давно! — мир был простым местом с хорошими людьми и плохими людьми и жила надежда на Иерусалим. Теперь все изменилось.

Меч Божий — не более чем оружие, созданное людьми для уничтожения других людей. Венец из крестов — самолеты из прошлого. Так где же Бог? Шэнноу взял фляжку и напился. Вдали он различил очертания Пика Хаоса. Облака разошлись, и в небе серебром засиял Меч Божий.

— Где ты, Господи? — сказал Шэнноу. — Где ты ходишь?

Ответа не было. Шэнноу подумал о Нои: ему хотелось верить, что корабельный мастер благополучно вернулся домой. Жеребец трусил и трусил вперед, и, когда занялась заря, Шэнноу направил его вверх по каменной гряде, примыкающей к Пику и Озеру Клятв. Оглянувшись, он увидел, что к пику направляется какой-то всадник. Взяв зрительную трубку, он навел ее и узнал Амазигу. Кобыла под ней была вся в пене и еле плелась на подгибающихся ногах. Убрав трубку в седельную сумку, Шэнноу въехал на последний гребень. В глазах у него мутилось от утомления. Он направил жеребца вниз к озеру, спешился и огляделся. Пик вздымался к небу, как узловатый палец, и он увидел, что Пастырь уже почти добрался до последнего карниза. Слишком далеко для пистолетного выстрела.

— Добро пожаловать, Шэнноу, — раздался чей-то голос. Иерусалимец стремительно обернулся, уже прицеливаясь. И тут увидел Бет Мак-Адам. Худощавый беловолосый молодой человек обнимал ее одной рукой за шею, другой прижимая пистолет к ее голове. Говоривший — человек из его снов — стоял в нескольких шагах влево.

— Должен сказать, Шэнноу, что я тебе благодарен, — сказал Магеллас. — Ты убил надменного скота Родьюла, чем оказал мне большую услугу. Однако царь царей отдал повеление о твоей смерти.

— Но ее-то это как касается? — спросил Шэнноу.

— Чуть только ты положишь на землю все свое оружие, она будет отпущена.

— И в тот же миг я умру?

— Вот именно. Но произойдет это мгновенно. — Магеллас вытащил пистолет. — Обещаю тебе.

Оба пистолета Шэнноу все еще были нацелены на молодого человека. Курки взведены, пальцы на спусковых крючках.

— Не слушай, Шэнноу! Прикончи его! — закричала Бет Мак-Адам.

— Ты ее отпустишь? — спросил Шэнноу.

— Я человек слова, — ответил Магеллас, и Шэнноу кивнул.

— Хорошо, — сказал он.

В эту же секунду Бет Мак-Адам приподняла ногу и со всей тяжестью наступила каблуком на ступню Линдьяна. Удар затылком по его подбородку — и она вырвалась из его рук. Линдьян выругался, вскинул пистолет, и тут из-за большого камня выскочил Клем Стейнер. Линдьян заметил его, обернулся, но опоздал: пистолет Стейнера рявкнул, и худощавый воин опрокинулся навзничь с пулей в сердце.

Одновременно выстрелил Магеллас, и с головы Шэнноу слетела шляпа. Иерусалимец спустил курки своих пистолетов. Магеллас пошатнулся, но устоял на ногах. Шэнноу выстрелил еще раз, и Магеллас упал на колени, все еще пытаясь поднять руку с пистолетом. Но пистолет выпал из его пальцев. Он откинул голову.

— Ты мне нравишься, Шэнноу, — сказал он со слабой улыбкой. Глаза у него закрылись, и он упал лицом вниз.

Шэнноу подбежал к Стейнеру. Рана на груди юноши открылась, лицо его стало землистым. Он прислонился к камню.

— Уплатил тебе должок, Шэнноу, — прошептал он.

— Ты спятил, Клем! — К нему подбежала Бет. — Но все равно спасибо. Откуда, дьявол тебя возьми, ты здесь взялся?

— Я быстро прочухался, а тут приехал Бык навестить меня. Ну, я и оставил детей на него, да и двинулся по следу... Вроде бы мы теперь в безопасности.

— Пока нет, — ответил Шэнноу.

Пастырь выбрался на карниз, где пуля уже не могла его достать, и поднял руку.

Меч Божий задрожал в небе.

Шэнноу кинулся к основанию пика, сбросил черный плащ, подпрыгнул, ухватился за торчащий камень и подтянулся. Прямо перед ним уходил ввысь почти отвесный обрыв. Его пальцы нащупали опоры, и медленный подъем начался.

Бет и Стейнер сели, не спуская с него глаз. Высоко на карнизе Пастырь возглашал обрывки стихов Ветхого Завета.

— Меч, меч обнажен для заклания, вычищен для истребления, чтобы сверкал, как молния... Ибо так говорит Господь Бог: когда Я сделаю тебя городом опустелым... Когда подниму на тебя пучину, и покроют тебя большие воды... Ужасом сделаю тебя, и будут искать тебя, но уже не найдут тебя вовеки, говорит Господь Бог. — Его голос звенел на ветру.

Амазига тяжело взобралась на гребень — кобыла упала бездыханной еще на склоне. Она сбежала к озеру и увидела, что Шэнноу упорно взбирается вверх по обрыву.

— Нет! — закричала она. — Не трогайте его, Шэнноу! Не трогайте!

Иерусалимец не ответил. Амазига вытащила пистолет и прицелилась в него, но Бет бросилась к ней, перепрыгивая камни, и успела ударить ее в плечо. Грянул выстрел, возле левой руки Шэнноу брызнули каменные осколки. Он вздрогнул от неожиданности и чуть не сорвался. Бет вырвала у Амазиги пистолет и оттолкнула ее от себя.

— Мы должны остановить его! — пробормотала Амазига. — Должны!

С неба донесся громовый рокот: пламя и дым окутали основание Меча. Минуты летели. Шэнноу совсем устал: когда он подтягивался, его руки дрожали все заметнее. Но цель была уже близка. Он отчаянно напрягал последние силы, вынуждал тело повиноваться. По его лицу катился пот.

Почти над самой головой он слышал голос Пастыря:

— Изолью на тебя негодование Мое, дохну на тебя огнем ярости Моей... Рыдайте! О злосчастный день!.. Година народов наступает...

Когда ракета начала содрогаться, самолеты у края поля полной статики вырвались, и рев их двигателей раскатился над пустыней за Пиком. Шэнноу выбрался на карниз. Несколько секунд он с трудом переводил дух.

Пастырь увидел его:

— Добро пожаловать, брат! Добро пожаловать! Нынче ты услышишь еще небывалую проповедь, ибо Меч Божий возвращается в дом свой!

— Нет, — сказал ему Шэнноу. — Это не меч, Пастырь.

Но тот его словно не услышал.

— Наступил благословенный день. День мне предназначенный.

С ужасающим ревом ракета вырвалась из поля и устремилась вверх.

— НЕТ! — завопил Пастырь. — Нет! Вернись! — Он поднял руку, ракета замедлила подъем и начала поворачиваться. Башня зарокотала. Гигантская молния расколола небо на юге, воздух раздвинулся, точно занавес, и в небе засияло второе солнце. Шэнноу приподнялся на колени. С карниза ему были хорошо видны колоссальные врата, распахнутые Пендарриком, и бесчисленные ряды легионов за ними. Свет нестерпимо слепил глаза. В небе ракета почти завершила поворот. Шэнноу вытащил пистолет. Землетрясение разразилось в тот миг, когда он прицелился в Пастыря. Гигантская трещина зазмеилась поперек пустыни... Озеро исчезло... Пик покачнулся. Срывались каменные пласты, обнажая башенные стены. Шэнноу выронил пистолет и ухватился за торчащий камень. Пастырь, видевший только ракету, потерял равновесие и сорвался с карниза. Его тело распростерлось далеко внизу на камнях, недавно бывших дном озера.

Клем Стейнер, Бет и Амазига побежали от разверзшейся пропасти на склон. Шэнноу выпрямился. Ракета возвращалась прямо на него.

Он угрюмо уставился на орудие его гибели, всеми силами души желая, чтобы чудовище влетело в открытые врата. В ответ на его мысли ракета завибрировала и кувыркнулась. Шэнноу, не зная, что под каменным панцирем пульсирует энергия огромного Сипстрасси, не мог понять, почему произошло чудо, но его сердце радостно забилось, едва он понял, что Меч Божий подчиняется его желанию. Он сосредоточился, насколько хватило сил. Ракета пронеслась сквозь Врата Времени, подобно серебряному дротику. Легионы Пендаррика следили за ее полетом... а она все летела, хотя от нее отвалилась часть. На миг Шэнноу испытал чувство горчайшего разочарования — ведь ничего не произошло. Затем вспыхнул свет, словно тысячи солнц, и раздался грохот, словно рушились миры.

Врата исчезли.

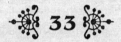

33

Нои-Хазизатра открыл глаза и увидел, что стоит в кольце камней за Царскими садами Эда. В двухстах шагах от Храма. В небе сияли звезды, и город спал. Он выскочил из кольца и побежал по обсаженной деревьями Аллее Царей и дальше сквозь Жемчужно-Серебряные ворота. Проснувшийся старый нищий протянул руку.

— Помоги мне, высочайший, — сонно пробормотал он. Однако Нои пробежал мимо, и, прошептав ему вслед проклятие, нищий снова закутался в тонкое одеяло.

Когда Нои добрался до улицы Купцов, он еле переводил дух и пошел шагом. Однако тут же пустился бежать, пока не оказался у запертой калитки своего сада. Поглядев по сторонам, он ухватился за прутья железной ограды и начал карабкаться на нее. Добравшись до верха, спрыгнул на землю и зарысил к дому. На него бросился могучий пес. Нои опустился на колени, и пес, сразу остановившись, обнюхал его протянутую руку.

— Ну-ну, Немврод. Не так уж долго меня не было! — Черный хвост завилял, и Нои погладил длинные уши. — А теперь пойдем искать твою хозяйку.

Дверь дома тоже была заперта, и Нои забарабанил кулаками по филенке. В верхнем окне замерцал огонек, на балкон вышел слуга:

— Кто тут?

— Открой дверь. Вернулся хозяин дома! — крикнул в ответ Нои.

— Хронос сладчайший! — воскликнул Пурат, слуга. Еще минута, засовы отодвинулись, и Нои вошел в дом. Пурат, старый доверенный служитель, заморгал при виде странной одежды своего господина, однако Нои не стал тратить времени на расспросы.

— Буди слуг, — приказал он, — пакуйте свои вещи, а также съестные припасы на дорогу.

— Куда мы едем, господин? — спросил Пурат.

— Чтобы найти спасение, если на то будет Божья воля.

Нои взбежал по лестнице и распахнул дверь спальни. Пашад спала. Он сел на край широкой кровати, на шелковые простыни, погладил жену по темным волосам, и ее глаза открылись.

— Опять сон? — прошептала она.

— Не сон, любимая. Я здесь.

Она привстала и обняла его за шею:

— Я знала, что ты вернешься! Я так горячо молилась...

— У нас нет времени, Пашад. Мир, который мы знаем, вот-вот погибнет, как мне и открыл Владыка Хронос. Нам надо торопиться в порт. Какие из моих кораблей стоят там сейчас?

— К отплытию готов только «Ков-Чегнои». На него грузят скот для восточной колонии.

— Значит, «Ков-Чегнои». Разбуди детей, упакуй теплую одежду. Мы отправимся в порт, найдем кормчего Коналиса. Пусть будет готов поднять паруса завтра, едва начнет смеркаться.

— Любимый, но еще не все бумаги готовы. Не позволят нам покинуть порт. Перегородят выход из бухты.

— Не думаю. Не в этот День Дней. А теперь побыстрее оденься и делай, что я тебе сказал.

Пашад откинула шелковое одеяло и спрыгнула с кровати.

— С тех пор, как ты уехал от нас, случилось очень многое, — начала она рассказывать, сбрасывая ночную тунику и доставая из ларя у окна теплое шерстяное платье. — Половина торговцев и ремесленников восточного квартала исчезли. Говорят, царь забрал их в иной мир. В городе большое волнение. Ты ведь знаешь мою троюродную сестру Карию? Она замужем за придворным астрологом Араксисом. Она говорит, что большой Сипстрасси перенесли в Звездную башню для того, чтобы остановить страшное оружие, которое замыслили обрушить на нас наши враги.

— Что?! В Звездной башне?

— Да. Кария говорит, что Араксис очень встревожен. Царь сказал ему, что враги из другого мира попытаются погубить Империю.

— И они установили Камень, чтобы помешать этому? Вот что, Пашад! Возьми детей, найди Коналиса, прикажи приготовиться к отплытию в сумерках. Я присоединюсь к вам в порту. Где стоит «Ков-Чегнои»?

— У двенадцатого причала. Почему ты не пойдешь с нами?

Он шагнул к ней и заключил ее в могучие объятия.

— Не могу. Мне необходимо сделать еще кое-что. Но, верь мне, Пашад. Я люблю тебя.

Он быстро поцеловал ее и выбежал из спальни. Во дворе ждали двое слуг. Рядом стояли наспех упакованные сундуки, а Пурат вел от ворот по мощеной дороге лошадь, запряженную в повозку. В небе уже разгоралась заря.

— Пурат, запряги колесницу. Она мне нужна сейчас же.

— Слушаю, Господин. Но белую пару одолжил Бонанте. Есть только каурая кобыла да мерин, а они не пара...

— Запрягай!

— Уже запрягаю, господин.

Несколько минут спустя Нои-Хазизатра, нахлестывая кобылу с мерином, катил по Аллее Царей назад, к далекой Звездной башне. Мерин был сильнее кобылы, а управлять деревянной колесницей и обычно было нелегко, и все же Нои продолжал гнать лошадей, надеясь, что у него хватит силы справляться с ними. Колесо подпрыгнуло на торчащем булыжнике, однако Нои сумел устоять и продолжал мчаться через обреченный город.

Владыка повелел ему найти Меч Божий... он не сумел. Но Шэнноу обещал найти Меч и сделать все, что будет нужно. А Нои только теперь понял, что тогда произойдет. Шэнноу отправит Меч во врата, и миру настанет конец. Меч Божий был воссиявшим ослепительным светом его видения, а Араксис использовал силу Сипстрасси, чтобы остановить его.

Небо совсем посветлело, и было уже раннее утро, когда Нои повернул колесницу во двор у подножия Звездной башни. К нему бросились два стражника и схватили взмыленных лошадей под уздцы. Нои спрыгнул на землю.

— Араксис тут? — спросил он.

Стражники посмотрели на его странную одежду и переглянулись.

— Мне необходимо увидеть его по делу величайшей важности, не терпящему отлагательств, — заявил Нои.

— А по-моему, тебе надо пойти с нами, господин. Начальник охраны захочет расспросить тебя.

— Нет времени, — ответил Нои, и его могучий кулак ударил стража в подбородок, и он камнем рухнул на плиты двора. Его товарищ старался вытащить меч из ножен. Нои прыгнул к нему, кулак поднялся, опустился, и второй стражник растянулся рядом с первым.

Дверь в башню была закрыта на засов изнутри. Нои надавил на нее плечом, она прогнулась, но не поддалась. Тогда он попятился и, ударив ногой в замок, сорвал дверь с петель.

Прыгая через две ступеньки, Нои поднялся на Башню. Дверь в круглую комнату не была заперта, и он вошел без стука. Смуглый красивый мужчина с золотым обручем на голове наклонялся над столом, изучая большую звездную карту. На шаги Нои он повернул голову.

— Кто ты? — спросил он сурово.

— Нои-Хазизатра.

Глаза астролога широко раскрылись.

— Ты объявлен еретиком и изменником. Что тебе здесь надо?

— Я пришел остановить тебя, Араксис... во имя Святейшего.

— Ты не понимаешь, о чем говоришь. Миру угрожает опасность.

— Мир погиб. Ты знаешь, что я говорю правду, ты ведь заглядывал в будущее, астролог. Зло царя нарушило уравновешенную гармонию миров. Владыка Хронос повелел положить конец его злу.

— Но как же тысячи... сотни тысяч ни в чем не повинных? Нам надо оберечь тысячелетнюю цивилизацию. Нет, ты ошибаешься!

— Ошибаюсь? Я видел падение миров. Я ходил по развалинам Эда. Я видел, как в глубинах океана статую

Пендаррика опрокинула на дно большая акула. Я не ошибаюсь.

— Я способен остановить это, Нои. Способен! Ведь Меч Божий всего лишь страшная машина. Я способен удержать ее с помощью Сипстрасси... отправить туда, где она никого не убьет.

— Я не могу допустить, чтобы ты попытался это сделать, — негромко сказал Нои, взглянув на ясное голубое небо.

— Ты не можешь помешать, изменник. Сила перекрывает врата, словно щит. И город тоже. Любой металлический предмет в небе, окружающем Эд, будет пойман. Ничто не проникнет внутрь. Можешь убить меня, Нои-Хазизатра, но это не воспрепятствует магии. И тебе не приблизиться к Камню, его охраняют нерушимые чары!

Нои резко обернулся и посмотрел на гигантский Камень Сипстрасси. В его поверхность были вделаны шесть золотых проволок, которые были подсоединены к шести сферическим кристаллам на ажурной подставке из серебра.

— Уходи, пока еще можешь, — сказал Араксис. — Мы в родстве через наших жен, а потому я даю тебе час, а тогда доложу царю о твоем возвращении.

Нои, словно не слыша, подскочил к столу, смахнул с него пергаментный лист и подсунул руки под дубовую крышку. Тяжелый стол приподнялся.

— Нет! — завопил Араксис, кидаясь на могучего корабельного мастера. Нои отпустил стол и обернулся в тот самый миг, когда астролог прыгнул на него. Оба свалились на пол, однако Нои успел ударить Араксиса в подбородок. Астролог был оглушен, но рук не разжал. Нои вскочил и швырнул его о стену, потом опять нагнулся над столом, поднял его высоко над головой и, крикнув, швырнул в кристаллы. По комнате заметалась молния, разбила высокое окно и подожгла бархатные занавески. Серебряные подставки расплавились. Один из кристаллов был разбит столом, еще три скатились на пол. Нои схватил табурет и искрошил их.

— Ты не знаешь, что ты натворил! — прошептал Араксис, а из ссадины на его виске сочилась кровь.

Снизу со двора донесся крик. Нои выругался и подбежал к окну. Над распростертыми телами двух стражников наклонились еще трое.

Нои скатился с лестницы. В разбитую дверь как раз входили два стражника, и Нои врезался в них, сбил с ног. Выскочив на солнечный свет, он увернулся от опускающегося меча и опрокинул третьего стражника. Потом прыгнул в колесницу и щелкнул кнутом над головами лошадей. Они налегли на постромки и ринулись к воротам.

В верхней комнате Звездной башни Араксис кое-как поднялся на ноги. Четыре кристалла разбиты, и у него нет времени, чтобы снова все наладить. Однако два остались на месте — достаточно, чтобы послать силовой луч над городом Эд. Если Меч нацелен на Эд, Камень остановит его в небе, сведет в ничто его жуткую мощь. Если же меч минует город, то безобидно взорвется в океанских просторах. Араксис подошел к Великому Камню и начал шептать слова силы.

В мчащейся по городу колеснице Нои утешался мыслью, что, наверное, непоправимо воспрепятствовал планам Араксиса. Если нет, то миру Шэнноу придется испытать всю меру зла Пендаррика.

Лошади устали, и миновало два часа, прежде чем Нои въехал на пристань. Как и сказала Пашад, «Ков-Чегнои» стоял у двенадцатого причала.

Он выпрыгнул из колесницы и взбежал по сходням. Коналис увидел его и, оставив кормило, спустился с ним под палубу.

— Это безумие, Высочайший, — заявил дюжий корабельщик. — Как раз начнется прилив, а мы не выправили бумаг, да и скот еще только грузят.

— Сегодня день безумия. Моя жена здесь?

— Да. И твои сыновья, и твои слуги. Они все в помещениях под палубой. Но ведь еще предстоит досмотр. Что мне сказать начальнику порта?

— Что захочешь. У тебя есть семья, Коналис?

— Жена и две дочери.

— Приведи их на корабль.

— Это зачем же?

— Я хочу сделать им великий подарок... и тебе тоже. Говорить больше не о чем. Теперь я сосну часок-другой. Разбуди меня с наступлением сумерек. И скажи всем матросам, у кого есть жены и невесты, чтобы они тоже привели их на борт. У меня есть подарки для них всех.

— Как прикажешь, Высочайший. Но может, лучше сказать, что подарки приготовила госпожа Пашад? Ты же объявлен изменником.

— Разбуди меня с приходом сумерек. А насчет досмотра — пусть отложат его до завтра.

— Слушаю, Высочайший.

Нои растянулся на узких нарах — он так устал, что не мог даже позвать Пашад. Глаза у него закрылись, и он сразу же погрузился в глубокий сон...

И проснулся, как ужаленный. Рядом с ним сидела Пашад. Он еле разлепил веки, и ему почудилось, что уснул он всего лишь минуту назад.

— Смеркается, мой господин, — сказала Пашад, и он спрыгнул с нар.

— Дети тут?

— Да. Все в безопасности. Но корабль переполнен женами и детьми матросов.

— Уведи их всех вниз. Я поговорю с Коналисом. Пошли его к кормилу.

— Что происходит, Нои? Я ничего не понимаю...

— Очень скоро ты все поймешь, любимая. Поверь мне.

Коналис встретил его на корме.

— Я совсем запутался, Высочайший. Ты сказал, что мы отплывем с сумерками, но сейчас тут полно женщин и детей, которых еще надо высадить на берег.

— На берег никто не сойдет, — ответил Нои, всматриваясь в небо.

Коналис вполголоса выругался. С дальнего конца порта к ним направлялся отряд воинов.

— Прознали, что ты вернулся, — буркнул кормчий. — Теперь нам всем конец.

Нои мотнул головой.

— Смотри! — крикнул он, взметывая руку и указывая пальцем туда, где длинная серебряная стрела описывала дугу по небосводу. — Руби канаты! — взревел Нои. — Сейчас же, если хочешь жить!

Коналис сорвал топор с крюка на корме и обрушил его на чалку. Кинулся на нос и обрубил вторую. «Ковчегнои» начало относить от пристани, и Нои что было силы повернул кормило влево. Заметив, что корабль плывет, на палубу хлынули женщины и дети. Тем временем воины добежали до причала, но корабль отошел уже настолько, что никто не мог бы прыгнуть на него с пристани. Поперек выхода из порта стояла длинная трирема, и ее бронзовый таран поблескивал в лучах умирающего солнца.

— Они нас потопят! — закричал Коналис.

— Нет, — ответил Нои.

Издали, следом за вспышкой слепяще-белого света донесся грохот взрыва, от которого закачалась земля. Город содрогался, и по кораблю пробежала дрожь.

— Поставить парус? — крикнул Коналис.

— Нет. Парус нас погубит. Отправь всех вниз.

Небо потемнело. Затем солнце вновь величественно выплыло в небо, и по городу пронесся ураганный ветер. Нои вытащил из кармана свой Сипстрасси и зашептал слова молитвы. По городу с ревом катилась приливная волна в тысячу с лишним футов высотой, и Нои увидел могучие деревья, увлекаемые потоком. Любое могло разнести «Ковчегнои» в щепки. Нос корабля медленно задирался и теперь указывал прямо на водяную стену. Крепко сжимая Сипстрасси, Нои ощутил удар волны. Словно гигантская рука подхватила корабль и увлекла вверх через бурлящую пену, однако ни единая капля на палубу не упала. Все выше поднимался корабль, пока не достиг гребня и не закачался на нем. Далеко внизу трирема болталась среди валов, точно пробка, но тут же ее швырнуло на каменный обрыв над выходом из бухты. Она разлетелась в куски и исчезла в пенных бурунах. А всесокрушающая волна уносилась дальше на восток.

В наступившей тишине к Нои подошел Коналис. Лицо у него было пепельным.

— Ничего не осталось, — прошептал он. — Мир погиб.

— Нет, — сказал Нои. — Не мир. Только Атлантида. Поднимай парус. Когда воды спадут, мы поищем новый дом.

Губы Нои искривились в горьковатой усмешке: из-под палубы до него донеслось жалобное мычание.

«Во всяком случае, у нас есть коровы. Да и овцы тоже».

На палубу поднялась Пашад, а за ней их сыновья — Сим, Хам и Иафет. Нои быстро пошел им навстречу.

— Что мы будем делать теперь? — спросила она. — Куда поплывем?

— Куда бы ни было, мы будем вместе, — ответил он.

❄ 34 ❄

Шэнноу присел на корточки. Внезапно ему стало как-то удивительно хорошо — так хорошо он себя не чувствовал уже долгие-долгие годы. Непонятное, но чудесное ощущение! Хотя он был совсем измучен, его тело, казалось, налилось силой...

Поперек карниза зазмеилась трещина. Башня покачнулась. Шэнноу молниеносно соскользнул с уступа и начал спускаться. Башня задрожала, верхушка обломилась и рассыпалась. Шэнноу всем телом прижался к обрыву, а вокруг летели большие и мелкие обломки. Потом он медленно продолжил спуск.

Внизу к нему подбежала Бет:

— Господи, Шэнноу! Ты только посмотри на себя! Что за дьявол? Что там произошло?

— Но в чем дело? — спросил он.

— У тебя такой молодой вид! Волосы совсем темные, а кожа... даже не верится!

Слева раздался тихий стон, и они бросились туда, где лежал Пастырь. Его тело было изуродовано, из правого уха текла кровь, левая нога неестественно загибалась под туловище.

— Меч... — прошептал Пастырь.

Шэнноу положил его голову себе на колени.

— Он унесся туда, куда указал Бог.

— Я умираю, Шэнноу. А Он не являет мне свой лик. Я не выполнил Его велений...

— Не тревожьтесь, Пастырь. Вы заслужили право на ошибки.

— Я оказался недостоин Его.

— Мы все Его недостойны, — мягко сказал Шэнноу, — но Он как будто не придает этому большого значения. Вы делали все, что было в ваших силах, и трудились без устали. Вы спасли город. Вы творили много добра. Он это видел, Пастырь, Он знает.

— Я хотел... чтобы Он... любил меня... Хотел заслужить... — Голос замер.

— Знаю. Не страшитесь. Вы возвращаетесь домой, Пастырь. И узрите Славу Господню.

— Нет. Я... был дурным человеком, Шэнноу... Я совершал такие черные поступки... — На глазах Пастыря выступили слезы. — Я иду в ад.

— Не думаю, — успокоил его Шэнноу. — Не поднимись вы на этот Пик, и мир, возможно, снова опрокинулся бы. Никто из нас не совершенен, Пастырь, а вы хотя бы старались идти путем Божьим.

— Помолитесь... обо мне... Шэнноу.

— Я помолюсь.

— Это ведь не был Бог... правда?

— Нет. Не тревожьтесь.

Глаза Пастыря закрылись, последний вздох заклокотал у него в груди и оборвался.

— Ты говорил серьезно? — спросила Бет. — Ты думаешь, он не будет поджариваться в аду?

Взыскующий Иерусалима пожал плечами:

— Надеюсь, что так. Он жил в терзаниях, и мне хочется думать, что Бог добр к таким людям.

К ним подошла Амазига Арчер.

— Почему вы стреляли в меня? — спросил Шэнноу.

— В попытке изменить прошлое, Шэнноу. Я прочла золотые свитки. — Внезапно она засмеялась. — Замкнутый круг истории, Иерусалимец. Пендаррик овладел сознанием Пастыря — или Боготворящего, как он называется в свитках Араксиса. Через него Пендаррик узнал, что Атлантиду должно поразить мощнейшее оружие и что тогда мир опрокинется. И знаете, что сделал Пендаррик? Он приказал перенести Сипстрасси в эту башню и повелел Араксису сосредоточить энергию так, чтобы остановить меч, когда он появится над Эдом. Вы понимаете, о чем я говорю? Двенадцать тысяч лет тому назад Пендаррик сотворил поле полной статики, чтобы поймать ядерную ракету. И поймал ее — через двенадцать тысяч лет. Вы понимаете?

— Нет, — сказал Шэнноу.

— Логично до омерзения. Не узнай Пендаррик про ракету и не попытайся перехватить ее, она бы тут не зависла. Нельзя изменить прошлое, Шэнноу. Нельзя!

— Но почему вы попытались убить меня?

— Потому что вы только что уничтожили два мира. Не отправь вы эту бомбу в прошлое, наш прежний мир уцелел бы. Видите ли, во Втором Падении тоже был повинен Пендаррик. Я думала, что сумею изменить историю... но нет. — Она поглядела на Шэнноу в упор, и он увидел в ее глазах муку и ненависть. — Вы больше не Взыскующий Иерусалима, Шэнноу. О нет! Вы — Обретший Армагеддон. Сокрушитель миров.

Шэнноу не ответил. Амазига повернулась и быстро направилась к развалинам Башни. Там, где каменная кора осыпалась, поблескивал белый мрамор. Амазига пробралась через обломки и по сорванной с петель двери вошла в зияющий проем. Возле выброшенного из чаши Сипстрасси лежал запорошенный пылью скелет. На фалангах пальцев поблескивали кольца, и золотой обруч все еще опоясывал костяной лоб.

Следом за ней туда вошли Шэнноу, Бет и Стейнер. Шэнноу подвел Стейнера к Сипстрасси и прижал к нему ладонь пистолетчика. Золотые прожилки были теперь еле различимы, но тем не менее волна энергии прокатилась по телу Стейнера, исцелив его раны.

Снаружи доносился рев двигателей — освобожденные самолеты продолжали кружить в небе, ища место для приземления.

Амазига опустилась на колени и взяла свиток золотой фольги.

— «Меч, — начала она читать, — не опустился на Эд, но послышался грохот, появился столп дыма. А сейчас случилось неслыханное: только что закатившееся солнце снова взошло. И я вижу, как на нас стремительно надвигается чернейшая туча. Темнее, чернее всех былых грозовых туч. Нет, не туча. Изменник был прав. Это море!»

Амазига положила свиток и встала.

— Ракета послужила последней соломинкой, опрокинувшей уже неустойчивую планету. — Она обернулась к скелету. — Полагаю, это Араксис. Даже Сипстрасси не мог спасти его от цунами — приливной волны, которую он увидел. Бог мой, как я тебя ненавижу, Шэнноу!

— Хватит скулить! — гневно крикнула Бет Мак-Адам. — Миры уничтожил не Шэнноу, а Пендаррик. Он открыл врата, он установил это самое... как ты там его назвала? — чтобы поймать Меч Божий. И Меч поразил его самого. Какое у тебя право осуждать человека, который только старался спасти своих друзей?

— Оставь ее в покое, — мягко сказал Шэнноу.

— Нет! — отрезала Бет, впиваясь в Амазигу ледяным взглядом голубых глаз. — Она знает правду! Когда пистолет убивает человека, за убийство судят не его, а того человека, который спустил курок. Она знает это!

— Он носитель смерти, — прошипела Амазига. — Он уничтожил моих друзей и коллег. Мой муж погиб из-за него, мой сын умер. А теперь из-за него опрокинулись два мира!

— Скажи мне, Шэнноу, почему ты пришел к мечу?

— Это не имеет значения, — ответил Взыскующий Иерусалима. — Оставь, Бет.

— Нет уж! — опять вспылила она. — Пока Магеллас и Линдьян держали меня заложницей, они через свои Камни Силы наблюдали за тобой и показывали мне. Это ты! — крикнула она, оборачиваясь к Амазиге. — Это ты уговаривала, умоляла Шэнноу кинуться сюда и остановить Пастыря. Это ты заставила его взобраться на Пик, рискуя жизнью. Так чей палец нажал на спусковой крючок, стерва?

— Я не виновата! — вскрикнула Амазига. — Я не знала!

— А он знал? Йон Шэнноу знал, что меч, если он влетит во врата, погубит два мира? Меня тошнит от тебя. Сама неси свою вину, как несем все мы. И не сваливай ее на человека, который только что спас нас всех от смерти.

Амазига попятилась от разгневанной Бет и выбежала наружу. Шэнноу последовал за ней.

— Я сожалею о твоих утратах, — сказал он. — Сэмю-эль Арчер был прекраснейшим человеком. Ну что еще могу я сказать?

Амазига тяжело вздохнула.

— Она говорила правду, и ты лишь частица круга истории. Прости меня, Шэнноу. Нои-Хазизатра говорил, что был послан найти Меч Божий. И он его нашел.

— Нет, — грустно возразил Шэнноу. — Ведь Меча не было. А было лишь гнусное оружие для уничтожения сотен тысяч людей.

Амазига положила руку ему на плечо.

— Он нашел Меч, Шэнноу, потому что нашел тебя. Мечом Божьим был ты.

— Надеюсь, Нои все-таки уцелел, — сказал Шэнноу, чтобы изменить тему. — Он мне нравился.

Амазига засмеялась.

— Уцелел, уцелел, Йон Шэнноу. Можешь не сомневаться.

— Так в свитках было еще что-то?

Она покачала головой:

— Нет. Просто Нои — арабский, а Хазизатра — ассирийский вариант имени Ноя. Помнишь, что он говорил о Круге Бога? Нои-Хазизатра попал в будущее и прочел в твоей Библии, как спасся Ной. Поэтому он вернулся к себе и, полагаю, с помощью Сипстрасси создал непотопляемое судно. Ну, как тебе такой Круг Бога?

Ее смех стал истерическим... потом хлынули слезы.

— Уйдем, — сказала Бет Мак-Адам, беря Шэнноу за локоть и уводя его к лошадям.

Первые два самолета уже приземлились на твердые спекшиеся пески пустыни.

— А что они такое? — спросила Бет.

— Во всяком случае такое, с чем я дела иметь не хочу, — ответил он, когда девятнадцатое звено завершило посадку через четыре века после взлета.

Бок о бок Бет и Шэнноу уехали от сухой чаши Озера Клятв.

— Что ты будешь делать теперь, Шэнноу? — спросила она. — Теперь, когда ты снова стал молодым? Будешь и дальше искать Иерусалим?

— Я потратил полжизни, Бет, в поисках видения. Это было ошибкой. Найти Бога за дальними горами нельзя. Как и ответа в камнях. — Повернувшись в седле, он посмотрел на обрушившийся Пик и на одинокую фигуру Амазиги Арчер. Потом нагнулся, взял руку Бет и поднес к губам. — Если ты меня не прогонишь, я хотел бы вернуться домой.

❧ ЭПИЛОГ ❧

Под началом Эдрика Скейса и комитета во главе с Джозией Брумом Долина Паломника процветала. Церковь отстроили заново, а так как пастыря в общине не было, служил там молодой бородатый фермер Йон Кейд. Если кто-нибудь и замечал сходство между Кейдом и легендарным профессиональным убийцей Шэнноу, вслух об этом не упоминал никто.

Далеко-далеко на юге красивая чернокожая женщина и золотистый черногривый лев вместе поднялись на гребень последнего холма перед океаном. И остановились там, всматриваясь в необъятную синюю даль, ощущая прохладу океанского бриза, глядя на дробящееся в плещущих волнах отражение солнца.

Лев рядом с ней отвернулся и устремил взгляд на стадо оленей, пасущихся у подножия холма в отдалении. Он не понимал, зачем женщина стоит тут, ему хотелось есть, и он мягко затрусил на поиски добычи.

Амазига Арчер смотрела, как он удаляется, и по ее щекам заструились слезы.

— Прощай, Ошир, — сказала она

Но лев ее не услышал.

Литературно-художественное издание

Геммел Дэвид

Последний Хранитель

Редакторы Е. А. Барзова, Г. Г. Мурадян
Художественный редактор О. Н. Адаскина
Компьютерный дизайн: А. С. Сергеев
Технический редактор О. В. Панкрашина
Младший редактор Е. А. Лазарева

Подписано в печать 27.01.00.
Формат 84x108 $^1/_{32}$. Усл. печ. л. 21,84.
Тираж 11 000 экз. Заказ № 217.

Налоговая льгота — общероссийский классификатор продукции
ОК-00-93, том 2; 953000 — книги, брошюры

Гигиенический сертификат
№ 77.ЦС.01.952.П.01659.Т.98. от 01.09.98 г.

ООО «Фирма "Издательство АСТ"»
ЛР № 066236 от 22.12.98.
366720, РФ, Республика Ингушетия,
г. Назрань, ул. Московская, 13а
Наши электронные адреса:
WWW.AST.RU
E-mail: astpub@aha.ru

Отпечатано с готовых диапозитивов
в ОАО «Рыбинский Дом печати»
152901, г. Рыбинск, ул. Чкалова, 8.